SABER MANSOURI

UNE FEMME SANS ÉCRITURE

roman

ÉDITIONS DU SEUIL
*25, bd Romain-Rolland, Paris XIVe*

L'auteur remercie le Centre national du livre
pour la bourse qui lui a été accordée.

ISBN 978-2-02-131290-4

www.seuil.com

Pour Salouha et Fatma

« Tu es lampe, tu es nuit ;
Cette lucarne est pour ton regard,
Cette planche pour ta fatigue,
Ce peu d'eau pour ta soif,
Les murs entiers sont à celui
que ta clarté met au monde,
Ô détenue, ô Mariée ! »

René Char,
« La vérité vous rendra libres »,
Les Matinaux

Je préfère tes larmes à ta prose

Mon fils, absent que je commence à oublier, historien que je ne connais pas, à l'heure où je m'apprête à rejoindre, dans la sérénité et la joie, les immortels bienheureux et à engager une conversation horizontale et sans concession avec Allah le Grand sur le silence, le renoncement, le sens de la vie et de mes soixante-quinze ans passés ici-bas, et la Récompense, tu m'écris une lettre larmoyante, longue, lassante et, au final, insignifiante. Tu m'y supplies de te confier mes archives, mes photos, mon verbe, mon passé et ma mémoire, pour que toi, l'enfant perdu dans les nuits parisiennes, tu rédiges la biographie de ta mère, moi, la femme qui mange son verbe, la maman triste, celle qui aurait subi la tyrannie d'un homme, son mari.

Tu t'égares !

Ta lettre inattendue ne me touche guère, ta quête biographique ne m'expliquera jamais tes quinze années d'absence et de silence : cinq mille quatre cents jours à ne pas envoyer une carte postale parisienne, une image (même jaunie) de la Seine verte et de ses péniches la nuit, cent vingt-neuf mille six cents heures à oublier le téléphone pour me passer le bonjour : un bref « Allô, maman, *labès* ! » m'aurait suffi. Ta missive m'importune et m'attriste. Je suis heureuse, je me délecte de ma solitude et de mon silence absolu, je suis une femme comblée ; aussi la trahison, la tienne, me réconforte-t-elle, parce qu'elle dit ton ingratitude et me rassure dans mon basculement, mon départ chez mes frères et sœurs, les immortels. Oui, je suis heureuse, je me réjouis de ma prochaine extinction physique et intellectuelle, et, surtout, du commencement de ma vraie vie auprès d'Allah. Et toi, l'historien qui ne sait plus quoi faire du passé, tu interromps ma réjouissance future en voulant donner une biographie, un volume à ma vie que je considère totalement inachevée par rapport à ce qui m'attend : le dialogue total avec Dieu, oui, Lui, l'Éternel, un échange franc entre le Créateur et une femme, moi, Lala Mabrouka de la Montagne-Blanche, l'unique femme qui préserve son verbe, l'affûte, le soigne et le garde jalousement pour mieux s'en servir auprès de Lui.

À cet instant, je considère qu'Allah est mon unique interlocuteur, je pense que tu as raté l'essentiel : le sens du passé et ta future biographie, une biographie qui ne se fera jamais de mon vivant. Ton verbe est-il assez perçant pour me regarder en face ? As-tu entendu, je dis bien entendu, mes soupirs, mes malédictions orales formulées et dites dans mon âme, des nuits et des jours entiers ? Connais-tu ma douleur, mes jours et mes nuits ? Comment vas-tu procéder ? Par quoi vas-tu débuter pour transcrire mes mots assassins, mes pensées gardées jalousement entre mon cœur et mon estomac, là où mon âme a élu demeure sans me prévenir, cette généreuse oreille qui ne m'a jamais trahie pendant soixante-quinze ans ? Connais-tu le génie des femmes ? As-tu bien regardé les moments où je mangeais mon verbe ? Penses-tu toujours que je suis analphabète et une femme battue ? Enfant ingrat, historien qui ne sait plus quoi faire du temps passé auprès des siens, comment titiller ou chatouiller mon âme ? Tu as toujours préféré écrire, même des lettres futiles, au lieu de maudire, de te taire et de manger ton verbe. C'est ton choix, ton bien-être illusoire, mais tu rates la vertu première : conserver l'essentiel pour soi, non pas un soi léger, étroit, vidé de toute humanité, mais un soi porté par un souffle, une âme qui sait et aime maudire, un soi qui dit l'humanité, la douleur et la grâce des femmes. Et ne viens surtout pas me dire que l'écriture est une forme de malédiction. Malédiction de soi, malédiction de toi, peut-être ! Mon doux et fragile enfant devenu un historien aspirant à l'écriture de la biographie de sa mère, inutile de me rendre présente et de m'aimer après mon départ, je n'aurai pas besoin de ton amour pour parler à Dieu, Lui rendre compte et Le regarder en face. Oui, je regarderai Dieu en face et Lui parlerai comme une femme bavarde. Et Il m'écoutera. Il sera même ravi de découvrir mon verbe vertical.

Fils, j'aurais préféré une autre explication, une présence physique ou un simple pardon, j'aurais désiré que tu me dises : « Maman, quinze ans sans la moindre nouvelle, de longues journées inquiétantes de silence, des années entières à ne pas prendre le téléphone pour entendre ta voix ou le stylo pour t'écrire un petit mot, parce que ma vie en France est un enfer ; je ne dors pas la nuit ;

je n'ai pas de toit ; j'alterne entre les foyers sociaux et les quelques compatriotes qui acceptent de me loger ; je cours toujours derrière une carte de séjour qu'on me refuse ; je ne mange pas à ma faim ; je saute un repas ou deux par jour ; toutes les femmes me fuient ; les autorités diplomatiques tunisiennes ne veulent pas m'aider ; ma thèse de doctorat n'avance plus ; mon professeur ne me soutient plus ; je n'arrive pas à trouver de travail, mon mariage grâce auquel j'allais être naturalisé n'a duré qu'une année. C'est très dur d'être un étranger en France, on nous demande beaucoup de sacrifices pour prouver notre assimilation. J'ai honte de ma situation. Je vis très mal mon calvaire. Mes trois premières années à Paris furent un moment très agréable, mais tout a basculé à partir de 1998 : j'ai cessé de t'écrire parce que me vie est devenue un vrai cauchemar, j'ai honte de te l'avouer. Mère, je te demande de pardonner mon exil et ma trahison. » Oui, j'aurais préféré que tu me déclares ça !

Le mensonge me convient, la biographie non
Je préfère tes larmes à ta prose
Je chéris ta détresse et non ta biographie
La mère que je suis sera toujours sensible à tes doutes et à ton désarroi, mais jamais à ta restitution têtue du passé, y compris le mien
Ta douleur me convient, ta littérature non
Tu ne pourras jamais écrire la détresse d'une femme : sa vérité

Je suis vraiment peinée pour toi, je n'ai rien à t'offrir, même pas le trésor tant attendu : le document, la source, les archives. Je suis une mère sans archives et une femme sans écriture, tu es devenu le fils terrible du document écrit, et tu seras bientôt, dans quelques semaines, murmure mon âme – apparemment, le toubib partage ce diagnostic –, orphelin de moi, tu perdras ton projet biographique et Lala Mabrouka, la femme qui mange son verbe, ta mère sans traces écrites. Et pour être complète et claire, nous n'avons jamais pratiqué les archives sonores. Je suis une femme qui n'aime pas s'encombrer de ces choses-là. Je sais que tu veux revoir les rares photos jaunies qui sont rangées entre le Coran et le cahier des comptes de ton père, mais elles ne t'apporteront rien. Tu regarderas bien cette photo – je te l'envoie –, c'est la première, ma préférée, j'avais dix-huit ans. Tu vas affirmer que j'étais belle : c'est évident, mais cette beauté ne te révélera rien sur moi ni sur mon être. Tu n'étais pas encore né pour admirer la beauté de Mabrouka. Mais tu regarderas ma photo, l'image de mes dix-huit ans, tu pourras même en tirer profit : quelques feuillets sur la beauté perdue d'une mère. J'étais belle, mais tu n'étais pas encore là pour voir de très près. Ce fut ma première photo. Je m'étais mariée avec qui tu sais. Une semaine après le mariage, sans me consulter, ton père fit venir un photographe à la maison pour me tirer le portrait : « J'en ai besoin », me dit-il. À peine marié, à peine avait-il touché à mon trésor, la nuit de noces, qu'il s'était tiré à Tunis pour son travail à la Société tunisienne du transport de marchandises. Et retrouver sa *qahba*, sa maîtresse. Inutile de te confirmer qu'il était toujours absent. Sans que personne lui pose jamais la question, il répétait toujours : « J'en ai marre de cette vie de misère, je ne dors pas, je suis toujours sur la route à veiller. » Vois-tu, cette peine au travail ne l'empêchait pas de voir régulièrement sa maîtresse, l'ensorceleuse, qui n'arrêtait pas de le harceler, de lui demander de divorcer. Comme le divorce n'arrivait pas, ton père avait fini par lui raconter qu'il était doublement ensorcelé, complètement possédé par elle, sa dulcinée, et moi, la mariée, la femme légitime aux yeux du monde extérieur. Plusieurs mois après le mariage, je finis par comprendre que mon portrait, ma photo, avait servi d'argument auprès de ma rivale tunisoise : « Vois-tu, ma paysanne, ma femme de la Montagne-Blanche, est belle, c'est la mère de ma première fille, je ne peux pas m'en séparer comme ça ! »

On accroche souvent la photo de sa bien-aimée dans son bureau ou dans son salon, on peut aussi la ranger délicatement dans son portefeuille, mais ton père avait donné la mienne à sa maîtresse. C'était sans doute bien vu de sa part, car sa *qahba* ne pouvait que se résoudre à jouer la doublure. Fils, l'homme qui veut écrire la biographie de sa mère, pour t'épargner toutes les spéculations et les questionnements sans fin, je tiens à te dire que ton père ne m'a jamais aimée, même s'il pouvait parfois faire des gestes de tendresse et dire des mots doux. Et il ne m'aime toujours pas. Là, je reconnais mes écarts, j'exagère, car, du point de vue de ton père, j'ai toujours reçu son amour. Je peux lui accorder ça. Il avait besoin de moi. Il a toujours besoin de moi, de ma présence, de mon être et de ma personne qui lui fait des choses. Et comment ai-je découvert qu'il avait une maîtresse ? S'était-il confié à moi ? Tu sais très bien que ton père n'engageait jamais la conversation avec moi. Tu en étais témoin. Il s'adressait toujours à moi avec les mêmes mots : « Ya femme, Ya femme, où es-tu ? » ; « Mabrouka, Mabrouka, j'ai besoin de toi, le dîner est prêt ? » ; « *Ya Mra* [femme], tu as lavé ma veste ? » C'est justement en vidant les poches de sa veste avant de la laver que j'ai trouvé la photo de sa *qahba,* une fausse blonde comme on en voit tous les jours à la télévision tunisienne : des milliers de femmes qui se teignent les cheveux pour ressembler à je ne sais quel modèle féminin. Mais elle avait de jolies lèvres pour le sucer, et un cul bien bombé.

Moi, je vidais toujours les poches de ton père à la recherche d'un billet qui traînait. Pourquoi alors l'ai-je épousé ? Les circonstances historiques de l'époque voulaient que… Non, pas ça ! Tu veux que je continue, tu te frottes les mains et tu prépares les feuilles blanches et ta plume, parce que tu sens que je suis sur le point de te livrer le début de ma biographie, eh bien, non, je laisse la question suspendue au-dessus de ta tête. Et ton projet biographique aussi. Oui, tendre enfant perdu dans la grande Histoire, la vie est faite de besoins : il avait besoin de moi, tu as besoin de moi pour écrire ton histoire, ma biographie.

Comment ai-je pu anéantir l'adversité et l'ennemi ? Grâce à ma force intérieure. Oui, j'ai un être, la femme de la Montagne-Blanche qui mange son verbe a un sacré être bien implanté tout au fond d'elle, une âme qui m'écoute pleurer à l'abri des regards et dans mes nuits, ce qui m'enchante et me fait parfois rire dans mon coin. Cette photo ne te sera pas d'un grand secours pour l'écriture d'une biographie sur une mère, la tienne, celle qui t'a porté dans son ventre et s'apprête avec jouissance à converser avec Dieu. Oui, fils, historien qui ne sait plus quoi faire du passé, je pense que toutes les femmes qui mangent leur verbe auront droit à cette grande explication divine. Allah leur accordera cet ultime droit.

Aussi, je sais que mes cicatrices ne te rappellent rien. Comment procéderas-tu pour en parler ? Quels mots mettras-tu sur mes mains abîmées ? Tu seras contraint de proférer des évidences. Historien qui m'est étranger, l'évidence est ton unique horizon. J'ai honte de tes banalités écrites, de ta biographie et de toute ton œuvre antérieure. Tes évidences et ta prose n'atteindront jamais les vies valeureuses de tes sœurs, car mes très chères filles ne fuient pas, elles affrontent courageusement, physiquement et spirituellement leur propre vie et la sottise des hommes, elles ne me trahissent pas, elles ne quittent pas la terre natale. Et elles n'écriront jamais la biographie de leur mère. Et, surtout, je t'en prie, ne me dis pas qu'elles ne savent pas écrire ni lire, sinon j'arrête ici ma grande explication. Elles ont choisi la vraie vie, la douleur, la peine, celle qui forge un être incassable, capable de résister, et le silence digne. Biographe, maudire est plus noble qu'écrire, maudire est la voix du salut. Tu ne trouves pas le tien, la précieuse lumière de ton âme, parce que tu n'as jamais prononcé à voix haute la première prière, la mère de toutes les prières : « Je vaincrai la vie et les hommes, je réussirai ma mort. » L'as-tu oubliée ? Quelle idiote ! Je questionne un historien sur l'oubli. Bien sûr que oui, comment peux-tu faire autrement ? Maudire et écrire ne vont pas main dans la main, c'est comme ça, un point c'est tout, et tous ceux qui disent ou pensent le contraire sont d'éternels menteurs. Mieux vaut maudire qu'écrire. Ta biographie, cette recherche indigne qui restituera le passé d'une mère silencieuse qui mange son verbe, est absurde, elle serait la trahison même. Tu es toujours mon fils même si je commence à t'oublier, mais tu ne le seras plus le jour où le désir de mémoire te saisira, oui, le jour où le désir de mémoire te saisira par n'importe quel bout de ton corps.

Tu es un grand enfant qui aime être flatté par ses souvenirs, tu as toujours cru, tu le crois sans doute encore, que tu avais un frère mort pendant que j'accouchais de toi. Tu veux certainement avoir la confirmation de la bouche de celle qui t'a porté pendant des mois et des mois, eh bien, non ! Laisse-toi guider par ton imagination pour retrouver le frère perdu, sinon tu peux encore faire une enquête, chercher des traces écrites : c'est ta vocation première, non ? Moi, je suis bien avec mes sept filles, elles veillent sur moi en attendant ma mort heureuse. Et toi ? Tu as raté ta vie le jour où tu es devenu un historien comme tous les autres ingrats, les enfants vacillants et faiblards de la source écrite. Au nom d'Allah, Celui qui apprécie le jaillissement du verbe féminin – je peux de te dire qu'Il en a marre des hommes qui pénètrent en bavardant –, quels mots choisiras-tu pour pleurer le frère pour toujours ? Comment écrire le deuil et la disparition d'un être qu'on chérit ? Je sais que les choses se compliquent pour toi : écrire sur l'enfant, le garçon, le frère que tu n'as jamais vu, et sur une mère qui s'apprête à rejoindre les immortels sans laisser de traces déchiffrables paraît colossal.

La douleur est la muse des poètes
Elle est leur mère aussi
Donne-moi juste le nom d'un seul historien qui a vengé la douleur des hommes
Parle-moi des historiens qui saisissent le silence des femmes
J'attends ton offrande

La biographie tue parce qu'elle trahit, touche à côté, ôte l'essentiel : la possibilité de vivre dans le silence, à l'écart du monde. Je t'en supplie, reste fidèle à tes histoires particulières, tes événements avares de sens et d'humanité. Tu as quarante ans, et ce n'est pas aujourd'hui que tu vas devenir poète de l'impossible, écrivain de la mort prochaine d'une femme qui mange son verbe, ta mère, et d'un frère qui serait mort pendant ta venue au monde. Tu n'es plus mien, parce que tu as oublié de prononcer, de dire à voix haute la première prière, la mère de toutes les prières : « Je vaincrai la vie et les hommes, je réussirai ma mort. » Tu n'es pas un enfant de la malédiction, tu n'es plus l'enfant du silence, l'exil a fini par te couper de ta mère. L'exil t'arrache à la langue de ta mère. On ne devient pas poète total de l'inaccessible, de la femme qui mange son verbe, à quarante ans. Parler des morts et des vivants est définitivement une affaire de pleureuses, de femmes.

Oublie la biographie
Oublie-moi, parce que tu n'as pas vengé tes sœurs
Oublie-moi, parce que tu aimes oublier
Oublie-moi, parce que les souvenirs te font peur

Oublie-moi, parce que tu n'as pas vengé nos morts, nos pauvres, nos sourds et muets, l'injustice de ton père, notre richesse volée, nos rivières asséchées, nos arbres arrachés et notre dignité bafouée

Oublie-moi, parce que tu n'as rien fondé

Oublie-moi, comme tu oublies un univers, un événement, un sentiment, une détresse, une joie, un mort, ton passé à toi, une femme, une société, une tribu, des pauvres, une douleur, un soupir, une jouissance, une trahison, un repas réussi, une tristesse, une sublime mosaïque créée par des mains inconnues, Mohra, le cheval de ton grand-père, la chèvre, la Source-de-l'Aube, la Montagne-Blanche et tes anciens métiers

Contente-toi de jouer avec ta petite mémoire

Oublie-moi, je réécrirai ta vie

Abandonne, je te dirai les vertus du passé

Oublie-moi, je guérirai ta douleur

Oublie-moi, je te dirai d'où tu viens

Oublie-moi, je te raconterai comment naissent nos femmes

Sans texte, sans écriture et sans archives, elles te parleront et feront jaillir la source

Oublie-moi, je te vengerai

Oublie-moi, je t'arracherai à l'histoire, à l'exil et à la douleur

Je t'écris pour racheter ton renoncement

Je t'écris pour t'arracher au mensonge

Oublie-moi, je te raconterai l'origine de nos vies

Je suis ta mère

Mon silence, ma solitude, mon effacement et mon secret ne peuvent pas être saisis par un biographe

Mon souffle est un don qui remonte à la première femme : Sihème

Renonce

Obéis-moi

Laisse jaillir le verbe vertical de nos femmes

Écoute

Écoute les femmes qui racontent la guerre des hommes

Écoute celles qui détiennent les secrets du passé et de la grande Histoire

Je te confie aux femmes, je te laisse en compagnie de cette tradition familiale où le Récit et les actions sont l'œuvre des femmes : Sihème, mon arrière-grand-mère, Gamra, Zina et Mabrouka.

SIHÈME

Gamra, ma fille unique, toute histoire a un début. La mienne commence en 1810, année de ma naissance. Aujourd'hui, je suis une femme libre, et cette liberté, je la dois à mon art de façonner divers objets et accessoires de la vie quotidienne que notre atelier vendait directement à des personnes haut placées de l'aristocratie algéroise.

Je suis une ancienne esclave affranchie par ses maîtres pour avoir conçu un instrument, je dirais même un objet de luxe, qui fit basculer l'histoire de l'Algérie et de tout le Maghreb : le chasse-mouches, une simple touffe de crins de cheval reliée à une jolie poignée, un instrument très apprécié par Hussein Pacha, le dey d'Alger, et qui lui servit jusqu'en 1827 à chasser les mouches chaque année, pendant les mois de juillet, août, septembre et les dix premiers jours d'octobre. Le dey comprit très vite les bienfaits et l'efficacité de ce banal outil, il en était même ravi au point de demander à son homme à tout faire de retrouver et de récompenser les mains bénies qui l'avaient confectionné : « Écoute-moi bien, mon fidèle

Bekri, à Alger tout le monde parle depuis des mois de l'invasion de mouches, sauf que je ne vois plus les petites bêtes monstrueuses depuis cette offrande. Va donc récompenser la personne qui l'a faite. » Renseignements pris, Bekri sut que ce chasse-mouches avait été fabriqué à l'Atelier des artisans algérois, une boutique tenue par la famille Mansour et employant exclusivement des femmes esclaves. Le patron lui révéla que le chasse-mouches du dey avait été conçu et façonné par une esclave nommée Sihème, moi, ta mère. Comme j'étais très belle et douée, Bekri, le confident et homme à tout faire du dey, m'affranchit en achetant ma liberté, me demanda de lui confectionner une belle arme contre les mouches, la même que celle du dey d'Alger, et de l'épouser. Ma réponse fut claire et tranchante : « Je te fabrique avec joie un chasse-mouches, j'accepte de t'épouser à une seule condition : que tu ne me confondes jamais avec une mouche. » Une fois affranchie, je devins Lala Sihème : femme libre et jeune épouse maîtrisant complètement son être et son destin. Mais la belle histoire s'arrêta là, à cet affranchissement et à ce mariage, car les choses tournèrent très mal par la suite, en particulier après cette maudite journée d'avril 1827 où le dey d'Alger reçut Pierre Deval, le consul de France : très tendu et bien remonté contre la France et les Français, le dey avait saisi le chasse-mouches et frappé violemment le consul. Il l'avait blessé, grièvement même.

Je croyais avoir conçu un objet utilitaire, mais l'incident algérien prouva le contraire. Tu veux sans doute savoir pourquoi le dey turc frappa Pierre Deval en cette journée de 1827 ? Eh bien, je vais te le dire, je vais t'expliquer ce coup malheureux : Hussein Pacha avait demandé le flous à la France, non pas une aide au développement, une aide pour construire une route, une usine, un hôpital, une école ou un lycée, mais le remboursement d'une dette, oui, je dis bien d'une dette, car même à la fin du siècle dix-huit et au début du siècle dix-neuf la France devait quelque chose à Alger. Mais quoi ? Figure-toi qu'Alger – sans doute Tunis aussi, mais là je n'ose pas me prononcer – avait fourni à la France des céréales à crédit dans la dernière décennie du siècle dix-huit pour nourrir sa grande armée et l'aider à conquérir l'Égypte et l'Italie. Le pauvre dey, ce représentant turc chargé de collecter les impôts et de remplir les caisses de la Sublime Porte, n'avait jamais cessé de réclamer l'argent, jusqu'à l'incident de 1827 : ce jour-là, il perdit ses nerfs et frappa avec force le représentant de la France. Ce dernier éprouva une vive douleur, vraiment très vive. Certains disaient qu'il avait été frappé au visage, d'autres sur la main, d'autres encore sur la tête, mais tout le monde, à commencer par le dey Hussein, s'était rendu compte que Pierre Deval saignait beaucoup. On ordonna une enquête. Le dey comprit très vite que son chasse-mouches n'était pas fait que de crins de cheval. Et il avait raison, car je l'avais trafiqué discrètement en y introduisant des fils de métal dans l'intention de faire très mal aux mouches. Mais jamais aux esclaves. Mon sort serait scellé après les indignations diplomatiques et les échanges d'amabilités et de noms d'oiseaux entre Français et Turcs.

L'indifférence des autorités françaises avait fini par agacer le dey, car toutes ses missives dans lesquelles il réclamait l'argent étaient restées sans réponses. « J'ai écrit des lettres au ministre français chargé des affaires commerciales et financières, des armées, de la dette, du blé et de l'autosuffisance, aucune réponse. Je me suis certes énervé contre le consul Pierre Deval, mais cet infidèle refuse de me fournir la moindre explication, la moindre réponse, il me dit tout simplement que la France a d'autres chats à fouetter et que son ministère de tutelle n'a pas de temps à perdre et qu'il n'écrira pas au dey d'Alger ni aux corsaires de son espèce », précisa le dey à l'attention du grand vizir ottoman. Pierre Deval donna sa version à son ministre : « Je suis humilié, la France, ce grand pays béni, est humilié, le dey d'Alger, ce corsaire infidèle, ce Maure, s'est levé et m'a asséné dix coups, cinq sur la tête et cinq sur les fesses. Votre Excellence, je représente le rayonnement de la France à l'étranger, vengez-moi, punissez-le, l'honneur de la France, notre grand pays qui a des ambitions pour lui-même et pour toute l'humanité, est bafoué, le consul de la France qui monte et grandit est humilié, vengez-moi, sinon je vous adresse ma démission, oui, ma démission, celle d'un haut fonctionnaire au service de notre grande nation, une nation qui a enfanté Bossuet, Saint-Simon et Rabelais. Le Turc m'a réellement frappé dans l'intention de me blesser, punissez-le. Je vous demande de punir le Turc ! » s'indigna-t-il dans un long courrier. La France n'avait pas l'intention de payer sa dette, elle avait d'autres dépenses plus urgentes à régler. Donc, pas question de rembourser des corsaires. Quant aux Turcs, ils n'avaient pas envie de s'excuser, et le dey d'Alger insista auprès de ses hommes pour qu'ils aillent enquêter et arrêter la femme qui avait trafiqué le chasse-mouches. Bekri, mon mari, mon premier mari, eut vent de cette enquête, ramassa quelques affaires précieuses et nous quittâmes la cour et Alger. Nous avions peur de la vengeance du dey et de ses hommes de main. Évitant la côte, nous nous réfugiâmes quelque part entre Alger et Constantine. Mais en juin 1830 l'arrivée de l'armée française à l'ouest d'Alger nous contraignit à sortir de notre cachette et à fuir encore une fois vers l'est. Nous décidâmes alors de quitter l'Algérie, oui, tout le pays. Bekri dessina une carte sur laquelle il traça le chemin à prendre pour traverser Constantine, Bône et La Calle, et rejoindre la régence de Tunis. Nous étions persuadés que l'armée française enverrait quelques hommes nous arrêter. Vois-tu, nous ne pouvions rien face aux deux armées.

Nous avions à peine vingt et trente ans.

Nous croyions vraiment que nous allions être punis à cause de ce foutu chasse-mouches. Gamra, de cette fuite vers l'est en 1830 jusqu'à ta naissance, à La Calle, mon histoire est le récit d'une longue traversée du territoire : Alger, Constantine, Bône et La Calle, une longue traversée de notre grand pays, le Maghreb, choisie dans l'espoir et la ferme intention de nous cacher et nous installer définitivement dans une partie précise du nord-ouest de la Tunisie, chez les Khmirs, une communauté d'hommes et de femmes dignes, jalouse de son indépendance et détestant le pouvoir central, mais nous ne vîmes jamais ces gens-là.

Dans ce périple qui nous conduisit vers l'est, nous croisâmes des Algériens fuyant la guerre, des bandits, des trafiquants, des espions, des informateurs, des fous, mais une rencontre heureuse nous permit de gagner un peu d'argent. C'était à l'entrée de Constantine : des Français, des experts scientifiques, peut-être bien des géographes ou des topographes, avaient été envoyés là par le ministère de la Guerre pour connaître le pays. Ils étaient escortés de quatre militaires. Bekri leur vendit une carte géographique en leur en traduisant des éléments importants : les villes traversées, les oueds, les tribus, les djebels, etc. Jugeant Bekri très coopératif et disposé à les aider, les experts en voulurent plus :

– Monsieur Bekri, écoutez-moi bien, c'est notre ministre de la Guerre qui nous envoie ici, nous venons de lancer une opération militaire dans un pays dont nous ignorons tout. Pour l'instant, nous nous chargeons de collecter quelques informations et de mieux sentir les villes côtières, nous pouvons vous donner beaucoup d'argent si vous nous accompagnez jusqu'à Bône.

– Pourquoi faire ?

– Vous serez notre guide. Nous voulons connaître toute cette partie du territoire algérien, vous allez nous aider à tout mettre sur un cahier, à tout noter : les lieux, les villes, les villages, les collines, les rivières, les oueds, les tribus, la démographie, les jeunes, les filles, les femmes, les vieux, les garçons en âge de prendre les armes et tout ce que la terre produit. Et pour bien travailler ensemble, nous aimerions savoir qui vous êtes et où vous allez.

– Nous sommes des jeunes mariés. Nous allons rendre visite à ma belle-famille dans la ville de Bône.

– Vous entreprenez tout ce voyage sans bagages ?

– Oui. Maintenant, c'est à moi de vous poser une question, si vous le permettez : votre consul, Pierre Deval, est-ce qu'il va bien ?

– Oui.

– Mais j'ai entendu dire qu'il avait été violemment frappé par le dey d'Alger.

– Vous voulez parler de l'histoire du chasse-mouches, de cette opportunité rêvée fournie à la France ? Notre pays bénit celui ou celle qui a fabriqué le chasse-mouches.

– Vous voulez dire que les autorités françaises ne sont pas à la recherche de la femme qui a fabriqué le chasse-mouches ?

– Absolument.

– Ça change tout.

– Ça change tout quoi ?

– J'avais cru entendre dire que l'armée française récompenserait celui ou celle qui donnerait des informations précises sur la femme qui a fabriqué le chasse-mouches ayant servi à frapper Pierre Deval.

– Des rumeurs, monsieur, des rumeurs, l'armée française devrait plutôt la décorer, sauf qu'elle ne pense pas à ça, notre armée, elle a d'autres affaires urgentes à régler : en premier lieu, étudier le pays que nous venons occuper. Et vous allez nous aider dans cette mission : nous ne vous demanderons jamais de tuer ni de dénoncer, simplement de mettre des mots précis sur toute la région que nous allons traverser ensemble. C'est votre épouse ?

– Oui.

– Elle est belle.

– Ça oui ! Elle est belle. Écoutez-moi bien, vous avez besoin de moi, je n'ai pas besoin de vous. Si j'accepte, c'est à une unique condition : le jour nous avançons ensemble, et au soleil couchant nous nous séparons.

– Pourquoi ?

– Vous êtes onze hommes... J'oublie les quatre militaires, j'aimerais être seul avec ma femme, le soir venu.

– Nous sommes d'accord, mais n'essayez surtout pas de fuir.

– Ne vous inquiétez pas, nous n'allons pas fuir. Pour nous, vous êtes un don du ciel.

– Parfait !

– Nous sommes un jeune couple sans le sou et vous nous offrez une occasion en or : pour vous prouver ma bonne volonté, je vous fais cadeau d'une des cartes que j'ai dessinées moi-même pour aller d'Alger à Bône.

– Mais elle est en arabe.

– Oui.

– Est-ce qu'il y a dans notre groupe d'experts quelqu'un qui lit l'arabe ?

– Bonne question, dit un autre expert.

– Non, répondirent tous les autres.

Et comme cette noble assemblée ne lisait pas l'arabe, Bekri leur traduisit la carte. Mais au bout de sept jours de collaboration, conscients du danger et de la puissance de la rumeur dans un moment où l'Algérie grouillait d'espions, de cartographes, de géographes, de chercheurs d'or, de premiers résistants, de bandits, de contrebandiers, de traducteurs sans scrupules et d'informateurs, mon arrière-grand-mère et son mari décidèrent d'arrêter de livrer la carte d'une partie du pays aux Français. Profitant de la discrétion du soir, ils abandonnèrent les experts français et leurs quatre compagnons armés et se dirigèrent encore vers l'est.

À l'automne 1836, à la tombée du soleil, une année jour pour jour avant la deuxième expédition française contre Constantine, nous croisâmes la route d'Ali Arbi, l'un des plus grands soldats de l'armée d'Ahmed, bey de Constantine, en compagnie de ses hommes armés de fusils et d'épées. Celui-ci nous arrêta et nous interrogea.

– Qui va là ? Arrêtez-vous ! ordonna Ali Arbi.

– Un homme et une femme, répondit Bekri.

– Un homme et une femme seuls, à l'entrée de Constantine la rebelle ?

– Un homme et son épouse légitime devant la loi d'Allah.

– Jure-le trois fois.

– Je le jure, répondit Bekri.

– Qu'est-ce que vous faites dehors, sans armes, alors que l'ennemi tourne autour de Constantine et veut nous faire plier ? Ta femme doit être au foyer, et ta place à toi est parmi nous, les combattants de Constantine la rebelle.

– Nous allons rendre visite à un parent malade à Bône.

– D'où venez-vous ?

– D'Alger.

– Raconte-nous tout ce que tu as vu, entendu.

– J'ai pour vous et notre chère ville libre, Constantine, une belle prise : onze roumis, ils se disent géographes, mais je pense que ce sont des espions. Faites attention, ils sont escortés de quatre soldats.

– Les as-tu vus ? As-tu discuté avec eux ?

– J'ai même fait semblant de les aider, je leur ai tout simplement indiqué le chemin qui mène jusqu'à Bône.

– Très bien, très bien, tu vas nous aider à les repérer, nous comptons bien les arrêter.

– Pourquoi faire ?

– On avisera après.

– Et ma femme ?

– Elle vient avec moi, je l'installerai dans une maison à Constantine, elle y restera jusqu'à ton retour. Quant à toi, tu nous suis. Je te préviens, si tu nous trahis, si tu mens, je te couperai d'abord la tête, et j'épouserai ta belle dans la foulée.

– Et si je refuse de vous suivre ?

– Je te couperai la tête quand même.

– D'accord. Et si on les arrête, quelle sera ma récompense ?

– Tu auras ta femme, la maison de Constantine et la reconnaissance de la patrie.

– Nous partons quand ?

– Demain, à l'aube.

Ma fille, je n'ai plus revu mon mari depuis cette rencontre avec Ali Arbi. À partir de cet instant, ma vie est devenue une longue fuite, un grand déplacement.

Il y avait trop de rumeurs et trop d'histoires autour de cette bande de cavaliers guidée par Ali Arbi, le soldat préféré d'Ahmed Bey : certains disaient qu'ils avaient effectivement capturé et exécuté les onze Français et leurs quatre compagnons armés, d'autres soutenaient qu'ils avaient été tous arrêtés par l'armée française avant de mettre la main sur les onze experts et les quatre soldats, mais le récit qui revenait souvent dans la bouche des Constantinois ne me réjouit toujours pas : Bekri, cet homme bon qui avait fait de moi une femme libre, Ali Arbi, le meilleur cavalier des Turcs, et ses compagnons avaient renoncé à l'exécution des captifs et accepté d'intégrer les forces armées françaises comme éclaireurs, dans la perspective de la conquête définitive de Constantine la rebelle. Cette triste vérité fut confirmée la veille du 13 octobre 1837 par des hommes de chez nous envoyés surveiller les alentours de la ville. Ils revinrent avec des informations précises, diffusées immédiatement par le messager-crieur de Constantine : « Avis à la population de notre belle contrée, des milliers de soldats français s'apprêtent à envahir Constantine. L'armée française est précédée d'Ali Arbi et de ses hommes, préparez-vous, cachez-vous, mais attendons surtout l'émissaire de l'armée des roumis ! », cria-t-il. Je savais que mon mari, cet homme indigne, était parmi eux, mais j'avais déjà fait mon deuil. L'arrivée imminente de milliers de soldats français – les historiens qui n'aiment pas effrayer les citoyens avec les statistiques parlent de vingt mille quatre cents soldats – provoqua un vrai mouvement de panique et l'exode de plusieurs familles vers l'est. Sans attendre le retour de mon mari, ce vendu, ce traître, je décidai de suivre le mouvement.

Pendant l'absence de Bekri, mon premier époux, un an moins un jour, je m'étais installée dans la maison et travaillais à la confection de quelques tapis pour de riches Constantinois, j'en avais même offert un à la maison d'Ahmed Bey en lui demandant sa protection, la protection d'une femme dont le mari était parti guider son valeureux cavalier Ali Arbi dans sa résistance contre les roumis. J'étais très courtisée par les hommes aussi, mais, aux yeux de la loi de notre digne religion, j'étais toujours mariée.

À l'époque de mon départ en compagnie de quelques familles constituées en majorité de négociants, Nayem, un homme de quarante ans, connu à Constantine pour avoir été l'artisan le plus doué dans la fabrication de fausse monnaie, romaine, musulmane et ottomane, était très amoureux de moi. Il vint me voir à la nouvelle de l'approche de l'armée française pour me dire que je devais divorcer si je voulais l'épouser : « Je souhaite que tu sois ma seconde épouse », me lança-t-il. J'acceptai. Il était bel homme, assez riche, rusé aussi, des qualités non négligeables pour une femme seule comme moi. J'acceptai donc d'aller voir l'imam de Constantine avec lui.

– *Salam alaykom* notre imam préféré, dit Nayem.

– Votre imam préféré, mais pas pour longtemps, tout le monde se prépare à quitter Constantine comme si ce pays n'avait jamais eu d'enfants, de mémoire ni de terre, comme si Constantine la belle ne méritait pas d'être défendue par ses hommes. Moi, l'imam de cette ville depuis très longtemps, je me pose des questions, je ne sais pas quoi faire, je ne sais pas : partir, rester, me cacher, poursuivre ma mission divine, le faire en priant seul dans mon coin, abandonner ma vocation première ou mettre des habits de soldat. Je ne sais plus, je commence d'ailleurs à paniquer, à douter aussi depuis la visite d'un émissaire de l'armée française.

– Tu as eu la visite d'un espion français ?

– Un espion, non, mais un homme charmant qui est venu me voir plusieurs fois en tant qu'émissaire de bonne volonté et qui respectait beaucoup notre digne religion et les vies humaines. Il n'arrêtait pas de me répéter que la vie des hommes, des femmes et des enfants – c'était bizarre, il commençait toujours par les hommes – est sacrée ; il voulait faire passer son message, je l'ai compris tout de suite, mais il a fini par dévoiler les raisons de ses multiples visites lors de notre dernière rencontre : « Notre imam vénéré, je suis envoyé par les généraux Charles-Marie de Damrémont et Alexandre Charles Perrégaux, deux hommes valeureux qui comprennent plus que quiconque l'art et les dégâts de la guerre, ils sont à la tête de plusieurs milliers de soldats armés jusqu'aux dents avec l'intention de nuire, ils sont stationnés pas très loin de la ville, ils comptent bien y entrer, mais préfèrent éviter un bain de sang, et comme ce sont deux hommes intelligents, deux bons catholiques qui connaissent votre grande religion, ils m'envoient ici pour discuter avec vous. Vénérable imam, l'autorité militaire française vous demande juste une fatwa que le crieur de Constantine se chargera de diffuser dans toute la ville. Je vais vous la dicter », m'a-t-il dit.

– Et que proclamait cette fatwa ?

– « Enfants de Constantine, créatures d'Allah, vingt mille soldats français surarmés s'apprêtent à occuper notre ville, je vous demande de prier et d'accepter la volonté divine. Enfants de la belle Constantine, si cette armée arrive d'Alger jusqu'ici sans la moindre difficulté, sans aucune résistance, c'est la volonté d'Allah, je vous demande de prier et d'épargner la vie de vos femmes et de vos enfants, je vous demande de préserver la race des musulmans. »

– Ils sont gonflés, ces Français, ils osent tout.

– Je le reconnais.

– Et qu'est-ce que tu lui as dit ?

– Mon fils, je prie, je réfléchis et je vous réponds demain à l'aube, lui ai-je dit. Nayem, il me reste quelques heures pour prendre une décision, mais comme je les entends arriver en masse, comme je les vois entrer dans ma ville, tuer et piller, je ne sais pas quoi faire, et les choses se sont sérieusement compliquées depuis l'entêtement d'Ahmed Bey à résister ; d'ailleurs, il n'arrête pas de me rappeler mes devoirs envers la communauté : prêcher le jihad à toutes les prières, défendre notre dignité, nos femmes et nos enfants. Tu vois, Nayem, je suis coincé entre le jihad et la soumission, la résistance et la collaboration. Ça m'ennuie, je suis sur le point de perdre la foi, je n'en peux plus. Que faire ? Comme je ne suis pas Mohamed le Prophète, je risque d'attendre très longtemps, la vie entière et au-delà, pour avoir une réponse divine. Dis-moi, Nayem, tu ferais quoi à ma place ?

– Je ne serai jamais à ta place.

– Et qu'est-ce que tu viens faire ici ?

– Je suis venu te voir pour que tu nous maries, moi et Lala Sihème.

– Mais elle a un mari.

– Qu'elle n'a pas vu depuis un an moins un jour. Tu n'as qu'à déclarer son divorce et la légitimité de notre union.

– Ma fille, comme un mari ne doit pas laisser une épouse seule pendant une année sans l'honorer de ses devoirs, je te déclare divorcée aux yeux de la loi d'Allah et de son Prophète Mohamed, et, par la même occasion, je vous déclare, toi et Nayem, époux légitimes à partir de cet instant. Qu'allez-vous faire maintenant ?

– Nous partons vers l'est, nous quittons Constantine. Et toi, imam vénéré ?

– Je reste, j'accepte la volonté d'Allah, je reste avec les miens pour prier.

– Tu ne veux donc pas partir avec nous, on pourra fêter notre union ensemble sur la route en ta présence.

– J'ai bien voulu vous marier tout de suite, mais il est hors de question que je quitte Constantine, sa mosquée et mes fidèles. Toi, tu peux toujours partir ailleurs, tu n'as pas d'attaches, tu as tes outils dans ta poche, tu pourras fabriquer et graver tes pièces de monnaie partout où tu iras.

– Notre imam préféré, je vous laisse cet argent pour les fidèles et la mosquée, nous emporterons le minimum.

Et nous partîmes quelques heures avant l'arrivée de l'armée française. Ma fille, j'étais heureuse de me remarier, même avec un homme marié. Oui, Nayem avait une femme et des enfants. Il était beau, intelligent, trop rusé même, et il avait toujours éprouvé des sentiments agréables à mon égard. Et puis, nous allions surtout poursuivre nos activités loin de Constantine, car nous nous étions mis d'accord sur le partage des rôles : à moi les dessins et la conception des motifs sur les pièces de monnaie, à lui la frappe et les gravures. Après avoir vu l'imam, nous nous dirigeâmes, moi, lui, sa première femme et ses cinq enfants, vers l'est pour rejoindre Bône, son port, ses commerçants et sa belle perspective. Nous marchions cinq heures par jour. La première semaine de notre périple, nous installâmes trois tentes : une pour ses cinq garçons âgés de dix à vingt ans, une pour lui et sa première femme et une pour moi. C'était son tour à elle, sa semaine, sept nuits à dormir avec lui au chaud. Moi, je dormais toute seule en attendant mon tour. Ma fille, tu veux sans doute savoir si ça me faisait quelque chose d'enchaîner un an et une semaine sans être touchée par un homme, eh bien, j'étais sèche, vraiment sèche, plus d'un an sans la moindre pénétration, ça vous aigrit, ça vous rend nerveuse, mais j'avais réussi à garder toute ma lucidité et transformé cette privation en rempart, ce qui ne m'empêchait pas de rêver toutes les nuits, de faire absolument le même rêve, avec des images identiques qui revenaient me parler chaque soir : je me mariais avec les anges d'Allah, je faisais un vrai mariage consommé aussitôt.

Je reconnais que mon mariage avec Nayem avait fini par réveiller le désir, mais tout bascula la troisième nuit de la semaine de notre fuite de Constantine : vers minuit ou une heure du matin, encore éveillée et inquiète, j'entendis des pas s'approcher de ma tente. C'est peut-être lui, pensai-je, mon Nayem. Je me réjouissais à l'idée de rompre la privation, j'en avais marre de sa première femme, mais c'était son tour, sa semaine, ses sept nuits. Je m'apprêtai à l'accueillir avec chaleur et gourmandise, mais je fus surprise de voir apparaître son fils aîné, qui ne tarda pas à afficher ses intentions : il me sauta dessus et tenta de me déshabiller de force. Il se mit à crier : « J'ai envie de le voir, de le toucher, je veux que le mien aille dans le tien, montre-le-moi, aide-moi à faire entrer le mien dans le tien ! Si tu refuses, je t'égorge avec ce couteau, le couteau de ton premier mari que tu as offert à mon père, l'homme que tu as rendu fou de toi. » Ces quelques mots désordonnés mais fermes m'offrirent ma défense : Ce jeune homme ne connaît pas le sexe des femmes, c'est son moment, à moi de le rassurer et de l'adoucir, me dis-je. Je n'avais qu'à lui chuchoter quelques mots doux : « Calme-toi, tu vas réveiller tout le monde. Imagine si ton père te surprend dans cet état. Mon petit, tu transpires beaucoup, ça coule tout au long de ton corps, ton cœur va exploser, bois ce verre d'eau, je t'aiderai à le voir, j'écarterai les jambes pour que tu puisses me pénétrer et devenir un homme, un vrai. Et puis, éloigne ce couteau, tu vas nous blesser et gâcher le plaisir qui vient. Rafraîchis-toi, bois cette eau et attends-moi. Laisse-moi juste le temps de préparer deux autres tasses du paradis. » Ces mots finirent par le mettre à l'aise. J'allai concocter rapidement la boisson divine. Quelques instants après, je plaçai ma main droite sur son front et prononçai des mots excitants dans son oreille droite : « Écoute-moi bien, allonge-toi par terre, je vais te déshabiller doucement, te caresser ensuite de haut en bas, je te mettrai dans les meilleures dispositions pour me pénétrer, moi, Lala Sihème, celle qui a rendu ton père fou. » Sous mes caresses, il se fit plus nerveux et fiévreux. Et son zob devint raide et tendu vers le ciel. Il ne supporta plus ma main baladeuse et voulut me pénétrer tout de suite. « D'accord, d'accord, reste tranquille, attends-moi, je vais juste me déshabiller complètement dans le coin », lui dis-je d'une voix rassurante. Après avoir tout enlevé, je pris soin d'avancer lentement et triomphalement vers lui, une tasse sacrée à la main. Et dès qu'il me vit, il se précipita pour se jeter sur moi. Après avoir fait semblant de boire une gorgée, je lui tendis la tasse : « Bois pour ne pas avoir trop mal, bois, tu auras plus de plaisir, bois, je t'enverrai au ciel ! » lui dis-je. Et tel un petit enfant, il but pour rejoindre Allah le Juste. Il but de l'eau, du miel, beaucoup de miel et une bonne dose de poison. Et malgré une mort rapide, son zob demeura tendu vers le ciel. Je saisis alors le couteau et coupai à la racine. Le sang jaillit. J'eus juste le temps de m'habiller, d'attraper ma mallette et mes affaires et je pris la fuite vers l'est.

Oui, ma fille, j'ai préféré le crime, le meurtre, à la honte. Je l'ai tué. Et je ne regrette rien. Grâce à Bekri, mon premier mari, j'avais une connaissance profonde de la carte de notre belle Algérie et de toute la partie ouest du pays voisin, la Tunisie, mais ce qui me sauva et m'épargna la vengeance des hommes, ce fut mon crime, car ce froid assassinat d'un homme, d'un jeune homme dans la fleur de l'âge, me fit une réputation de femme dangereuse, empoisonneuse, tueuse d'enfants et sorcière. Vois-tu, on n'approche pas une sorcière et une tueuse d'enfants, on la fuit, on s'écarte de son chemin. Je n'avais qu'à poursuivre ma route jusqu'à Bône en évitant les grands axes, les villes et tous les lieux à forte présence humaine, là où l'on pouvait me reconnaître. Je passais par les petits villages, et à chaque étape je me présentais aux habitants comme une femme qui détenait deux pouvoirs : guérir et prédire l'avenir. Parfois, quand je sentais un danger, je sortais mon couteau pour l'aiguiser et l'empoisonner. De temps en temps, j'aidais des femmes à accoucher.

Mais mon périple prit un tournant, son vrai tournant, à l'Œil-Blanc, lieu merveilleux par ses hommes et femmes, où je m'installai aux alentours de 1848-1850. J'y nouai un lien fort avec Lala Alia, une veuve de trente-cinq ans avec onze enfants sur les bras : six garçons et cinq filles, entre un et quinze ans. J'aidai Lala Alia à mettre au monde la dernière, la douzième, Warda. La jeune mère nourrissait tout son monde grâce aux vêtements qu'elle confectionnait et vendait à un marchand de Souk-Ahras, mais elle avait tout le temps mal aux mains et au dos. Quand elle accoucha de Warda, elle me supplia de m'installer avec elle. Je me rappelle notre dernier échange, nos adieux.

– Lala Sihème, tu es notre ange gardien, tu m'as aidée à mettre au monde ma dernière, tu l'as prénommée Warda, tu es une mère pour moi, reste avec nous, nous pourrons monter une petite entreprise et la faire fructifier, tu pourrais même recevoir des malades et des femmes qui accoucheraient ici. Aujourd'hui ta réputation dépasse l'Œil-Blanc.

– Lala Alia, tu es une brave et belle jeune femme, tu as le grand mérite d'élever onze enfants, douze enfants, pardonne-moi, j'oublie Warda ; loin de moi l'idée de te conseiller de prendre un homme comme protecteur, de te remarier, mais je te dois la vérité, je ne peux pas rester, je dois me rapprocher de la frontière, et peut-être même passer de l'autre côté. C'est trop long à t'expliquer, mais je fuis les hommes du dey d'Alger qui sont à ma recherche. Il me faut oublier le passé, je dois trouver ma paix intérieure. Aujourd'hui, seule la fuite me convient. Pleure, Lala Alia, pleure, parce que tu n'as pas peur de la vérité, pleure, parce que tu es une femme digne, pleure, parce que tes larmes chasseront ta douleur, pleure, parce que les hommes ne sont pas bons, pleure pour contraindre Dieu à t'écouter.

– Je suis fatiguée, je ne m'en sors plus, reste avec nous.

– Ma fille, Maktoub a quinze ans aujourd'hui, c'est un

garçon grand et robuste, c'est lui l'homme de la maison, c'est lui qui doit t'affranchir de cette misère, c'est lui qui va te porter, vous porter, c'est lui qui te sublimera, c'est lui qui mettra fin à ton mal de dos.

– Et comment ?

– En travaillant.

– Où ?

– C'est la solution que je te propose : il viendra avec moi à l'est, jusqu'à la frontière, nous passerons par Bône, où le travail abonde. Je lui enseignerai le commerce des hommes, l'art de la débrouille et le salut, je passerai du temps avec lui à Bône, je le traiterai comme un fils, je serai son guide et son ange gardien, et il me protégera aussi. Fais-moi confiance, il sera ton salut.

– Est-ce qu'il acceptera ?

– Je lui parlerai, il ne pourra pas dire non.

Avant de partir, je glissai quelques pièces d'or et deux bijoux sous la tête de la petite Warda.

Oui, j'ai réussi à convaincre Maktoub de partir avec moi à Bône. C'était rassurant de partir avec un jeune homme vigoureux. J'avais un nouveau compagnon de route, un confident et un protecteur à qui j'allais apprendre les secrets des femmes et du commerce des hommes. Sa présence à mes côtés m'épargnait le déguisement, mais il était peu bavard, ce qui m'agaçait : « Oui, Lala, non, Lala, si Allah le veut », répondait-il souvent. Seule sa présence physique s'imposait et m'arrangeait.

Notre périple fut long.

Nous dormions chez l'habitant qui acceptait de nous loger. Je lui lisais son avenir en échange. Certains êtres étranges me demandaient même de lire l'avenir de leur patrie, la belle Algérie. Nos nuits étaient plus ou moins calmes et nos jours très mouvementés. Sur le chemin, nous croisions toutes sortes d'individus : marchands, mendiants, imams, familles entières qui fuyaient la guerre, contrebandiers, etc. Mais ces rencontres ne présentaient guère de danger, sauf deux, qui faillirent m'arracher Maktoub : l'une avec les Chevaliers noirs de Souk-Ahras à l'affût de jeunes athlètes combattants, et l'autre avec des espions français à la recherche d'indicateurs parlant aussi bien l'arabe que le français. Les Chevaliers noirs de Souk-Ahras nous surprirent à la sortie de l'Œil-Blanc, au coucher du soleil, à l'avant-dernière prière du soir. Marchant toujours vers Bône, nous nous retrouvâmes face à cinquante cavaliers en pleine prière : « *Assalamou alaykom wa rahmatou allahi wa barakatouhou, assalamou alaykom wa rahmatou allahi wa barakatouhou* » (Paix à ceux qui arrivent à droite, paix à ceux qui arrivent à gauche), mais en nous apercevant, l'imam ajouta : « *Assalamou ala* une femme et un homme qui arrivent en face de nous. » Et moi de répondre : « *Wa alaykom assalam* mon frère. » L'imam, un bel homme, se leva, s'approcha de nous et dit :

– Que faites-vous ici ? Honte à vous, vous vous cachez pour commettre le péché.

– Frère digne, je vous présente mon fils Maktoub, nous nous dirigeons vers Bône.

– Plus maintenant, il viendra avec nous combattre l'ennemi, les roumis, nous lui apprendrons à manier les armes et lui montrerons la voix divine.

– Allah ne vous permet pas d'arracher les fils à leur mère, vous comptez enlever un enfant malade, sourd et muet. Nous marchons tous les jours en priant, nous recherchons une guérisseuse.

– Dieu me pardonne, votre fils est sourd et muet. Nous vous laissons votre fils, car nous avons une charte que nous respectons à la lettre : « Les sourds et muets ne peuvent pas faire partie des Chevaliers noirs de Souk-Ahras. Les sourds et muets sont dispensés du jihad. Les incultes aussi. » Ma sœur, nous nous apprêtons à manger, je vous propose de partager le repas avec nous, l'agneau est en train de cuire sur les braises.

– La nourriture d'Allah ne se refuse pas, nous mangerons avec vous.

Le souper fini, après que nous eûmes échangé quelques mots sur la situation du pays et la maladie de Maktoub, le chef des Chevaliers noirs de Souk-Ahras nous conseilla le chemin à emprunter jusqu'à Bône, il se donna même la peine d'annoter sur un papier les endroits à éviter.

Quelques jours plus tard, à une dizaine de kilomètres de Bône, nous rencontrâmes une garnison française installée là depuis des jours et prête à cueillir tout voyageur, tout individu allant vers le nord, le sud, l'est et l'ouest. Constituée de soldats, de médecins et d'un imam, elle chassait le résistant, recueillait des informations et cherchait surtout à recruter des informateurs crédibles et des indigènes honnêtes. J'allais très vite comprendre que l'imam donnait un coup de main, car il n'arrêtait pas de répéter que si les Français étaient là, c'était la volonté divine, et que par conséquent il fallait travailler avec eux. Alors que nous

nous approchions de la garnison, deux soldats, précédés de l'imam, vinrent à notre rencontre ; le représentant du Prophète Mohamed prit la parole en me jetant un regard haineux : « D'abord, baisse la tête et dis-nous, sans mentir, qui est cet homme qui t'accompagne ? » me lança-il. Quel crétin ! Que croyait-il ? Il pensait peut-être que j'allais lui répondre : « Notre imam vénéré, l'homme qui m'accompagne est mon amant, l'homme qui me comble et m'envoie au septième ciel depuis que je fuis le lit conjugal », mais j'étais plus fine qu'il ne le croyait.

– Notre imam dévoué, cet homme, un garçon de dix ans, est mon fils.

– Ton fils ?

– Oui.

– Est-ce qu'il parle le roumi ?

– Le roumi ?

– Le français.

– Mon fils adoré, mon Maktoub, ne parle aucune langue, il ne connaît ni l'arabe ni le français, il est sourd et muet.

– Sourd et muet ?

– Oui.

– Nous allons vérifier tout de suite. Depuis que nous sommes ici, toutes les mères algériennes prétendent que leurs fils sont sourds et muets. Je crois que le fouet nous dira depuis quand ton Maktoub a perdu sa langue.

S'adressant à l'un des deux soldats qui l'accompagnaient, l'imam déclara : « Homme et femme dangereux. Taper homme pour femme avouer, taper fils pour mère avouer ! » Et le soldat répondit calmement : « Je ne tape personne. Je suis un soldat de la France. Je ne torture pas. » Le bel aveu du soldat de la France n'empêcha pas l'imam de prendre son fouet pour taper mon Maktoub de toute sa force. « Fils. Sourd. Muet. Maktoub malade ! » hurlai-je. À mes cris un autre soldat, sans doute un gradé, intervint : « Qu'on les laisse passer, dit-il, il n'y a rien à en tirer ! »

J'étais heureuse d'avoir sauvé Maktoub deux fois, je n'avais qu'une seule idée en tête : l'aider à s'installer à Bône et continuer ma route plus loin, vers l'est. Que pouvais-je faire d'autre ? Une esclave affranchie et mariée deux fois, trahie par son premier homme et son beau-fils, trouvait dans la fuite et la marche un certain apaisement, une paix, même passagère, mais je tenais d'abord à caser le garçon et à lui mettre dans le crâne quelques recommandations. Je les avais même écrites sur un papier :

Tu regarderas

Tu écouteras surtout

Tu apprendras la langue des autres : des roumis, des trafiquants, des femmes, des menteurs, des mauvais musulmans et de toutes les autres espèces que tu découvriras bientôt

Tu parleras très peu

Tu seras discret

Tu penseras à ta mère et aux tiens

Tu ne prieras jamais en groupe, tu le feras seul dans ton coin, Allah t'écoutera mieux

Tu n'épouseras jamais une femme bavarde
Tu n'écouteras jamais les jacasseurs
Tu penseras à ton salut et à celui des tiens
Tu ne trahiras jamais ton pays
Tu travailleras à Bône
Tu seras toujours digne
Tu n'oublieras jamais les tiens
L'Œil-Blanc est ta patrie
Lala Alia sera toujours ta mère
Fais grandir Warda
Sois digne d'elle

Comme je ne connaissais personne à Bône, il nous fallait trouver un toit, un hôtel ou une auberge pour nous installer et considérer attentivement les possibilités qu'offrait cette ville côtière à Maktoub, jeune homme qui allait sauver les siens d'une vie hostile. J'avais évidemment de quoi payer le toit, grâce à la bourse bien garnie laissée par mon premier mari, Bekri, l'homme à tout faire du dey, le Turc destitué par les forces armées françaises. Au bout de quelques heures, suivant les conseils de quelques hommes aimables, nous trouvâmes une chambre spacieuse à l'Auberge de l'Algérie qui rit et regarde vers l'est, un endroit élégant où logeaient de riches commerçants de passage, des armateurs, des espions, des traducteurs payés par les Italiens, les Maltais et les Français, et dix filles de joie. Au début, le maître des lieux, un Algérien de Constantine, bel homme d'une cinquantaine d'années, ne voulut pas de nous : « L'Auberge de l'Algérie qui rit et regarde vers l'est ne loge pas les femmes seules », me dit-il. Usant de mon charme et montrant ma bourse, je parvins à ce qu'il nous accueille pendant une semaine. À une seule condition.

– Laquelle ? lui demandai-je.

– La femme qui s'occupait des filles est partie ce matin, tu prendras la relève, et veilleras sur elles du matin au soir : tenue, propreté, maquillage, etc. Tu es jeune et belle, elles ne peuvent que t'obéir, me répondit-il.

– J'accepte, lui dis-je, mais à une condition, moi aussi : trouve-moi d'abord du travail pour mon fils Maktoub, ensuite j'assurerai pleinement ma mission auprès de tes filles.

– À l'auberge ! Il pourra s'occuper de tout ce monde qui va et vient, surveiller les indésirables, il deviendra l'œil de notre établissement, tu commences demain, je te présenterai aux filles, mais en attendant installez-vous, reposez-vous, ajouta-t-il.

Ma première nuit passée à l'Auberge de l'Algérie qui rit et regarde vers l'est fut mouvementée. Des pensées sombres m'empêchèrent de dormir.

Qu'ai-je fait pour en arriver là ?

Et cet enfant ?

Pourquoi ai-je embarqué Maktoub dans l'inconnu ?

Suis-je devenue une maquerelle ?

Mon Dieu, aide-moi, viens à mon secours, sors-moi de là. Cette auberge sera ma honte, ma tombe aussi.

M'occuper de dix prostituées ?

Maudit chasse-mouches ! Maudit Pierre Deval ! Maudit Turc ! Maudit blé ! Maudite guerre ! Maudit empire !

Maktoub, tu dors ?

Oui ou non ?

Tu fais quoi ?

Maktoub dormait profondément.

Je vais trouver une solution.

Je ne sacrifierai pas le reste de mes jours dans un bordel.

Je ne veux pas trahir Maktoub, Lala Alia et ses enfants.

Je ne trahirai jamais Warda, la dernière.

Fuir ?

Où aller ?

Retourner à Alger ?

M'installer chez Alia, à l'Œil-Blanc ?

Non.

Je dois continuer.

Attendons demain.

Il faut dormir maintenant.

Attendons le matin.

Non, je n'attendrai pas le matin, je sais cuisiner.

Je sais cuisiner.

Je sais cuisiner, cette pensée surgit de cette nuit-là. *Je sais cuisiner* : une parole éclatante au milieu de la nuit, une lumière dans cette longue soirée agitée et sans sommeil, une vérité qui vint mettre un peu de joie et d'apaisement dans cette première nuit passée à l'Auberge de l'Algérie qui rit et regarde vers l'est. Oui, je nourrirai et comblerai le ventre des hommes au lieu de leur livrer des filles, me dis-je. Ce qu'il faut à cette auberge, c'est un restaurant, oui, un restaurant qui rapportera gros. Il pourra garder ses filles, s'il veut. Moi, ce sera la cuisine, pas le bordel. Et Maktoub me donnera un coup de main.

– Maktoub, Maktoub, tu m'entends ? criai-je.

Neukh, neukh, neukh.
Ronfle, mon fils, ronfle, dors, l'aube s'approche.
Dors, nous vaincrons.
Dors, l'adversité ne me fait pas peur.
Je sais cuisiner.
Je sombrai dans le sommeil.

Le lendemain, le patron de l'auberge nous avait préparé le petit déjeuner : pain trempé dans l'huile d'olive, miel et lait. Je lui avais tapé dans l'œil, j'étais belle et fraîche, et avoir un fils de quinze ans ne gâchait rien au tableau.

– Bien dormi ? demanda-t-il.

– Oui, répondit Maktoub.

– Pas moi, dis-je. Votre histoire de filles de joie, notre hébergement ici, vos conditions, tout ça m'inquiète beaucoup. Je suis une femme honnête, mon fils a quinze ans, c'est un ange de Dieu, les filles de joie, la prostitution, ce n'est pas pour moi.

– Mais tu es belle, et ta beauté mettra un peu d'ordre chez mes filles. Tu n'auras pas à voir les clients, tu surveilleras leur propreté et leur beauté renouvelées chaque jour.

– As-tu des enfants, des filles ? As-tu une femme ?

– Quand on tient l'Auberge de l'Algérie qui rit et regarde vers l'est, on n'a ni femme ni enfants, j'ai l'obligation d'entretenir ce patrimoine familial qui remonte à l'arrivée des Turcs.

– Maktoub et moi, nous pouvons t'aider, et je peux offrir à l'auberge l'atout majeur, le charme qui lui manque : un restaurant, une cuisine raffinée et élégante comme moi, Lala Sihème.

– Lala Sihème, quel beau prénom ! Tu arrives de nulle part, j'accepte de vous loger, toi et ton fils, je ne te demande que de dresser mes filles, tu dors une nuit dans mon établissement et tu te réveilles le matin pour me proposer un restaurant, autrement dit une cuisine, des marmites, des fruits et légumes, des assiettes, des couverts, des comptes en plus, des serveurs, des boissons, de l'alcool pour les roumis, des tables, alors que mes filles de joie et le sommeil de mes clients me suffisent amplement.

– Ma proposition n'est pas une folie. Je sais que tu me trouves belle, mais tu ne peux pas acheter mon charme ; je t'accorde cependant le droit d'acheter mon savoir-faire ; je suis bonne cuisinière, je peux te faire gagner beaucoup d'argent ; tu nous loges, nous te payons ; je cuisine, tu paies. Pour le reste, il suffit de dénicher deux jeunes filles douées qui m'aideront à la cuisine, et deux garçons présentant bien pour le service.

– Et le marché ?

– Je le ferai.

– Très bien.

– Es-tu d'accord ?

– Oui, mais nous ferons les choses dans l'ordre.

– C'est-à-dire ?

– D'abord, tu cuisineras pour moi pendant une semaine.

– Ensuite ?

– Ensuite, si je suis ébloui par tes talents, nous passerons à l'étape suivante.

– Laquelle ?

– Tu cuisineras pour cinq ou sept de mes clients, quelques personnes qui ont un statut à part dans mon établissement.

– Et après ?

– Après, leur enthousiasme ou leur réticence décidera de la suite.

– L'arrangement me convient.

Ma fille, on ne devient pas maquerelle par la grâce du hasard des rencontres. Il ne faut jamais céder aux hommes et au destin, ce fils de rien. Cuisiner à l'auberge pendant une semaine était une solution qui me satisfaisait parfaitement et une perspective qui annonçait une jolie perspective pour Maktoub et moi.

Après notre arrangement, mon nouveau patron m'annonça qu'il partait s'occuper de ses affaires et qu'il serait de retour le soir pour goûter ma cuisine. J'ai quelques heures devant moi pour penser au repas parfait, me dis-je, mais cette heureuse perspective fut interrompue d'un seul coup de fusil : un homme entra dans l'auberge, annonça qu'il souhaitait louer plusieurs chambres pour une délégation de dix personnes, le patron se précipita au-devant de lui, l'homme sortit son arme à feu et tira trois cartouches. « La première est pour les filles de joie que tu fournis aux mécréants, la deuxième pour tes trafics et la troisième pour la vermine que tu es, espion, vendu, traître ! À partir de maintenant, l'Auberge de l'Algérie qui rit et regarde vers l'est appartient aux vrais patriotes. Sale chien, va en enfer ! » hurla-t-il. Croyant que j'étais la femme du patron, l'homme aux trois coups de feu m'enleva de force : « Toi, tu viens avec moi, je t'emporte, l'épouse de ce salopard, de ce traître, n'a plus de raison de rester ici, tu es un vrai butin, une belle consolation aussi. » Je n'eus même pas le temps de penser au jeune Maktoub, demeuré sur place.

Qu'est-il devenu ?
Je n'en sais rien.
Ma fille, Maktoub est mon seul regret.
Lala Alia, sa mère, est mon unique défaite.

Je suppliai mon kidnappeur de me laisser tranquille. J'avais beau lui répéter que je n'étais pas l'épouse du patron de l'Auberge de l'Algérie qui rit et regarde vers l'est, il ne voulait rien entendre : « Arrête de me raconter des salades, sinon je te bâillonne, ton mari est bel et bien une vermine ; tais-toi un peu et cesse de pleurnicher, il faut que je me dépêche avant que les roumis me repèrent ; bouge tes fesses, un petit bateau nous attend sur le quai de Bône, nous poursuivrons la discussion à bord », me dit-il.

Sur le quai de Bône, un homme l'attendait, en effet, sur le pont d'un petit bateau à voile. Nous embarquâmes. « Mets le cap sur La Calle », ordonna-t-il, en agitant sa main droite dans tous les sens. Après m'avoir installée, il ajouta :

– Tant pis pour ton mari, c'était un grand salopard, un Algérien indigne, un voleur, un trafiquant, il a vendu Bône aux roumis, ces mécréants qui colonisent nos terres et arrachent nos arbres.

– Je te répète que le patron de l'Auberge de l'Algérie

qui rit et regarde vers l'est n'est pas mon mari, il ne l'a jamais été et ne le sera pas.

– Tu m'étonnes ! Il a pris trois cartouches.

– Il l'avait mérité ?

– Je suis membre de la Confrérie des Algériens vigilants de Constantine, ma mission est d'éliminer tous les traîtres : on me confie une liste, je me déplace de l'ouest vers l'est pour les flinguer un par un. La dernière vermine à liquider se trouve à La Calle : un trafiquant qui donne des coups de main aux espions roumis. Ce sera mon ultime mission, ensuite je m'établirai tranquillement à La Calle pour y vivre normalement. Tu vois, je te raconte tout parce que tu m'inspires confiance. Et que tu es belle.

– Un meurtrier qui apprécie la beauté d'une femme…

– Je ne suis pas un meurtrier, je suis un résistant qui aime les femmes et les apprécie au premier regard.

– Comment t'appelles-tu ?

– Badr de Constantine. Et toi ?

– Lala Sihème.

– Sublime Lala Sihème ! Tu n'es donc pas la femme de ce traître ?

– Non.

– Et que faisais-tu toute seule dans un endroit indigne d'une femme de ta grâce ?

– Les circonstances de la vie, c'est trop long à expliquer…

– Tu ne me fais pas confiance ?

– Si, mais j'ai peur de toi, j'ai peur de la réalité qui s'impose à moi : seule sur ce bateau, en pleine mer et en compagnie de deux hommes.

– Ne t'occupe pas de lui, il est là pour naviguer et me transporter d'un endroit à un autre, il ne dit jamais un mot, n'entend rien, mais c'est un excellent marin qui aime la mer et ses vagues.

– J'ai peur de toi, de tes yeux noirs qui me regardent avec insistance, me déshabillent même, je te préviens, si tu me touches, je me jette à l'eau.

– Et pourquoi je te toucherais ? À la Confrérie des Algériens vigilants de Constantine, nous avons notre code d'honneur : nous ne violons pas nos femmes ; nous ne touchons pas à l'avenir de l'Algérie ; nous sommes contre les mariages forcés et arrangés. Sois tranquille. Tu me plais, mais je ne te toucherai pas en dehors d'une union légitime, et pour que les choses soient claires entre nous, dès à présent, je te demande en mariage.

– Où ? Quand ?

– Maintenant, ici même.

– Ai-je le choix ?

– Oui.

– Vraiment ?

– Oui, mais un jeune homme comme moi ne se refuse pas. En plus, j'ai une bonne situation, je te protégerai.

– Pour ce qui est de la situation, les choses sont claires.

– Nous nous installerons à La Calle, nous y fonderons une famille et nous aurons des petits Algériens vigilants.

– Attendons d'être arrivés à destination pour officialiser notre union et célébrer les noces.

– Non, je n'attendrai pas, marions-nous sur ce bateau, sous ce ciel magnifique et devant cette mer généreuse.

– Mais devant quelle autorité et quels témoins ?

– Devant Arbi le marin, l'Inventeur de l'univers, le ciel et la mer.

– Tu plaisantes, un seul témoin, sourd et muet ?

– Il est apte à témoigner, je pense même que son témoignage compte double : je sais qu'il ne parle pas et n'entend rien, mais c'est un ange très apprécié d'Allah. Lala Sihème, voyons, le plus important, c'est que Dieu soit notre témoin principal.

– Soit, je veux bien t'épouser ici et maintenant, mais, pour rendre notre union légitime, tu dois d'abord te purifier, te laver du sang et t'approcher du Créateur, ensuite, tu reviendras me voir et tu prononceras une déclaration solennelle que je vais préparer.

Après avoir accompli sa purification à l'eau de mer, Badr de Constantine me rejoignit pour connaître sa déclaration. « Tu dois répéter à voix haute, très fort même, ces mots, notre contrat de mariage, il faut que le ciel, les oiseaux, les poissons et tous les marins t'entendent ! » lui dis-je.

« Moi, Badr, de la Confrérie des Algériens Vigilants de Constantine, proclama-t-il, je prends pour épouse Lala Sihème d'Alger

Sont témoins de cette union : Arbi le marin doué, celui qui ne parle pas mais écoute tout, Allah qui nous surveille et protège notre traversée vers La Calle, notre belle mer, la Méditerranée, tous les marins qui y naviguent en ce moment, le ciel, les anges d'Allah bien installés sur nos épaules et tous les êtres qui peuplent la mer

Je m'engage à bien protéger Sihème

Je la comblerai

Je la nourrirai

Elle sera ma complice, ma confidente et ma compagne dans la vie

Nous serons vigilants

Nous ferons des enfants qui deviendront des Algériens vigilants

Je jure devant Allah et Arbi le marin qu'une fois ma dernière vermine assassinée je ne tuerai plus

Je laisserai Lala Sihème exercer ses arts et métiers

Je ne quitterai jamais l'Algérie

Je ne quitterai jamais Lala Sihème

J'aime Lala Sihème

J'aime son passé aussi

Au nom d'Allah le Grand et de son Prophète Mohamed, Lala Sihème est, à cet instant, mon épouse légitime. »

Je répondis à sa déclaration par ces mots : « Badr de la Confrérie des Algériens Vigilants de Constantine, tu es mon époux. » Impatient et excité, mon nouveau mari était pressé de consommer, de me pénétrer, sauf que je saignais, j'avais mes règles, ce qui ne l'empêcha pas d'insister :

– Lave-toi avec l'eau de mer, nous nous arrêterons pour manger, nous reposer et accomplir l'officialisation de notre union.

– D'accord pour la halte et le repas, mais, pour le reste, nous attendrons La Calle, je ne saignerai plus dans deux jours, répondis-je.

Badr fit signe à Arbi de s'arrêter sur une plage, histoire de nous reposer et de manger les poissons pêchés au large.

C'est pendant ce repas que Badr me raconta le fonctionnement de la Confrérie des Algériens vigilants de Constantine : « Des jeunes garçons de dix ans sont recrutés et instruits militairement, idéologiquement et politiquement jusqu'à vingt ans. Une fois la formation achevée, ils sont divisés en plusieurs groupes : le premier comprend les espions, qui ne manient jamais les armes, chargés de collecter des informations concernant les différents mouvements des troupes françaises, les colons qui arrivent, les Algériens qui collaborent avec les Français, les trafiquants et les criminels ; le deuxième, baptisé les *Françaouis*, lit tous les journaux français disponibles dans le pays, en vue de mesurer l'opinion et les délires de la classe politique de Paris ; le troisième est constitué de cinq tueurs qui éliminent les traîtres et les espions ; le quatrième est formé de combattants qui ont pour mission de harceler les troupes françaises et de combattre l'ennemi, c'est le groupe le plus fourni ; le cinquième est formé des banquiers de la confrérie, ils sont dix : cinq chargés de la collecte de l'impôt fraternel et patriotique, et cinq autres qui font fructifier le capital ; le sixième groupe est celui des femmes, oui, Lala Sihème, dix femmes, la fierté de la Confrérie des Algériens vigilants de Constantine, elles supervisent toutes les activités et écrivent des notes, des synthèses et des recommandations à l'intention du septième groupe : celui des sept sages, des hommes élus pour vingt ans, la durée légale de l'engagement de chaque recrue dans la confrérie. Au bout de vingt ans de service, chaque membre de notre organisation, du simple soldat à l'espion, part refaire sa vie grâce aux largesses de la confrérie : une maison et un mariage pris en charge ; néanmoins les jeunes retraités de quarante ans promettent formellement, devant l'assemblée réunie, de faire des enfants, beaucoup d'enfants, qui rejoindront plus tard la Confrérie des Algériens vigilants de Constantine, l'objectif étant de vaincre l'armée des croisés. »

Ma fille, Gamra, l'histoire est belle, mais la vigilance est plus noble
Sois vigilante
Laisse parler les hommes, tu sauras toujours la vérité

Notre repas terminé, Badr, qui était très gai et enthousiaste, ordonna à Arbi le marin de reprendre la mer. La perspective de gagner La Calle et de m'y installer avec mon nouveau mari me réjouissait profondément. Oui, j'étais heureuse de me poser quelque part. De faire des enfants aussi. Mais à peine étions-nous descendus du bateau, sur le quai de La Calle, que mon nouveau mari, l'homme qui ne put me pénétrer et honorer notre mariage, fut assassiné, éliminé d'une manière obscène : trois balles dans le dos. Le meurtrier ne prit même pas le temps de nous regarder. Il accomplit son geste et disparut aussitôt. Nous ne l'intéressions visiblement pas. Les trois balles couchèrent Badr à terre, sur le ventre. Arbi se mit à pleurer et à se frapper la tête avec les mains. Moi, je n'arrivais pas à faire couler mes larmes, je voyais juste s'éloigner la perspective d'une vie tranquille à La Calle, sous un toit et en compagnie d'un bel homme affranchi par ses frères, Badr, un homme qui m'aimerait et me ferait des enfants, de beaux enfants, et qui me chuchoterait à l'oreille droite : « Lala Sihème, je t'aime, Lala Sihème, cesse de penser à tes histoires de chasse-mouches, aux Français qui te poursuivent, arrête de te faire mal avec le passé, car l'avenir nous appartient, et cette terre est à nous. »

Arbi continuait de pleurer et de hurler, il devait se demander pourquoi je ne pleurais pas mon mari. Ma fille, je t'assure que j'ai essayé de le calmer et de partager son deuil, mais, comme je ne savais pas parler à un handicapé, je mis ma main droite sur son épaule gauche pour lui manifester ma solidarité et ma tristesse, alors il me repoussa, pointa son doigt d'abord sur moi, puis à droite, ensuite, vers le corps de Badr, et enfin vers lui, pour me signifier : « Pars, tu dois partir loin du corps de Badr, tu ne dois pas rester ici, ce corps est à moi, cet homme est à moi. » Il était très en colère, ce qui ne m'empêcha pas de lui expliquer, toujours avec la main droite, que ce corps m'appartenait aussi, mais il me repoussa violemment encore en me disant avec colère : « Tu es une femme indigne, fous le camp, va chercher un autre mari, je vais rendre Badr aux siens. » Et il prit le corps dans ses bras, le transporta dans le bateau et fit voile sans doute vers Constantine pour remettre le corps à la confrérie, aux Algériens vigilants.

Oui, en repensant à cet épisode de ma vie, en te parlant ici, Gamra, ma douce fille, dans cette belle demeure de La Calle, devant ce feu qui réchauffe les esprits, l'âme et notre nuit de décembre, je suis persuadée qu'Arbi le marin a bel et bien rendu le corps de Badr à la Confrérie des Algériens vigilants de Constantine, parce qu'il leur appartenait encore, parce qu'il était mort avant d'avoir accompli sa dernière mission, et je crois que celui qui aurait pu devenir ton père est enterré aujourd'hui au cimetière de la confrérie.

Plusieurs histoires ont circulé au sujet de son assassinat : un autre tueur de la confrérie l'aurait éliminé par jalousie, car, en dix-neuf ans de service, son bilan était maigre, trois meurtres, alors que Badr s'apprêtait à éliminer sa vingtième cible, la dernière. On racontait aussi qu'un homme d'affaires, grand commerçant de Bône, un Italien qui n'en pouvait plus des agissements de la confrérie et de Badr, aurait chargé un indigène, qui n'avait aucun scrupule à assassiner froidement un autre Algérien, de l'éliminer. Mais la version la plus plausible, celle qui circulait parmi les Algériens et les colons, était plus inquiétante parce qu'elle pointait clairement du doigt les Français et les Chevaliers noirs de Souk-Ahras. Ma fille, est-ce que tu te rappelles les Chevaliers noirs de Souk-Ahras ? Oui ! Très bien. On disait que l'armée française cherchait par tous les moyens à éliminer l'homme d'action le plus doué de la confrérie parce que cet homme de main lui mettait des bâtons dans les roues, contrariant son ambition de poursuivre la conquête de l'Est. Après avoir collecté des informations précises quant à ses déplacements, les Français avaient décidé de l'éliminer. Ma fille, sache que dans la vie des hommes et des choses qu'on qualifie de politiques, il y aura toujours des alliances improbables, des coups de main incompréhensibles, des rencontres inattendues, je te dis ça parce que celui qui avait fini par mettre les Français sur le chemin de mon mari était l'imam Khaled, le nouveau chef des Chevaliers noirs. Pourquoi ? Mystère, dirent les gens à l'époque, Algériens comme Français. Moi, j'emmerde les mystères et la guerre, je pense que Khaled avait trahi Badr et la confrérie parce qu'il était jaloux de leur résistance et de leur gloire, il savait pertinemment que ses Chevaliers noirs étaient incapables de résister aux Français comme le faisaient les soldats de la confrérie, il voulait faire de ses combattants noirs la seule force résistante aux Français, les seuls interlocuteurs avec qui l'occupant roumi devait composer, négocier, marchander et s'arranger. Ma fille, fais attention aux hommes, observe juste les alliances et les rencontres improbables, fais comme Arbi le marin : écoute, n'entends rien et ne parle surtout pas, promets-moi de ne pas croire aux histoires racontées par les hommes, promets-moi de ne pas croire aux vertus du malentendu, promets-moi de ne pas croire aux bienfaits de la défaite et de l'humiliation. Voilà, je pense que je viens d'accomplir mon deuil. Gamra, de te parler, ça m'aide à enterrer dignement Badr de Constantine, mon troisième mari, l'homme de main le plus doué de la Confrérie des Algériens vigilants de Constantine.

Badr aurait pu être ton père
Badr aurait pu être mon fidèle compagnon
Badr aurait pu devenir un merveilleux amant

Que pouvait faire une femme seule sur le port d'une ville tourmentée par l'occupation française, les traîtres, les assassins, les règlements de comptes et les arrangements plus improbables les uns que les autres ? Que pouvait faire une femme seule dans un pays où il était impossible de distinguer amis et ennemis, traîtres et patriotes ? Poursuivre son chemin, passer inaperçue et éviter les mauvaises rencontres, avec l'espoir d'arriver dans un lieu qui lui offrirait un peu de répit.

Je n'eus que quelques pas à effectuer pour pénétrer dans la ville où j'espérais trouver mon vrai destin, un homme qui ne m'abandonnerait pas au bout de quelques jours. J'avais évidemment gardé quelques renseignements précieux sur les gens de La Calle, une carte et une bourse amoindrie pour en faire usage dans les moments difficiles. Je me rappelais aussi que mon premier mari, Bekri, m'avait parlé d'un certain Zayed wild Dada Halima, un entrepreneur installé dans le coin depuis des générations : en apparence, ce type tenait la meilleure bijouterie de l'Est algérien, mais, en vérité, il était à la tête d'un petit empire fait de trafic de corail et de bétail, de vente d'alcool, de viande et d'armes, et d'échanges d'informations avec les Français, les résistants algériens et les Tunisiens. Ce commerçant de génie entreposait la plus grosse partie de sa marchandise de l'autre côté de la frontière, à Tabarka, car il était marié à une Tunisienne. J'allai le voir pour me plaindre de la vie et du sort de mon premier mari, son ami, l'homme à tout faire du dey d'Alger qu'il connaissait depuis longtemps. Je lui dis ma détresse présente, je lui racontai surtout avec beaucoup d'exagération et de colère la fin tragique de son ami Bekri : « Pendu par le dey lui-même », lui dis-je. Après m'avoir écoutée, Zayed wild Dada Halima déclara :

– Ma pauvre dame, votre histoire me déchire le cœur. Que puis-je faire pour vous ? De quoi avez-vous besoin ?

– Un toit, un travail et un mari me seraient d'une grande utilité. S'il vous plaît, un toit, un travail et un mari.

– Tu peux avoir du travail chez moi, dans mon atelier, mais dis-moi d'abord ce que tu sais fabriquer de tes mains, ça peut m'aider pour te caser quelque part.

– À Alger, je travaillais dans le grand atelier des Mansour, un bel établissement où l'on faisait presque tout : confection de tapis, réparation de manuscrits authentiques, restauration de mosaïques, poteries, bijoux, fabrication de chasse-mouches de luxe pour le dey d'Alger, les notables de sa cour et certains représentants diplomatiques ; je suis très douée, mes maîtres m'ont affranchie parce que je détenais un savoir-faire très apprécié.

– Intéressant, tout ça. Écoute : mon atelier de bijoux est bien tenu, je dispose de quelques ouvrières compétentes et fidèles, mais si tu me dis que tu as un vrai savoir-faire pour la restauration des manuscrits et des mosaïques, tu es un cadeau du ciel, car les roumis, en particulier les Italiens et les Français, s'intéressent beaucoup à ces choses anciennes encombrantes, ils sont même disposés à payer cher pour en faire l'acquisition. Tu peux commencer tout de suite : si tu sais lire l'écriture arabe ancienne, j'ai un Français qui veut m'acheter un manuscrit qui date du siècle dix-huit, sûrement une copie de l'*Histoire des Arabes, des Berbères et de tous les Autres*, il est prêt à mettre une grosse somme d'argent. Et il veut qu'on l'aide à tout lire. Acceptes-tu cette tâche ?

– Oui.

– Très bien, car il n'arrête pas de me harceler : « Est-ce que vous avez trouvé quelqu'un ? », « Quand est-ce que je peux prendre mon texte ? Je suis pressé ». Je ne comprends pas pourquoi ce type s'acharne autant à se procurer un livre qu'il ne peut pas lire tout seul.

– Je suis d'accord avec vous, mais le plus important, dans cette affaire, c'est la somme d'argent qu'il va mettre sur la table.

– Je t'en donnerai dix pour cent. Tu me dis aussi que tu as besoin d'un toit et d'une dignité.

– Oui.

– Je t'offre le toit et la dignité.

– Vous êtes bon.

– Je le sais.

– Et je le reconnais.

– Reconnaître ma bonté, ce n'est pas suffisant, il faut l'accompagner, la vivre.

– La vivre ?

– Oui, ma religion et mon éthique me recommandent de le faire à condition de t'épouser.

– Mais je suis mariée.

– À qui ?

– À Badr de la Confrérie des Algériens vigilants de Constantine.

– Et où est-il, cet assassin ?

– Mort ce matin sur le port de La Calle.

– Quel soulagement !

– Pourquoi ?

– Parce que tu vas pouvoir te remarier.

– Oui, mais comment le connaissiez-vous et pourquoi avez-vous parlé de soulagement ?

– C'est trop long à expliquer, toutefois si tu veux le toit et la dignité, il te faut un mari, moi.

– Je dois d'abord observer quarante jours de deuil.

– Un assassin ne mérite pas le deuil ni la tristesse : quarante jours, c'est trop.

– C'est la règle fixée par notre tradition.

– Aucun respect pour les assassins.

– J'aimerais quand même m'en assurer auprès de l'imam, allons le voir pour lui demander son avis.

– C'est moi l'imam du coin, je suis homme d'affaires, grand commerçant et imam.

– Décidément, je n'ai pas le choix.

– Non.

– Mon Dieu !

– Bon, je vais chercher deux témoins, attends-moi ici, je reviens tout de suite.

– D'accord, mais est-ce que j'ai le temps de me laver ?

– Pas le temps de prendre un bain.

– Je vous attends.

Il revint au bout de cinq minutes en compagnie de ses deux témoins, deux hommes rencontrés en chemin, deux inconnus qui allaient officialiser notre union, mon quatrième mariage. Après leur témoignage, Zayed wild Dada Halima leur ordonna de sortir. Une fois seuls, tous les deux, moi et lui, au milieu de quelque chose qui ressemblait à un bureau-chambre à coucher, il me dit de me déshabiller et de m'allonger sur un lit de fortune.

– C'est le moment de te pénétrer, déclara-t-il.

– Je ne peux pas, je suis impure, je saigne, je ne vous laisserai pas entrer en moi, répondis-je.

Fou de rage, il me cracha ces mots à la figure : « Tu es répudiée, tu peux t'en aller maintenant, un imam ne pénètre pas une femme impure ! »

Gamra, je fus répudiée pour la première fois de ma vie à La Calle, tout près du but, à cause d'un homme pressé d'éjaculer et de soulager ses deux citrons. Ne te marie jamais dans la semaine qui suit ou précède ton saignement, les hommes ont horreur de la surprise et de l'attente.

Soulagée de ne pas avoir écarté les jambes, je sortis de chez Zayed avec la peur au ventre, oui, j'avais peur de lui, peur de ce notable et de la réputation qu'il pouvait me faire en ville, mais mes craintes furent très vite balayées, car je compris que ce salaud ne voulait que tirer son coup en respectant les règles de la religion, une religion qu'il interprétait d'une drôle de manière. Il n'aurait pas osé parler publiquement de cet épisode, il aurait eu trop honte.

En arrivant sur la grand-place de La Calle, la voix du crieur retint mon attention. Je le suivis en espérant glaner quelques informations utiles sur les possibilités qu'offrait une telle ville à une femme seule et honnête. Il tourna dans les rues et répéta le même message une bonne partie de la journée : « Je m'adresse à tous les patriotes de La Calle et de l'Est algérien : notre ville et nos frères de la Confrérie des Algériens vigilants de Constantine, nos anges et chevaliers invisibles, cherchent à enterrer dignement nos fils morts sous les balles de l'ennemi, ils ont besoin de pleureuses. Si vous êtes une jeune femme algérienne avec une voix qui porte la douleur, parle aux morts et aux anges, venez voir l'imam de la mosquée Khaled ibn al-Walid avant la tombée de la nuit. Pleureuses de nos enfants, vous serez logées et nourries par les anges de la confrérie, mais vous pleurerez jusqu'à vos dernières larmes, vous crierez la douleur de l'Algérie, vous ferez taire les oiseaux, les corbeaux, le ciel, le vent, la forêt, la terre, la rumeur, l'humiliation et les vagues, vous accompagnerez nos fils jusqu'à leur dernière demeure, le paradis, le jardin d'Allah. Sachez simplement que la confrérie interdit aux étrangères de pleurer nos fils, inutile de vous faire passer pour des Algériennes. » Cet appel me convenait parfaitement : Je peux le faire, me dis-je, je pourrais trouver ma place parmi ces femmes qui pleureront les enfants morts, c'est une chance à saisir pour échapper à la solitude et aux mauvaises rencontres. Et puis, la Confrérie des Algériens vigilants de Constantine était un nom ami. J'avais encore le temps alors de me reposer un peu et de manger un morceau. Mes pieds me conduisirent jusqu'à l'Auberge des Algériens paisibles. À peine eus-je franchi la porte qu'un jeune homme vint à ma rencontre pour me dire que l'établissement n'acceptait pas les femmes non accompagnées. Je répondis : « Vous n'avez pas entendu le crieur, je suis la future pleureuse de la confrérie. » Il me laissa entrer, m'installa dans un coin isolé et me servit les restes : du pain, un peu d'huile d'olive, les deux ailerons et le cou d'un poulet, une tomate et la moitié d'un verre de lait.

– Parfait, j'adore les restes, c'est la part des anges, lui dis-je.

– Prenez votre temps, mangez tranquillement, je vais devoir vous laisser, car je sors acheter quelques provisions pour ce soir. Nous célébrerons un moment très important : l'avènement des pleureuses de La Calle. Restez ici jusqu'au rendez-vous avec l'imam si vous le voulez, veillez sur les lieux, je m'en vais.

Je profitai donc de cette divine et courte solitude pour me reposer quelques instants et me rafraîchir aussi. Je me maquillai même, noircis encore mes yeux de khôl et mis mon joli foulard bleu sur la tête. Puis, avant de quitter l'auberge, j'écrivis un petit mot au jeune homme : « Frère de La Calle, vous êtes un homme bon, la femme qui vient de l'ouest vous remercie, j'espère que je n'aurai jamais à pleurer votre fils. »

Sur la place, je fus frappée par le nombre impressionnant des candidates au deuil : cent femmes attendant sagement le verdict, quelques-unes se forçant même à pleurer. L'ordre nous fut donné de nous asseoir sur des bancs, les jeunes devant et les vieilles derrière, face à dix hommes parmi lesquels j'aperçus Zayed wild Dada Halima, l'imam de la mosquée Khaled ibn al-Walid, qui me fit signe de me taire. Il prit la parole : « J'adresse *assalem* à nos sœurs algériennes. *Assalem* surtout à mes compagnons, des compatriotes dignes, les neuf hommes et l'unique femme qui permettent à tous les habitants de notre belle ville de continuer à vivre dans ce maudit contexte de guerre : à ma droite, au bout, vous avez une bourse et un message de la part de Zahi de la Confrérie des Algériens vigilants de Constantine, il nous dit qu'Allah bénit notre assemblée et que la confrérie s'occupera de nos pleureuses ; à sa gauche, Kassas, notre boucher, l'homme qui nous fournit la viande de qualité, il vient de perdre ses trois garçons ; à sa gauche, nos deux vaillants messagers, Karim et Nabil, qui ne cessent de répéter que certains de nos garçons fuient de plus en plus vers l'est, en Tunisie ; plus près de moi, la doyenne de La Calle, notre mère à tous, celle qui a perdu tous ses hommes, Lala Basma ; à ma gauche, Atiq, l'homme qui nous enchante avec sa musique et ses poèmes, il vient de perdre son fils unique ; plus à gauche, l'homme aux deux oreilles vigilantes, le discret ; plus à gauche encore, Si Mohamed, le frère qui garde l'œil sur notre port ; enfin Helel, l'homme qui aime écouter les femmes pleurer. Nos sœurs algériennes, puisque vous êtes trop nombreuses, nous sommes dans l'obligation de demander à toutes les femmes ayant plus de quarante ans de s'écarter et de laisser la place aux plus jeunes : s'il vous plaît, allez devant le restaurant, on vous offrira à manger, ensuite on vous raccompagnera chez vous. Concernant celles qui restent, les plus jeunes, chacune à son tour pleurera devant nous. » Une fois celles qui avaient plus de quarante ans mises à l'écart, il restait vingt-huit femmes pour disputer une place au sein du Cercle des femmes pleureuses de La Calle. Et chacune d'y aller de la voix, du hurlement et de la comédie.

Quand ce fut mon tour, je me levai pour tenter de convaincre cette digne assemblée que j'étais une pleureuse professionnelle, mais avant même que j'aie fait jaillir la première larme et le premier cri, l'homme aux deux oreilles vigilantes me lança : « Vous ne pleurerez pas nos fils, reprenez votre place, non, allez plutôt m'attendre à l'auberge, au restaurant, nous avons une autre mission pour vous. » J'obéis. Une heure plus tard, il était là, assis en face de moi. « Ali, sers-nous tes meilleurs mets », ordonna-t-il au garçon, le même qui, quelques heures avant, m'avait servi du pain, un peu d'huile d'olive, deux ailerons et un cou de poulet, une tomate et la moitié d'un verre de lait.

– Une femme comme vous ne doit pas pleurer, les larmes abîmeraient sa beauté, me dit l'homme aux deux oreilles vigilantes.

– Elles peuvent l'embellir aussi, car nous devons pleurer : imaginez un ciel sans grondement, sans pluie qui nous tombe sur la tête et nourrisse nos prairies ! Et puis, je trouve que le rire éternel n'est pas un compagnon enthousiasmant.

– Non, je n'imagine pas, je veux juste que cette beauté demeure intacte.

cinquante-six femmes. « Accepterais-tu de leur annoncer qu'elles peuvent passer la nuit ici ? lui demandai-je. Je leur révélerai la bonne nouvelle demain matin. » Il fallut les motiver pour qu'elles restent, car certaines venaient de très loin, mais ton père n'eut aucun mal à les convaincre. Où allaient-elles dormir ? Antara savait que la Confrérie des Algériens vigilants de Constantine était propriétaire de plusieurs maisons et entrepôts ici même, à La Calle. Il pensait que les frères constantinois nous prêteraient une ou deux demeures pour loger les femmes. En attendant leur autorisation, il convainquit l'imam de loger les cinquante-six femmes dans un de ses entrepôts, pendant quelques jours.

J'insistai auprès de ton père pour les accompagner jusqu'à leur demeure provisoire avant de rentrer chez nous, dans une maison que je ne connaissais pas encore. Il accepta. Quand elles furent installées, sur le chemin de retour il se tourna vers moi et dit : « Choisissez entre la maison bleue, la maison dorée et la maison jaune. » Sans hésiter, je répondis : « Allons dans la bleue ! » La nuit fut courte : il dormit une heure, moi un peu plus. Avant de partir, ton père me laissa un petit mot : « Ma chère Sihème, je reviens dans une, deux ou trois semaines, je ne sais pas. Je vais d'abord voir les gens de la confrérie (quelqu'un de chez eux m'indiquera la demeure que les femmes peuvent occuper). Ensuite, des amis tunisiens de Tabarka demandent à me voir, je vais donc honorer leur amitié. Prenez soin de vous et des cinquante-six femmes. Je vous laisse des pièces d'or pour votre grand projet. Pardonnez cette dernière maladresse, je sais que la bonne nouvelle que vous annoncerez aux femmes ne

– Merci, mais avant de parler des larmes qui abîment les joues et la beauté, dites-moi pourquoi l'imam vous appelle « l'homme aux deux oreilles vigilantes qui préfère rester discret » ?

– Non, il m'appelle « l'homme aux deux oreilles vigilantes, le discret ». J'ai cette réputation, je le reconnais, la Confrérie des Algériens vigilants de Constantine aussi. Inutile de vous cacher les choses plus longtemps, je sais que l'imam vous a épousée ce matin et répudiée au bout de quelques minutes. C'est un abruti et un traître, il le paiera tôt ou tard, il ne vous mérite pas, ce vendu ne doit pas coucher avec une gracieuse beauté comme vous.

– Vous le méprisez à ce point ?

– Oui.

– Et je peux savoir pourquoi ?

– Je vous le dirai plus tard. Pour l'instant, je souhaite vous épouser.

– Et pourquoi ?

– Vous êtes la beauté dotée de plusieurs vertus. Vous êtes surtout Lala Sihème, la femme qui a confectionné le chasse-mouches ayant servi à frapper le roumi Pierre Deval.

– Vous êtes bien renseigné.

– Oui, et j'ai envie de vous épouser ce soir, discrètement, devant témoins, bien sûr.

– Je saigne encore.

– J'attendrai. À présent, je vous propose de manger et de discuter, j'aimerais que vous me parliez de votre périple, de ce long voyage d'Alger jusqu'ici, et, avant tout, de vos anciens maris, après, nous irons voir l'imam de la mosquée pour qu'il nous marie.

– Je veux bien vous épouser, mais je préfère que ce soit devant tout le monde, ici même, sur la grand-place. J'ai une autre condition : je souhaite la présence de toutes les pleureuses, celles qui ont été retenues et toutes les autres à qui on a refusé le droit de pleurer moyennant un salaire de misère, vous irez chercher le crieur pour les faire revenir sur la place. Et n'oubliez pas de convoquer l'imam.

– Il est là, il mange à l'autre bout de la salle, tout au fond, à droite.

– Très bien, mais je tiens à mes femmes, ça sera mon cadeau, mes bijoux même.

– C'est entendu.

– Nous mangerons avec tout le monde. Dites à votre Ali, ce charmant garçon, de retarder la commande, nous irons nous installer sur la place, l'imam prononcera notre union, on dansera et chantera, mais mon souhait le plus cher est de demander à chacune des femmes qui voulaient devenir pleureuses de la Confrérie des Algériens vigilants de Constantine de nous raconter son histoire et de nous chanter une chanson ; à la fin de la cérémonie, que j'espère faire durer jusqu'à l'aube, j'aimerais avoir un moment intime avec elles, histoire d'avoir une conversation de femmes.

– L'homme aux deux oreilles vigilantes s'appelle Antara de Souk-Ahras, et il va satisfaire à toutes vos envies. Je vais commencer par faire revenir toutes les femmes qui n'ont pas eu à se donner la peine de pleurer ce soir, en attendant veillez bien à garder cette beauté et cette détermination, préservez vos yeux noirs, et, surtout, ne changez pas votre foulard bleu.

– Je n'ôte jamais mon foulard bleu en public, je tiens beaucoup à cette coquetterie.

– Restez belle, alors !

– Ne vous inquiétez pas pour ma beauté.

Le crieur de La Calle, qui avait réussi à faire revenir cinquante-six femmes, annonça les noces. On distribua le repas à tout le monde sur la place. L'imam prononça le mariage et partit très vite, ce qui ne gâcha pas la fête. Après la danse et les chants vint cet instant que j'attendais tant : parler à ces femmes, pénétrer dans leur univers, connaître chacune d'elles et lui demander ce qu'elle savait faire. Comme Antara m'avait accordé ce privilège, il fut le seul homme convié à ce moment d'intimité féminine. Il nous installa à l'Auberge des Algériens paisibles. Sept d'entre elles étaient très bonnes cuisinières, elles avaient officié à la cour du dey d'Alger ; trente-huit savaient cuisiner convenablement, coudre et tisser pour un cercle restreint, la famille ; cinq étaient poétesses, elles composaient des poèmes pour les lire la nuit sur les collines de Constantine, elles y célébraient les hommes de leur tribu et le salut qui tardait à venir ; une femme savait nouer et dénouer les maris pendant la nuit de noces ; une autre était accoucheuse professionnelle à La Calle ; une autre guérisseuse ; les trois dernières étaient de vraies lectrices et réparatrices de vieux manuscrits arabes. Après avoir écouté les cinquante-six femmes, je fis un clin d'œil appuyé et affectueux à mon mari, Antara de Souk-Ahras, ton père, que tu as vu deux ou trois fois dans ta tendre enfance. Au début, il ne saisit pas le sens de ce cadeau, ni même de ma nouvelle et nombreuse famille, mais il finit par comprendre que j'avais l'intention de m'occuper de ces coûtera pas tant d'argent. J'embrasse votre front et vos yeux noirs et brillants. Je vous aime, ma grande et gracieuse compatriote. Antara, votre époux. »

Gamra, ma fille chérie, je compris très vite que j'allais avoir de longs moments de solitude, mais la perspective de me consacrer pleinement à mon projet m'enchantait.

Moi, Lala Sihème, ancienne libérée affranchie pour avoir fabriqué le chasse-mouches, suis la fondatrice de la Cité des femmes affranchies et autarciques de l'Est algérien, une cité constituée de cinquante-six femmes qui faillirent devenir des pleureuses publiques, des êtres tristes de vivre, mais qui, toutes, savaient faire autre chose : cuisiner, coudre, tisser, nouer et dénouer, guérir, aider à accoucher, examiner et restaurer de vieux manuscrits arabes, écrire et lire à voix haute des poèmes. L'organisation de cette cité était simple : une grande demeure discrète et élégante où l'on privilégierait la partie publique, le restaurant, constitué d'une grande cuisine et d'une belle salle à manger, tandis que, à côté, une pièce spacieuse, mais invisible, accueillerait les cinq poétesses et les trois lectrices d'anciennes écritures arabes, qui s'adonneraient à leurs travaux respectifs. Ces huit femmes inspirées auraient l'obligation de consacrer la moitié de leur temps à l'éducation des jeunes filles de La Calle, une mission partagée entre les poétesses et les restauratrices et lectrices de vieux textes : aux premières, l'apprentissage de l'écriture et de la lecture initiatiques ; aux secondes, la vraie lecture, oui, une vraie lecture largement consacrée aux merveilles littéraires arabes. Ces femmes savantes et inspirées pourraient aussi faire de grandes incursions – le choix de ces incursions leur revenait – dans la langue française, histoire de connaître un peu plus les vraies intentions de l'occupant et ce qui l'animait dans cette affaire algérienne. Quant aux trois électrons libres, l'accoucheuse, la guérisseuse et celle qui nouait et dénouait – je devais lui interdire de nouer, elle ne ferait que dénouer les malheureux maris incapables de bander –, nul besoin de bureau ou de salle pour exercer, elles se déplaceraient chez les patients.

J'allai voir mes cinquante-six femmes pour leur divulguer le projet, leur projet : « Vous êtes le cœur de la Cité des femmes affranchies et autarciques de l'Est algérien, vous êtes la cité même », leur dis-je. Ma petite merveille, ma fille, fruit de mon destin, je peux te dire qu'elles furent heureuses d'apprendre qu'elles allaient faire ce qu'elles savaient maîtriser, et que chacune d'entre elles renaîtrait grâce à la cité. Je leur demandai de se montrer discrètes, de ne pas en parler autour d'elles. Je leur expliquai que, pour démarrer notre projet, nous n'avions pas besoin de beaucoup d'argent, qu'elles étaient elles-mêmes le véritable moteur qui ferait marcher notre cité. Et comme il nous manquait un local, une belle demeure pour l'abriter, je leur indiquai tout simplement que mon mari s'en chargerait et qu'avant son retour elles resteraient où elles étaient et mangeraient la nourriture d'Allah à mes frais. J'étais sûre de leur bonne volonté et de leur engagement total, j'avais trouvé en elles une nouvelle vocation, un nouveau combat digne d'être mené jusqu'au bout.

Ton père revint à La Calle dix jours plus tard. Il était heureux de me revoir et fier de mon projet. « La Confrérie des Algériens vigilants de Constantine vous accorde un grand bâtiment qui servira à vos diverses activités et à votre hébergement », m'annonça-t-il sans trop tarder. Et comme toutes les femmes étaient enthousiastes et prêtes à se jeter dans l'aventure, je leur dis que nous n'attendrions pas la fin des travaux, que l'on pouvait même commencer à cuisiner pour nous et quelques autres personnes, des notables, futurs alliés de notre grand projet féminin, que les poétesses et les restauratrices et lectrices de vieux manuscrits arabes pouvaient se rendre dans les familles qui leur ouvriraient leur porte et éduquer leurs filles. Quant à la guérisseuse et à l'accoucheuse, elles n'avaient qu'à se déplacer en cas de besoin.

Les travaux durèrent six semaines. Ton père et quelques notables bien intentionnés avaient réussi à mobiliser des volontaires pour mener à bien le chantier de notre joli bâtiment. Pendant les travaux, ton père était absent. Il ne restait jamais plus d'une nuit à La Calle, il avait toujours des gens à voir. Je n'ai su les raisons de ses absences répétées qu'à l'hiver de 1860, le jour de ta naissance, une venue au monde sans difficulté grâce à l'accoucheuse de la Cité des femmes affranchies et autarciques de l'Est algérien. Il était sept ou huit heures du matin, je savais qu'il reviendrait le jour de ta naissance, je l'ai attendu parce qu'il avait insisté : « Sihème, ma bien-aimée, ma beauté, faites-moi plaisir, attendez-moi avant de prononcer le mot, attendez-moi avant de donner le nom ! » Il revint le soir, au milieu de la nuit. Tu dormais. Il m'embrassa sur le front, s'allongea près de toi et dit : « Cette beauté divine s'appellera Gamra. Lala Sihème, j'ai soixante ans, vous en avez presque quarante, et notre belle lumière, Gamra, n'a que quelques heures. Je ne sais pas si je serai toujours là pour elle, mes activités commencent à me poser de sérieux problèmes. J'ai beau être l'homme aux deux oreilles vigilantes, le discret, je n'arrive plus à réconcilier toutes les demandes, tous les hommes, toutes les parties et les intérêts contradictoires dans un pays, le nôtre, détruit par la guerre, le mensonge et l'injustice. J'ai accompli dignement ma mission auprès de la Confrérie des Algériens vigilants de Constantine, avec une grande conviction pendant vingt ans, de 1820 à 1840 – oui, la confrérie existait bien avant l'arrivée des Français. Notre objectif était de mettre dehors la caste militaire turque et de fonder la grande nation arabe : l'Algérie. Quand les Français sont arrivés, en 1830, ma mission a consisté à suivre les mouvements de leur armée et les premières tentatives de colonisation, à surveiller les grands négociants étrangers (maltais, italiens, grecs, britanniques et turcs) et leurs agissements, et, surtout, à transmettre la liste des traîtres et des collaborateurs passés à l'ennemi, à un membre de la confrérie, un homme de main, un soldat doué, le meilleur, qui se chargeait de les éliminer. Ce soldat s'appelait Badr de Constantine. On lui a tiré dans le dos, sur le port de La Calle, au moment où il s'apprêtait à éliminer sa vingtième et dernière cible. Sihème, le fait de transmettre ma liste au meilleur soldat prouve que les frères vigilants prenaient très au sérieux mon travail. Ma première oreille a été toute ma vie consacrée à la confrérie, ce qui me permet de jouir d'une place à part parmi mes compagnons : pour eux, je suis l'intraitable réservoir de renseignements précis, et cette réputation me donne encore quelques privilèges, comme quand ils m'accordent, vous accordent, tout un bâtiment pour accueillir la Cité des femmes affranchies et autarciques de l'Est algérien. Et aujourd'hui, je suis l'espion de l'ombre devenu notable, le retraité qui continue à donner un coup de main aux sages de la confrérie. Que veux-tu ? On ne se débarrasse pas de sa vocation première, d'une jeunesse vouée à la cause du pays. Et l'autre oreille ? Nous venons de mettre au monde la petite Gamra, une beauté divine, elle dort et nous écoute, je n'ai pas l'intention de mentir. Mon oreille gauche est la fille légitime de mon oreille droite, l'oreille de la Confrérie des Algériens vigilants de Constantine, car, au début, je n'avais qu'une mission à accomplir : me déplacer, écouter, regarder, noter et faire remonter le tout jusqu'aux compatriotes vigilants ; par la suite, mes activités, apparemment discrètes, me mirent sur le chemin d'hommes désireux d'acheter mes services : des trafiquants, des contrebandiers, des commerçants honnêtes, des propriétaires fonciers algériens qui avaient peur des agissements de l'armée française, des Italiens, des Maltais, des Tunisiens, et même des Français sans armes. J'avais repoussé calmement toutes les sollicitations et les tentations, mais, à un moment donné, je me suis posé des questions. J'en ai même parlé aux frères, pour arriver à la même conclusion : il était possible de concilier les intérêts de la confrérie, de l'Algérie et les miens. J'ai commencé alors à donner des informations et des conseils à certains honnêtes commerçants, aux agriculteurs algériens, et aux Tunisiens qui s'inquiétaient du sort de leur pays, moyennant des sommes d'argent conséquentes. Pour certains, j'étais désormais un allié précieux, pour d'autres, en particulier les Français et les contrebandiers de toutes les races, un vrai danger. Par précaution, j'ai pris la décision de ne pas dormir plus d'une nuit au même endroit, même ici. Il faut savoir que les choses vont être de plus en plus dangereuses, la France va encourager des colons à venir s'installer ici. Il y a des terres fertiles à exploiter, du bois à arracher, et, surtout, une armée qui ne connaît pas très bien le territoire et qui a besoin d'être soutenue par une présence humaine. Les notes et synthèses soigneusement préparées par les dix femmes de la Confrérie des Algériens vigilants de Constantine sont devenues de plus en plus claires : la France opte pour une politique de peuplement de la nouvelle colonie, l'objectif étant d'arriver à établir un équilibre démographique entre musulmans et Européens. Nous savions que les Français feraient tout pour empêcher le pays d'Hannibal de tomber aux mains des Italiens. Quant à nos amis tunisiens, qui se plaignent de leur bey et de son indifférence à leur égard, ils sont aujourd'hui persuadés que les Français n'ont qu'une seule idée en tête : mettre la main sur leur pays et tenter d'encercler et de maîtriser la grande Algérie. J'essaie de tenir bon et de réconcilier toutes mes activités dans une situation très compliquée pour tout le monde, mais je me sens de plus en plus menacé, je sais que de nouvelles têtes, des amateurs du renseignement qui poussent comme des champignons, envahissent notre pays et agissent au jour le jour, ce sont des hommes sans morale qui ne pensent qu'à court terme. Je crains cette nouvelle race d'espions. Vous savez que la mort ne me fait pas peur, j'aimerais juste faire grandir Gamra avant de partir, j'aimerais être là pour l'entendre prononcer ses premiers mots, mais si jamais la vengeance me rattrape, veillez sur elle pour la rendre heureuse et libre, transmettez-lui l'amour de la Confrérie des Algériens vigilants de Constantine, apprenez-lui la vertu, dites-lui qu'elle sera aimée du ciel, offrez-lui ce coffre pour ses dix ans, vous la laisserez choisir son époux, enseignez-lui l'écriture et la lecture, l'amour de l'Algérie, parlez-lui de vous, du chasse-mouches et de mon frère Badr de Constantine, votre ex-mari mort sur le quai de La Calle. Quant à vous, continuez de libérer nos femmes, poursuivez votre mission, veillez sur la Cité des femmes affranchies et autarciques de l'Est algérien, continuez d'accueillir nos hommes traqués, j'aime votre liberté, je vous aime. »

Ma Gamra, mon unique et précieuse fille, de là-haut, oui, du ciel, ton père, Allah et ses anges t'envoient leur amour.

Ton père a disparu quelques mois après ta naissance, tout le monde dit qu'il a été assassiné par un trafiquant algérien, mais je doute toujours de cette version. Ça m'attriste de parler de sa fin, je t'invite à ne jamais le faire, à respecter la mémoire de ce brave homme, ton père, mais il faut que tu saches une chose : je n'épouserai jamais un autre homme.

Merveilleuse Cité des femmes affranchies et autarciques de l'Est algérien ! Épatantes cinquante-six femmes ! Le bonheur de ma vie ! Pendant des années, nous avons nourri le passant, le visiteur d'un jour, les orphelins, les pauvres et les notables de La Calle. Dans notre restaurant qui marchait très bien, les Français étaient bien évidemment admis, mais sans aucune arme. Les femmes avaient décrété indésirable la viande rouge, et tous nos plats étaient donc à base de poisson. Les poétesses et les restauratrices de manuscrits arabes anciens firent un merveilleux travail auprès des filles de La Calle, l'accoucheuse de la cité mit au monde cinq mille deux cent quatre-vingts enfants, des filles et des garçons, la guérisseuse et la femme qui dénouait jouissent toujours d'une bonne réputation. Les sept cuisinières préparaient à manger à tour de rôle, les autres donnaient un coup de main, tricotaient des habits destinés aux orphelins et aux notables de la région, se reposaient parfois, mais se déplaçaient surtout chez les vieilles personnes de La Calle pour les aider à supporter le poids de l'âge et les tâches ingrates. Elles étaient de précieuses accompagnatrices de fin de vie.

Il faut que tu saches qu'au début de l'aventure les cinquante-six femmes s'engagèrent à épouser la cité, car une fois dedans elles n'avaient pas le droit de se marier ni de faire des enfants, elles devaient consacrer le reste de leur vie à notre projet. Elles honorèrent toutes cet engagement, sauf une, Lala Karima, une de nos sept cuisinières, morte dans son sommeil au bout de quelques mois d'aventure. Et comme, depuis le début, notre bâtiment était inviolable, grâce à une succession de fatwas transmises aux autorités françaises, dont une qui leur faisait particulièrement peur – « Si vous touchez à nos femmes, vous aurez la colère divine et le jihad » –, la Cité des femmes affranchies trouva rapidement une nouvelle vocation : cacher des compatriotes traqués par l'armée française.

GAMRA

cinquante-six femmes. « Accepterais-tu de leur annoncer qu'elles peuvent passer la nuit ici ? lui demandai-je. Je leur révélerai la bonne nouvelle demain matin. » Il fallut les motiver pour qu'elles restent, car certaines venaient de très loin, mais ton père n'eut aucun mal à les convaincre. Où allaient-elles dormir ? Antara savait que la Confrérie des Algériens vigilants de Constantine était propriétaire de plusieurs maisons et entrepôts ici même, à La Calle. Il pensait que les frères constantinois nous prêteraient une ou deux demeures pour loger les femmes. En attendant leur autorisation, il convainquit l'imam de loger les cinquante-six femmes dans un de ses entrepôts, pendant quelques jours.

J'insistai auprès de ton père pour les accompagner jusqu'à leur demeure provisoire avant de rentrer chez nous, dans une maison que je ne connaissais pas encore. Il accepta. Quand elles furent installées, sur le chemin de retour il se tourna vers moi et dit : « Choisissez entre la maison bleue, la maison dorée et la maison jaune. » Sans hésiter, je répondis : « Allons dans la bleue ! » La nuit fut courte : il dormit une heure, moi un peu plus. Avant de partir, ton père me laissa un petit mot : « Ma chère Sihème, je reviens dans une, deux ou trois semaines, je ne sais pas. Je vais d'abord voir les gens de la confrérie (quelqu'un de chez eux m'indiquera la demeure que les femmes peuvent occuper). Ensuite, des amis tunisiens de Tabarka demandent à me voir, je vais donc honorer leur amitié. Prenez soin de vous et des cinquante-six femmes. Je vous laisse des pièces d'or pour votre grand projet. Pardonnez cette dernière maladresse, je sais que la bonne nouvelle que vous annoncerez aux femmes ne

– Je n'ôte jamais mon foulard bleu en public, je tiens beaucoup à cette coquetterie.

– Restez belle, alors !

– Ne vous inquiétez pas pour ma beauté.

Le crieur de La Calle, qui avait réussi à faire revenir cinquante-six femmes, annonça les noces. On distribua le repas à tout le monde sur la place. L'imam prononça le mariage et partit très vite, ce qui ne gâcha pas la fête. Après la danse et les chants vint cet instant que j'attendais tant : parler à ces femmes, pénétrer dans leur univers, connaître chacune d'elles et lui demander ce qu'elle savait faire. Comme Antara m'avait accordé ce privilège, il fut le seul homme convié à ce moment d'intimité féminine. Il nous installa à l'Auberge des Algériens paisibles. Sept d'entre elles étaient très bonnes cuisinières, elles avaient officié à la cour du dey d'Alger ; trente-huit savaient cuisiner convenablement, coudre et tisser pour un cercle restreint, la famille ; cinq étaient poétesses, elles composaient des poèmes pour les lire la nuit sur les collines de Constantine, elles y célébraient les hommes de leur tribu et le salut qui tardait à venir ; une femme savait nouer et dénouer les maris pendant la nuit de noces ; une autre était accoucheuse professionnelle à La Calle ; une autre guérisseuse ; les trois dernières étaient de vraies lectrices et réparatrices de vieux manuscrits arabes. Après avoir écouté les cinquante-six femmes, je fis un clin d'œil appuyé et affectueux à mon mari, Antara de Souk-Ahras, ton père, que tu as vu deux ou trois fois dans ta tendre enfance. Au début, il ne saisit pas le sens de ce cadeau, ni même de ma nouvelle et nombreuse famille, mais il finit par comprendre que j'avais l'intention de m'occuper de ces

– Je veux bien vous épouser, mais je préfère que ce soit devant tout le monde, ici même, sur la grand-place. J'ai une autre condition : je souhaite la présence de toutes les pleureuses, celles qui ont été retenues et toutes les autres à qui on a refusé le droit de pleurer moyennant un salaire de misère, vous irez chercher le crieur pour les faire revenir sur la place. Et n'oubliez pas de convoquer l'imam.

– Il est là, il mange à l'autre bout de la salle, tout au fond, à droite.

– Très bien, mais je tiens à mes femmes, ça sera mon cadeau, mes bijoux même.

– C'est entendu.

– Nous mangerons avec tout le monde. Dites à votre Ali, ce charmant garçon, de retarder la commande, nous irons nous installer sur la place, l'imam prononcera notre union, on dansera et chantera, mais mon souhait le plus cher est de demander à chacune des femmes qui voulaient devenir pleureuses de la Confrérie des Algériens vigilants de Constantine de nous raconter son histoire et de nous chanter une chanson ; à la fin de la cérémonie, que j'espère faire durer jusqu'à l'aube, j'aimerais avoir un moment intime avec elles, histoire d'avoir une conversation de femmes.

– L'homme aux deux oreilles vigilantes s'appelle Antara de Souk-Ahras, et il va satisfaire à toutes vos envies. Je vais commencer par faire revenir toutes les femmes qui n'ont pas eu à se donner la peine de pleurer ce soir, en attendant veillez bien à garder cette beauté et cette détermination, préservez vos yeux noirs, et, surtout, ne changez pas votre foulard bleu.

– Merci, mais avant de parler des larmes qui abîment les joues et la beauté, dites-moi pourquoi l'imam vous appelle « l'homme aux deux oreilles vigilantes qui préfère rester discret » ?

– Non, il m'appelle « l'homme aux deux oreilles vigilantes, le discret ». J'ai cette réputation, je le reconnais, la Confrérie des Algériens vigilants de Constantine aussi. Inutile de vous cacher les choses plus longtemps, je sais que l'imam vous a épousée ce matin et répudiée au bout de quelques minutes. C'est un abruti et un traître, il le paiera tôt ou tard, il ne vous mérite pas, ce vendu ne doit pas coucher avec une gracieuse beauté comme vous.

– Vous le méprisez à ce point ?

– Oui.

– Et je peux savoir pourquoi ?

– Je vous le dirai plus tard. Pour l'instant, je souhaite vous épouser.

– Et pourquoi ?

– Vous êtes la beauté dotée de plusieurs vertus. Vous êtes surtout Lala Sihème, la femme qui a confectionné le chasse-mouches ayant servi à frapper le roumi Pierre Deval.

– Vous êtes bien renseigné.

– Oui, et j'ai envie de vous épouser ce soir, discrètement, devant témoins, bien sûr.

– Je saigne encore.

– J'attendrai. À présent, je vous propose de manger et de discuter, j'aimerais que vous me parliez de votre périple, de ce long voyage d'Alger jusqu'ici, et, avant tout, de vos anciens maris, après, nous irons voir l'imam de la mosquée pour qu'il nous marie.

Ma Zina préférée, j'avais dix ans quand ma mère me raconta ses aventures. L'année suivante, en 1871, une nuit d'hiver, elle fut emportée par une pneumonie.

Comme elle prévoyait toujours tout, elle avait désigné Lala Kenza, une femme très active et très respectée à la cité, pour être ma mère protectrice après son décès. C'était une des trois grandes lectrices et restauratrices de vieux manuscrits arabes. Lala Sihème, ta grand-mère, pensait que confier sa fille à une digne gardienne du texte coulait de source, car, comme elle le disait souvent, qui aime donner vie aux vieux papiers est digne de s'occuper de l'éducation d'une fille. J'ai eu la chance inouïe d'avoir été éduquée par deux mères hors du commun. Je suis reconnaissante à Lala Kenza de m'avoir formée, éduquée et protégée pendant des années, jusqu'en 1879, année fatidique où tous, les Français, les Algériens, l'imam, certains résistants, les colons et les trafiquants, déclarèrent la guerre à notre bel édifice : la Cité des femmes affranchies et autarciques de l'Est algérien.

À la mort de ma mère, l'horizon de ma vie était clair : je devais me préparer à intégrer pleinement la cité pour poursuivre son œuvre. Lala Kenza était ravie de cette perspective, mais elle avait avancé quelques exigences : « Tu es bien évidemment l'héritière de la cité, et je suis là, à tes côtés, pour préserver cet héritage et t'enseigner l'art de bien vivre. Il te faudra seulement poursuivre d'abord ton éducation, ta formation de femme accomplie, et, à quinze ans, tu intégreras pleinement et souverainement l'édifice. Mais sache que je ne te marierai jamais avant tes dix-huit ans (le souhait de ta mère est que tu te maries pour transmettre l'histoire à tes filles). Tu auras trois années pleines pour te consacrer à ta mission de femme responsable et affranchie », m'annonça-t-elle d'emblée.

Depuis ma plus tendre enfance, je connaissais parfaitement la cité, l'œuvre de ma mère, avec qui j'étais tout le temps, hormis aux heures de sommeil. J'accompagnais ta grand-mère, marchais à ses côtés, j'observais et j'écoutais ce monde des femmes. Les cinquante-cinq femmes m'adoraient. « Voilà l'étoile de la cité et sa lumière, voilà la sublime fille aux cinquante-cinq mères, notre Gamra à toutes, elle s'occupera de la cité, elle repoussera tous les prétendants », disaient-elles souvent, mais Lala Kenza les rappelait à l'ordre : « Gamra choisira son mari. Oui, elle est la seule femme ici autorisée à épouser un homme, Gamra illuminera nos nuits, Gamra illuminera les nuits algériennes, c'est ma promesse à sa mère, notre mère à toutes, Lala Sihème, la sublime femme qui donna vie à la Cité des femmes affranchies et autarciques de l'Est algérien. »

Les cinquante-cinq femmes m'intégrèrent dans la cité lors d'une cérémonie formelle. Pour elles, j'avais le titre de « jeune et sage observatrice des activités féminines et de tous les clients mâles qui fréquentent le restaurant ». À l'époque, on sentait la tension monter dans La Calle et dans tout l'Est algérien, les Français n'arrêtaient pas de répéter que des hordes de pilleurs, de trafiquants et d'assassins déferlaient du nord-ouest de la Tunisie pour piller, voler et tuer. Afin de venir à bout de ces « envahisseurs », ils voulaient recruter des informateurs et des espions. Ils avaient même engagé un crieur pour diffuser la bonne parole : « À tous les habitants de La Calle, ne vous trompez pas d'ennemis. Les Français sont là avec de bonnes intentions, l'ennemi vient de l'autre côté de la frontière, ce sont les Kroumirs, ces barbares qui volent vos bêtes, coupent vos arbres et enlèvent vos filles. Aidez-nous à les arrêter, informez-nous, nous vous promettons de les éradiquer ! »

Ma Zina préférée, la cité a été très affectée par ces événements. Des types louches, sans doute des assassins, des trafiquants et de faux espions, qui croyaient dur comme fer qu'il y avait des filles de joie dans notre établissement, se prétendaient nos compatriotes, des résistants qui méritaient d'être protégés, mais la présence d'hommes de la Confrérie des Algériens vigilants de Constantine autour de notre bâtiment nous rassurait grandement.

En tant qu'observatrice des activités féminines et de tous les clients mâles qui fréquentaient le restaurant, j'ouvrais l'œil, j'observais tout ce qui se passait à l'intérieur de la cité, mais sans espionner les femmes, qui continuaient à accomplir parfaitement leur travail. Toute mon énergie était consacrée au restaurant. Les hommes qui y entraient devaient laisser leurs armes dehors, ils venaient manger là parce que la cuisine était excellente. Et puis, nos femmes les attiraient. Mais, en trois années d'observation des mœurs des mâles autour d'une table, des moments de la vie où je regardais la manière qu'ils avaient d'ouvrir la bouche, de mastiquer, de nous complimenter et de demander, de temps en temps, à l'une des serveuses de faire quelques pas de danse, seul un homme, un jeune homme atypique, à part, dans son monde à lui, attira mon attention.

Sept jours après mon intégration, un grand garçon bien de chez nous, un bel homme oriental visiblement affamé, s'installa, mangea sa chorba, son couscous au poisson et ses fruits en dix minutes. Un spectacle désolant et irrespectueux pour moi et nos cuisinières, car je considère toujours qu'on doit honorer ce qu'on a dans son assiette, on doit chuchoter quelques mots à la nourriture avant de l'accompagner jusqu'à sa demeure. En tant qu'observatrice, j'avais la mission de signaler tout comportement alimentaire bizarre aux cinquante-cinq femmes, mais, cette fois-là, je fis la remarque directement au client : « Jeune homme, jeune chevalier algérien, personne ne mange la nourriture de notre restaurant en un clin d'œil, notre cuisine mérite le respect. Si jamais vous avez l'intention de revenir une autre fois, je vous conseille alors de prendre votre temps », lui dis-je. Et lui, de répondre calmement, en me regardant droit dans les yeux : « Je vous demande pardon, le devoir m'attend, je préfère prendre le temps dont je dispose pour l'accomplir. Mais je vous promets de revenir un jour et de faire honneur à votre cuisine. »

Trois semaines après cet incident, il était de retour.

Il entra, demanda un coin tranquille, une table isolée, personne à sa gauche, personne à sa droite, personne derrière lui, un endroit qui lui permette d'avoir une vue complète sur la salle. Il mangea tranquillement, écrivit sur des feuilles détachées. Je l'observais attentivement, mais discrètement. Je voyais pour la première fois de ma vie un homme manger en écrivant, ce qui m'intrigua. Une fois qu'il fut parti, anticipant son éventuel retour, je prévins mes consœurs du restaurant : « Que personne ne touche à ce jeune homme. Il est à moi. S'il revient, qu'on me le laisse », leur dis-je.

Le lendemain, il était là. Je l'installai à sa place de la veille et pris un soin méticuleux à le servir et à m'occuper de lui. Je lui écrivis même un petit mot sur sa serviette : « D'où venez-vous ? » Une fois son repas terminé, il me laissa un mot, un seul : « D'ailleurs », et il quitta le restaurant. Que pouvais-je faire avec ce « D'ailleurs », un mot griffonné sur une serviette ? Rien. Contrainte à attendre, j'attendis. Il pointa son nez le mercredi. Les femmes connaissaient la consigne : interdiction formelle d'approcher l'homme en question. En le servant, je lui réécrivis un message visible : « Pourquoi n'êtes-vous pas venu hier soir ? » Il mangea, écrivit pendant trois heures et me laissa sa réponse : « Votre phrase s'allonge, elle risque de vous trahir », et s'en alla sans m'adresser le moindre regard. Deuxième échange. Toujours rien. Obligée d'attendre. Il revint le jeudi soir. Après s'être installé, il me dit : « Une chorba suffit à ma faim. » Je le servis en évitant de lui écrire. Il but sa chorba d'un seul trait, écarta le bol de sa main droite, mit ses feuilles sur la table pour les noircir, mais avant de partir il déposa un petit mot sur la table : « Je n'écris jamais le mardi, je ne mange jamais le mardi. À vendredi. » Enfin, le message est rassurant, pensai-je. Le vendredi, visiblement épuisé, il me dit qu'il avait trop faim : « Ce soir, la nourriture l'emportera sur l'écriture », ajouta-t-il. « Vous serez comblé », répondis-je. Quelques instants plus tard, je revins avec la chorba, le bar grillé, cuisiné avec des herbes sauvages marinées dans l'huile d'olive, et un petit mot rédigé avec application et amour : « Pourquoi écrire ? » Il mangea sans toucher à sa plume ni à ses feuilles, mais laissa un message avant de reprendre son chemin : « Votre cuisine est divine. Je viens de trouver le mot qui me manque ! » Le mot qui lui manque ? Déçue et un peu amère, je commençais vraiment à perdre patience, à tel point que je demandai à Lala Ramla de s'occuper de lui si jamais il revenait et de lui transmettre quand même certains messages.

Je décidai de m'éclipser pendant quelques soirs pour m'isoler et réfléchir à la fascination que j'éprouvais pour un inconnu. Ma fille, je ne te mens pas, douze jours à ne rien faire, à attendre ce mystère, douze soirs inscrits sur ces bouts de papier que je garde depuis. Attends un peu, laisse-moi le temps d'ouvrir la mallette de Lala Sihème. Je déplie mes feuilles et retrouve mes notes : elles sont restées intactes.

Cinquième soir

Ne voulez-vous pas me répondre clairement, me dire qui vous êtes ?

Votre phrase s'allonge de plus en plus, la mienne aussi

Sixième soir

Êtes-vous satisfait ?

Votre présence suffit

Septième soir

Qui êtes-vous ?
Vous êtes belle à jamais

Huitième soir

Vous êtes beau aussi, mais dites-moi surtout ce que vous faites les autres jours
La guerre

Neuvième soir

Quelle guerre ?
La guerre d'à côté

Dixième soir

Êtes-vous un résistant de chez nous ?
J'ai bien travaillé ce soir, on écrit bien chez vous

Onzième soir

Êtes-vous un membre secret de la Confrérie des Algériens vigilants de Constantine ?
Je ne réponds jamais aux questions longues

Douzième soir

Je sais qui vous êtes
Tant mieux pour vous

Treizième soir

Extinction de la question
Je m'appelle Jamil de Fernana

Quatorzième soir

Pas de question
Le restaurant souffre de votre absence

Quinzième soir

Il faut savoir attendre avant d'avouer, les impatients perdent toujours la guerre

Il mange et écrit, mais ne laisse aucun message.

Seizième soir

Je reprends les choses en main. Je le sers en faisant semblant de l'ignorer. Il mange, écrit nerveusement, en transpirant, plusieurs pages, paie et me laisse un mot : « J'écris pour dire le commerce et la détresse des hommes. Accepteriez-vous de m'épouser ? » Mais avant que j'aie pu me saisir de « J'écris pour dire le commerce et la détresse des hommes. Accepteriez-vous de m'épouser ? », Lala Kenza, ma protectrice, s'empare du papier et réprimande sévèrement mon Jamil de Fernana : « Jeune homme, j'avais déjà perçu ce manège dès votre deuxième passage chez nous, je vous conseille de respecter cet endroit sacré et ses femmes, sinon il vous sera interdit d'y pénétrer de nouveau. Contentez-vous de manger, écrivez tant que vous voulez, mais pour vous, oui, pour vous, car l'ange, la grâce que vous voulez épouser, est trop jeune. Lala Gamra, oui, Gamra, l'incarnation de la grâce, n'a que quinze ans et quelques petits jours. Elle appartient à la Cité des femmes affranchies et autarciques de l'Est algérien et non pas aux hommes, elle vit pour porter notre cause, notre grand espoir, elle est notre jeune et sage observatrice des mœurs des hommes ici même, où vous mangez. Elle n'est pas à marier pour l'instant. Revenez dans deux ans, neuf mois et vingt-six jours. Soyez à l'heure, car il y aura des prétendants, mais, pour l'heure, payez et filez. N'oubliez surtout pas votre commerce et votre détresse. »

J'observe, saisie d'une colère muette, Lala Kenza offenser mon désir. Jamil réagit avec beaucoup de calme et d'assurance : « Je reviendrai dans deux ans, neuf mois et vingt-six jours, peut-être avant », répond-il. J'essaie d'accompagner, de mon regard honteux et triste, mon jeune et beau Jamil de Fernana, mais ses yeux me fuient. Je suis en colère contre Lala Kenza et ses manières brusques, j'aimerais la remettre à sa place, celle qu'elle doit à ta grand-mère, Lala Sihème, mais je me retiens, car je ne veux pas semer la zizanie au sein de la Cité des femmes affranchies et autarciques de l'Est algérien. Une fois la tension retombée, je me dirige vers Lala Kenza dans la ferme intention d'avoir une explication franche avec elle.

– Pourquoi as-tu fait exprès de prendre le papier et de mettre ce jeune homme dehors ?

– Je ne l'ai pas mis dehors, je lui ai juste expliqué qu'il était là pour manger, écrire si ça lui plaisait, mais qu'il était hors de question qu'il se tienne mal avec toi. J'avais remarqué votre petit manège, vos échanges discrets, je vous ai laissés faire jusqu'à ce soir.

– Penses-tu vraiment qu'il était insolent avec moi ?

– Pour être honnête, non.

– Pourquoi as-tu tout gâché ?

– Je n'ai rien gâché. J'ai voulu m'assurer que ce garçon ne cherchait pas à te nuire.

– Et alors ?

– Alors, quoi ?

– Est-ce qu'il est méchant ?

– Je ne sais pas, je ne sais même pas d'où il vient.

– Il vient d'ailleurs. Il s'appelle Jamil de Fernana.

– Fernana ? Tu as bien prononcé Fernana ?

– Oui.

– J'ai bien fait d'intervenir, les hommes de Fernana ont une très mauvaise réputation. Ce sont des voyous, des voleurs et des violeurs. Les Français nous ont prévenues contre ces barbares.

– Lala Kenza, je t'aime bien, tu es ma troisième mère (tu me pardonnes pour cet ordre, je te place toujours derrière Lala Sihème et la cité), mais tu ne fais que répéter la propagande française à propos de nos voisins tunisiens.

– Peu importe, cet homme qui vient d'ailleurs est un étranger et il ne doit pas déranger la bonne marche de la Cité des femmes affranchies et autarciques de l'Est algérien. Tu connais le principe premier de notre charte : « Pas d'histoires d'amour entre les cinquante-six femmes (même si nous ne sommes plus que cinquante-cinq) et les hommes qui viennent ici. »

– Oui, je le sais, mais cette charte ne me concerne pas,

car je peux épouser un homme à mes dix-huit ans. Lala Kenza, la chose la plus importante dans cette affaire est que cet homme me plaît énormément.

– Je te l'accorde, il est beau, mais son dernier message m'inquiète beaucoup : *J'écris pour dire le commerce et la détresse des hommes*. C'est un homme triste qui écrit. Écoute, ma fille, il n'est plus là, oublions-le un peu, allons plutôt fêter la réussite de notre journée.

– Je n'ai pas l'intention de l'oublier, je sais qu'il va revenir, je l'attendrai, mais passons, dis-moi pourquoi notre journée est réussie ?

– Cherche.

– Je veux bien, attends un peu, j'y suis ! Nous avons servi nos vingt clients habituels, qui sont toujours là, et même un voyageur pressé de partir en bateau à Tabarka ; il y a eu huit naissances à La Calle, sept garçons et une fille, grâce à notre merveilleuse accoucheuse ; la restauration de l'*Histoire des Arabes, des Berbères et de tous les Autres* dont les Français raffolent est finie ; le muet de cinq ans vient de retrouver la voix grâce à notre guérisseuse. Un seul incident sans conséquence, ce peintre qui voulait s'installer dans la salle du restaurant pour nous immortaliser toutes, mais sans manger notre nourriture. Je crois que le compte y est.

– En effet, mais que Jamil de Fernana apparaisse et ta mémoire défaille. Tu oublies deux détails importants pour la survie de la cité.

– Je ne vois pas.

– Souviens-toi de ce que je t'ai dit il y a deux soirs, c'est très important, ça nous concerne toutes.

– Je ne vois toujours pas.

– Même si elle se porte bien, la Cité des femmes affranchies et autarciques a de plus en plus d'ennemis et de moins en moins d'alliés.

– Je sais parfaitement que notre cité se porte très bien, mais je ne crois pas que les choses puissent évoluer rapidement.

– Pourtant tu n'étais pas là hier soir, tu as préféré penser à ton cavalier oriental au lieu de venir faire le point avec les cinquante-cinq femmes, je peux te l'accorder, c'était même mieux, car ton esprit et ton cœur étaient ailleurs, tu étais complètement noyée dans un amour qui venait de naître, et comme tu n'étais pas là, j'ai assumé ton rôle de sage observatrice des mœurs de nos clients, mais le plus important est ailleurs.

– Ailleurs ? Tu parles comme mon bien-aimé.

– J'ai vu le nouvel imam et un envoyé de la Confrérie des Algériens vigilants de Constantine. Nous avons fait le point sur le destin de notre belle demeure.

– Et alors ?

– Les Français sont informés de toutes les activités de la cité...

– Ce n'est pas nouveau.

– Je sais, mais leur point de vue a changé : « Nous ne vous nuirons pas, vous avez notre soutien, à une seule condition : faites la cuisine, rien d'autre. Tricotez aussi », ont-ils dit.

– Et l'imam et la confrérie ?

– Ils nous renouvellent leur protection.

– Je préfère entendre ça. Quant aux Français, je ne les servirai plus jamais. Mon Jamil reviendra.

– Nous verrons bien.

– Il sera là.

– Si tu le dis… À présent au travail, allons aider les autres femmes et fêter notre journée. Le banquet nocturne nous attend.

En fait, je n'avais absolument pas envie d'entrer dans les détails, je savais que la Cité des femmes affranchies et autarciques de l'Est algérien avait de plus en plus d'ennemis qui souhaitaient la voir disparaître. Les Français voulaient bien de nous, mais uniquement en cuisine et sur les cartes postales. Quelques résistants algériens commençaient à s'agacer de notre réussite. Des espions et indicateurs faisaient circuler des ragots sur notre compte. L'imam tenait des propos indignes de lui : les Français l'avaient endoctriné et lui réapprenaient la religion d'Allah. Il était venu nous voir à plusieurs reprises pour nous donner sa bénédiction, sans conviction : « La confrérie m'y oblige », avait-il dit. Pour lui, l'islam ne pouvait tolérer une structure féminine qui prônait la liberté d'un peuple, d'un pays, par la vertu de ses femmes. Pour moi, ce charlatan s'apprêtait à nous lâcher. Lala Kenza m'avait donc rappelée à ma vocation première : poursuivre l'œuvre de ma mère pour mieux préserver son héritage. Mais elle ne croyait pas, faute grave, au retour de Jamil de Fernana, mon bien-aimé.

Je ne pensais qu'à lui tout en poursuivant ma mission auprès des femmes de la cité. Oui, j'étais prête à attendre l'homme qui m'avait avoué : *J'écris pour dire le commerce et la détresse des hommes. Accepteriez-vous de m'épouser ?* Ma Zina, ne trahis jamais, apprends à attendre, sois patiente et regarde toujours devant toi pour apercevoir la petite lumière qui te fait signe, ne l'abandonne pas, marche, attends un peu, ne te précipite pas, garde-la à l'œil, avance et touche-la.

Je connaissais la détresse des femmes, mais celle des hommes m'était encore étrangère. Contrairement à Lala Kenza, je ne me méfiais pas de ce jeune homme, je n'avais aucun préjugé à son sujet. On ne doit pas douter d'un bel homme qui s'appelle Jamil de Fernana. On ne peut pas douter des hommes qui ont choisi un arbre, le chêne éternel, comme demeure. On ne doit pas condamner des hommes qui ont livré leur destin à un arbre. Ce sont des êtres dignes.

Deux ans, neuf mois et vingt-six jours à attendre tout en m'occupant des affaires de la cité, héritage de ma mère. Je ne te cache pas que les prétendants se présentaient à Lala Kenza pour me demander en mariage, mais je ne pensais qu'à mon Jamil, celui qui faisait semblant de manger pour mieux écrire le commerce et la détresse des hommes.

Jamil de Fernana revint me voir après deux ans, neuf mois et vingt-quatre jours. Je l'installai à sa place préférée dans le restaurant. Ses premiers mots furent pour moi : « Je suis là, devant vous, deux jours avant le rendez-vous fixé par votre mère, pour manger et apprécier les mets de la Cité des femmes affranchies et autarciques de l'Est algérien. Mes feuilles et ma plume m'ont été confisquées par mon père. Il me les rendra le jour où je lui apporterai la preuve de mon égarement et de ma folie : toi. Il veut voir la preuve algérienne de ma déraison, il veut voir sa belle-fille. Te voir le contraindra à me restituer mes feuilles, ma plume et son patrimoine. Ma lune, donne-moi à manger ce soir, demain soir, et épouse-moi le moment venu », me dit-il.

« Heureuse de te revoir, ton retour révèle toute ta grandeur », répondis-je. Très rapidement, Lala Kenza et les autres femmes furent informées de son retour. Le premier soir, il mangea, beaucoup, sans écrire le moindre mot. Une fois tous les clients partis, y compris mon chevalier

Femme 7

– Ça vous rapporte ?

– Non.

Femme 8

– Alors, d'où vient votre richesse ?

– De la Source-de-l'Aube.

Femme 9

– Comment avez-vous connu le restaurant de la Cité des femmes affranchies et autarciques de l'Est algérien ?

– Les bons messagers me l'ont indiqué.

Femme 10

– Qui sont-ils ?

– De bons messagers.

Femme 11

– Nous voulons savoir qui sont-ils.

– Des hommes d'une vertu insoupçonnable, trois hommes de la Confrérie des Algériens vigilants de Constantine.

Femme 12

– Vous connaissez trois hommes de la confrérie.

– Oui.

Femme 13

– Comment ?

– Les hommes de la Confrérie des Algériens vigilants

tunisien bien-aimé, ma protectrice réunit les femmes de la cité pour dire son bonheur de partager un heureux événement qui aurait lieu dans deux jours. Elle reconnut s'être trompée au sujet de Jamil de Fernana. Et pour remettre les choses à l'endroit, elle déclara :

« Mes sœurs, le fait qu'il soit revenu deux soirs avant le délai fixé par mes soins change la donne, qu'il soit là devant nous après deux ans, neuf mois et vingt-quatre jours, et non pas deux ans, neuf mois et vingt-six jours, le place devant tous les autres aspirants qui se présenteront ici pour demander solennellement la main de notre grande fille, Gamra, plus beau bijou de sa mère, la grande Lala Sihème. Écoutez-moi bien, car j'ai ma petite idée sur l'élu, toutefois comme nous sommes toutes des mères pour cette belle créature, vous aurez votre mot à dire. Je reconnais que ce Jamil de Fernana me plaît bien, finalement, je regrette même de l'avoir offensé, il y a deux ans, neuf mois et vingt-quatre jours, mais, maintenant qu'il est revenu, je suis persuadée qu'il sera là dans deux soirs, je vous demande donc d'être prêtes, le moment venu. Gamra, ma grande, loin de moi l'idée de parler à ta place et d'exprimer ce que tu ressens à cet instant, je sais que tu es éprise de cet homme, mais, comme j'ai passé un pacte avec ta chère et tendre mère, il y a des années, je ferai tout pour t'offrir un mari vertueux. Dignes sœurs, heureuses complices et compagnes, soyez présentes au rendez-vous, soyez surtout prêtes, car chacune d'entre vous posera une question au prétendant, à cet homme qui vient d'ailleurs et écrit pour dire le commerce et la détresse des hommes. Lala Gamra, la cinquante-sixième beauté de la Cité des femmes affranchies et autarciques tunisien bien-aimé, ma protectrice réunit les femmes de la cité pour dire son bonheur de partager un heureux événement qui aurait lieu dans deux jours. Elle reconnut s'être trompée au sujet de Jamil de Fernana. Et pour remettre les choses à l'endroit, elle déclara :

« Mes sœurs, le fait qu'il soit revenu deux soirs avant le délai fixé par mes soins change la donne, qu'il soit là devant nous après deux ans, neuf mois et vingt-quatre jours, et non pas deux ans, neuf mois et vingt-six jours, le place devant tous les autres aspirants qui se présenteront ici pour demander solennellement la main de notre grande fille, Gamra, plus beau bijou de sa mère, la grande Lala Sihème. Écoutez-moi bien, car j'ai ma petite idée sur l'élu, toutefois comme nous sommes toutes des mères pour cette belle créature, vous aurez votre mot à dire. Je reconnais que ce Jamil de Fernana me plaît bien, finalement, je regrette même de l'avoir offensé, il y a deux ans, neuf mois et vingt-quatre jours, mais, maintenant qu'il est revenu, je suis persuadée qu'il sera là dans deux soirs, je vous demande donc d'être prêtes, le moment venu. Gamra, ma grande, loin de moi l'idée de parler à ta place et d'exprimer ce que tu ressens à cet instant, je sais que tu es éprise de cet homme, mais, comme j'ai passé un pacte avec ta chère et tendre mère, il y a des années, je ferai tout pour t'offrir un mari vertueux. Dignes sœurs, heureuses complices et compagnes, soyez présentes au rendez-vous, soyez surtout prêtes, car chacune d'entre vous posera une question au prétendant, à cet homme qui vient d'ailleurs et écrit pour dire le commerce et la détresse des hommes. Lala Gamra, la cinquante-sixième beauté de la Cité des femmes affranchies et autarciques de l'Est algérien, sera privée de la question. Nous fêterons, je l'espère, son mariage dans deux jours. Mes sœurs de la cité, encore une fois, nous avons le pouvoir de choisir ce mari. »

Lala Kenza avait tout prévu, je n'avais qu'à attendre ce fameux soir qui ne tarda pas à venir. Rien à signaler la veille : comme à son habitude, Jamil de Fernana était venu manger tranquillement sans laisser le moindre mot écrit.

Le soir du verdict, ma protectrice avait pensé à tout : en plus d'avoir nourri les clients habituels, elle avait préparé un fastueux repas pour les convives qui assisteraient à mon mariage sur la grand-place de La Calle, sur laquelle s'ouvraient les portes du restaurant. Elle m'avait fait comprendre aussi que je devais me faire belle pour l'occasion. J'avais donc pris ma journée pour me préparer.

Une fois tous les clients partis, on enleva les tables, on installa Jamil au milieu de la salle, et les cinquante-cinq femmes de la Cité des femmes affranchies et autarciques de l'Est algérien l'entourèrent. Lala Kenza dit à Jamil : « Mon frère, voyageur qui vient d'ailleurs, je t'ai bousculé, malmené même, il y a deux ans, neuf mois et vingt-six jours, j'ai mis en cause tes mœurs et tes vertus, je crois que j'ai bien fait parce que tu es revenu pour nous arracher la perle de la cité, Gamra, qui deviendra peut-être Lala Gamra d'ici quelques instants ; si tu veux toujours l'épouser, tu dois répondre aux cinquante-cinq questions féminines. Es-tu d'accord ? Oui, je sais que tu es d'accord, tu répondras aux questions, l'une après l'autre. Je te redis juste que la femme que tu convoites, la cinquante-sixième, n'a pas le droit de poser la sienne, c'est la règle, en revanche, elle sera assise en face de toi, tu la regarderas tout au long de notre échange, tu ne regarderas qu'elle, mais je te demande avant tout de bien te concentrer sur tes réponses. Ne mens surtout pas aux femmes affranchies et autarciques, car elles te maudiraient à jamais. »

Femme 1

– Vous vous appelez Jamil de Fernana, le pays qui fournit les chèvres et le bois, n'est-ce pas ?

– Je m'appelle Jamil, Fernana est le prénom de ma mère.

Femme 2

– D'où venez-vous ?

– Je viens de la Source-de-l'Aube, de l'autre côté de la frontière. On y écrit et fait la guerre.

Femme 3

– Quel âge avez-vous ?

– Trente ans.

Femme 4

– Que faites-vous de vos journées ?

– J'écris et fais la guerre.

Femme 5

– Pourquoi écrivez-vous ?

– J'écris pour me libérer du commerce et de la détresse des hommes.

Femme 6

– Pourquoi faites-vous la guerre ?

– Pour défendre la Source-de-l'Aube, ma patrie.

Femme 7

– Ça vous rapporte ?

– Non.

Femme 8

– Alors, d'où vient votre richesse ?

– De la Source-de-l'Aube.

Femme 9

– Comment avez-vous connu le restaurant de la Cité des femmes affranchies et autarciques de l'Est algérien ?

– Les bons messagers me l'ont indiqué.

Femme 10

– Qui sont-ils ?

– De bons messagers.

Femme 11

– Nous voulons savoir qui sont-ils.

– Des hommes d'une vertu insoupçonnable, trois hommes de la Confrérie des Algériens vigilants de Constantine.

Femme 12

– Vous connaissez trois hommes de la confrérie.

– Oui.

Femme 13

– Comment ?

– Les hommes de la Confrérie des Algériens vigilants

de Constantine connaissent certains hommes tunisiens de bonne vertu, quelques rares Tunisiens extrêmement vigilants.

Femme 14

– Quel est l'objet de votre écriture ?

– Des poèmes et ma détresse.

Femme 15

– Voulez-vous bien nous lire un de ces poèmes ?

– Non.

Femme 16

– Connaissez-vous le sexe des femmes ?

– Oui.

Femme 17

– Êtes-vous marié ?

– Non.

Femme 18

– Comment connaissez-vous le sexe des femmes ?

– Grâce aux livres.

Femme 19

– Avez-vous fait l'amour avant cette demande en mariage ?

– Oui.

Femme 20

– Avez-vous violé des femmes, des filles ou des garçons ?

– Jamais.

Femme 21

– Pourquoi voulez-vous épouser Gamra ?

– Parce qu'elle est belle.

Femme 22

– Est-ce l'unique raison ?

– Non.

Femme 23

– Inutile de tourner autour du pot, dites-nous toutes les raisons pour lesquelles vous voulez épouser Gamra.

– Elle est belle et intelligente, c'est une fille issue d'une grande famille algérienne ; je la veux aussi parce que j'ai fait un pari.

Femme 24

– Quel pari ?

– J'ai fait un pari avec ma famille tunisienne : aimer une femme algérienne.

Femme 25

– Qu'allez-vous faire avec ce pari, avec cet amour d'une femme algérienne ?

– La guerre.

Femme 26

– Et qu'allez-vous faire avec Gamra ?

– Ma patrie : la Source-de-l'Aube.

Femme 27

– Des enfants aussi ?

– Oui.

Femme 28

– Et si les cinquante-cinq femmes refusent l'exil de leur fille, qu'allez-vous faire ?

– Je resterai à La Calle.

Femme 29

– Que pensez-vous du travail accompli à la Cité des femmes affranchies et autarciques de l'Est algérien ?

– Le restaurant est merveilleux.

Femme 30

– Savez-vous danser ?

– Oui.

Femme 31

– Accepteriez-vous de faire quelques pas pour nous ?

– Oui, mais pas maintenant.

Femme 32

– Combien d'enfants comptez-vous avoir avec Gamra ?

– Un : une fille.

Femme 33

– Vous n'aimez pas les garçons ?

– Non.

Femme 34

– Préférez-vous écrire ou faire la guerre ?
– Faire la guerre.

Femme 35

– Pourquoi ?
– Parce que je souffre moins, me fatigue moins et ne sens plus la douleur.

Femme 36

– Préférez-vous l'épée ou la lance ?
– L'arme à feu.

Femme 37

– D'où vient votre beauté éclatante ?
– De Fernana, ma mère.

Femme 38

– Pouvez-vous nous parler d'elle ?
– Non, je ne la connais pas.

Femme 39

– Avez-vous prévu une fête chez vous pour célébrer les noces ?
– Oui.

Femme 40

– Accepteriez-vous de nous accueillir si jamais les choses tournaient mal ici pour nous ?
– Non.

Femme 41

– À combien évaluez-vous votre patrimoine ?

– Beaucoup, de quoi nourrir quatre générations.

Femme 42

– Voulez-vous boire quelque chose ?

– Oui, votre liqueur.

Femme 43

– Comment se porte la Tunisie, votre pays ?

– Je n'en connais que la Source-de-l'Aube. La Tunisie se porte bien, même si les Turcs nous harcèlent et que les Français nous guettent. Nous nous portons bien, parce que nous sommes un peuple qui se contente de peu. Nous nous portons bien, parce que nous sommes des enfants du présent, le passé et sa douleur ne nous touchent pas. Nous nous portons bien, parce que les arbres, l'herbe, les fruits, les légumes et les céréales poussent admirablement par chez nous. Nous nous portons bien, parce que nous sommes bons. Nous nous portons bien, parce que nous sommes doués pour le commerce et la prière. Nous nous portons bien, parce que nous nourrissons les Turcs, les Tunisiens et les Français. Nous nous portons bien, parce que personne ne fait attention à nous. Nous nous portons bien, parce que nous sommes haut perchés. Nous nous portons bien, parce que nous ne sentons pas l'histoire ni ses douleurs. Je me porte bien, parce que je vais épouser une Algérienne. Nous nous porterons mieux, parce que nos deux peuples vont pouvoir se mélanger et connaître le même destin. Je me porte bien, parce que je vais être adopté bientôt par ma vraie famille. Je sens que je vais gagner mon pari.

Femme 44

– Aimez-vous les Français ?
– J'aime votre Algérie et votre cité.

Femme 45

– Où sont les bijoux de Gamra ?
– À la Source-de-l'Aube.

Femme 46

– Êtes-vous fatigué ?
– Non.

Femme 47

– Aimeriez-vous vous restaurer ?
– Oui, mais pas tout de suite.

Femme 48

– Savez-vous manier la langue des hommes, le mensonge ?
– Parfaitement.

Femme 49

– Voulez-vous toujours épouser Gamra ?
– Oui.

Femme 50

– Comment lui parlerez-vous ?
– Avec douceur et vérité.

Femme 51

– Comment êtes-vous venu jusqu'ici ?
– À cheval.

Femme 52

– Et comment partirez-vous d'ici ?
– En bateau.

Femme 53

– Combien d'ennemis avez-vous tués ?
– Aucun.

Femme 54

– Pourriez-vous nous dire ce qui vous attire le plus chez Gamra ?
– Dans l'ordre : ses mains, ses yeux et son être entier.

Et Lala Kenza, la cinquante-cinquième femme, de bondir de sa chaise, sans prendre le temps de poser sa question, et de déclarer fièrement : « Les mains, oui, les mains, nous aimons toutes entendre ce mot, cette partie du corps, ce critère indétrônable, parce que millénaire, une mesure qui vient juste avant les yeux et, surtout, bien avant la distance à parcourir entre le genou d'une femme et son talon, car, si cette distance n'est pas égale à celle séparant le genou du bassin, et à celle allant du bassin à la nuque, la femme perd sa grâce et sa beauté, mais puisque vous avez répondu "les mains de Gamra", une vraie demeure, des mains capables de saisir et de porter, des mains annonciatrices de la grâce d'une femme, je peux vous dire, cher Jamil de Fernana, que vous avez bien regardé notre fille qui va peut-être devenir Lala Gamra si les cinquante-quatre sœurs de la Cité des femmes affranchies et autarciques de l'Est algérien vont dans le même sens que moi. Cher Jamil de Fernana, je vous demande de goûter à ce plat en attendant leur verdict. Bon appétit ! Accordez-nous quelques instants, nous allons nous isoler pour délibérer et décider. » Lala Kenza sortit en compagnie des autres femmes, me laissant seule avec Jamil pour partager le repas avec lui. Et au bout de cinquante-cinq minutes, elle revint nous voir pour nous dire exactement ceci :

« Chers vous deux, cinquante-quatre femmes sont d'accord pour le mariage, la fête et la danse, et une contre. Elle considère, en effet, qu'un poète qui écrit pour dire le commerce et la détresse des hommes ne doit pas se marier. Elle a même ajouté que Gamra n'a aucun intérêt à épouser la mélancolie. Non, ce n'est pas le mot exact, elle a plutôt parlé de tristesse, d'*hozn*. »

Ma fille, ma Zina préférée, cette femme qui a dit non à mon mariage avec Jamil de Fernana n'a pas gâché la fête, elle a juste saisi quelque chose de mystérieux, une espèce de vérité cachée dans *J'écris pour dire le commerce et la détresse des hommes,* mais après son vote négatif, elle a chanté avec le cœur et les larmes. Oui, la femme qui était contre mon mariage avec Jamil de Fernana a enchanté tout le monde et fini par entraîner toutes les femmes de la cité à chanter et danser. Une autre femme s'est particulièrement illustrée ce soir-là : Lala Kenza. Après avoir ordonné de servir le repas aux convives – les voisins et les passants – sur la grand-place, elle déclara dans un mélange de chant, de plaintes et de bon sentiments : « Venez, enfants de La Calle, je demande aux passants de s'approcher, c'est un mariage, la vérité d'un soir, c'est l'unique parole publique de la Cité des femmes affranchies et autarciques de l'Est algérien : notre Gamra, notre lumière, s'en va. Belle, intelligente, gracieuse et lumineuse, elle s'en va dans les bras d'un chevalier venu de l'est. Elle aime un poète qui dit le commerce et la détresse des hommes. Gamra épouse un guerrier du verbe qui ne consolera jamais les hommes désespérés. Notre lumière aime un homme. Lala Sihème, la grande et sublime Lala Sihème, sa digne mère, est heureuse. Gamra connaîtra des nuits de félicité à la Source-de-l'Aube. Elle s'en va. Pour finir, je tiens à dire à cette honorable assemblée, aux passants, aux voisins et aux curieux que seules les cinquante-cinq femmes de la cité sont autorisées à offrir des cadeaux à la mariée ! »

Ma fille, j'étais contente de ma fête, même le discours de Lala Kenza m'a plu. Les réparatrices de manuscrits m'offrirent deux vraies merveilles : une copie algérienne du Coran du siècle dix-sept et une *Histoire des Arabes, des Berbères et de tous les Autres* du siècle seize restaurées par elles. La femme accoucheuse me transmit son art de tomber enceinte sans souffrir et sans haïr son homme. La guérisseuse me concocta toutes les recettes pour venir à bout des infections touchant le sexe des femmes. Quant aux cuisinières de la cité, elles me confièrent leur secret : « Fais jouir ton homme, fais-toi plaisir, envoie-toi au paradis d'Allah, il se contentera de peu pour satisfaire sa faim ! » Lala Kenza vint me voir à la fin en me glissant à l'oreille : « Il est temps que je te confie la mallette de ta mère. Prends-en soin. Viens que je t'embrasse ! Quelle belle fête ! Écoute-moi bien, les gens commencent à partir, seules nos sœurs sont toujours là, demande à ton Jamil si vous pouvez séjourner quelques jours avec nous avant de partir et de prendre le chemin vers l'est. »

J'aurais bien aimé rester quelques jours à La Calle, histoire de ne pas quitter brutalement les cinquante-cinq femmes, mais mon époux ne m'en a pas laissé le choix. Il voulait revoir sa famille après une longue absence due à la poésie, à la guerre et à moi.

La fête prit fin à la première prière, la prière du *fajr*.

Lala Kenza insista longuement pour que nous dormions là avant de passer la frontière, mais mon époux refusa. Il savait – je l'avais prévenu – qu'il était hors de question qu'il me pénètre le soir même, car j'avais envie de connaître sa famille et sa maison avant de me livrer à lui. Il était pressé, mais tint à saluer et à rassurer les femmes de la cité : « J'ai un bateau que les frères tunisiens ont mis à ma disposition, nous rejoindrons Tabarka et, de là, nous prendrons mon cheval pour rentrer chez moi », leur dit-il.

J'avais hâte de connaître la Source-de-l'Aube, sa demeure et les siens. Je pensais aussi aux nuits d'amour à venir.

Après une traversée silencieuse, nous arrivâmes bien à Tabarka, mais au lieu de prendre son cheval il m'invita à passer quelques heures dans sa maison balnéaire, « une grande et belle demeure, me dit-il, et nous poursuivrons notre chemin demain ». C'est vrai, la maison était belle. Huit jeunes hommes et huit jeunes femmes, tous mariés, y logeaient. Calmement, mon époux me déclara :

– Lala Gamra, ma douce, je te présente ma véritable famille, l'unique, celle qui me permet de vivre, je veux dire d'écrire et de faire la guerre. Je te présente le Cercle des poètes guerriers de Tabarka. Notre charte est éternelle : la nuit, nous écrivons, dansons et goûtons ensemble aux plaisirs du paradis d'Allah. Le jour, nous pillons les riches, uniquement des malhonnêtes, des voleurs et des trafiquants. Nous sommes des corsaires de la route, nous n'agissons jamais en mer. Nous avons juré de ne pas faire d'enfants avant quarante ans. En attendant, je t'invite à honorer ton intégration formelle dans la grande famille que constitue le Cercle des poètes guerriers de Tabarka.

– Jamil de Fernana a conquis une belle Algérienne coriace et têtue ! s'exclama un autre oisif.

– On mange quand ? J'ai vraiment faim, répliquai-je.

– Ici, on mange la beauté, dit un autre membre du Cercle.

Les huit femmes ne disaient rien et attendaient sans doute le spectacle qui tardait à venir.

Jamil de Fernana finit par m'attirer dans un coin pour me persuader d'accomplir le rituel et d'honorer sa promesse : « C'est ma vie qui est en jeu, ne me laisse pas tomber », me dit-il. Il avait peur. Il tremblait. Il pleurait. Pour le rassurer, je lui murmurai des mots doux : « Mon chéri, ne t'inquiète pas, mon cavalier vertueux, ta promesse sera honorée ce soir, tu seras membre permanent du Cercle des poètes guerriers de Tabarka dès cette nuit. Va leur dire de m'accorder un peu de temps pour me débarrasser de la sueur et de la poussière. J'ai besoin de ma mallette pour me faire belle. Et va leur dire de tenir leurs plumes prêtes et d'appeler au secours la muse de la beauté. Sois tranquille, tu es mon homme et le Cercle des poètes guerriers de Tabarka ma nouvelle famille. » L'assemblée m'accorda le temps de me laver avant de me présenter à elle dans le plus simple appareil. Jamil m'apporta la mallette et la déposa à mes pieds. « Laisse-moi maintenant », lui dis-je. Et dès qu'il eut tourné le dos, une pensée lumineuse m'apporta le moyen de m'arracher à ces poètes maudits : il fallait fuir. Mais fuir pour rester digne, fuir pour préserver mon corps, fuir pour continuer l'œuvre de Lala Sihème.

Le principe est simple : tu te déshabilles et tu te places au milieu de l'assemblée. Les huit femmes ici présentes décriront, l'une après l'autre, ta beauté, elles diront tes charmes et tes défauts ; après, ce sera au tour des huit poètes et de leur muse. Ce soir, aucune femme n'a le droit de te toucher. Aucun homme non plus.

– C'est merveilleux, dis-je, mais avant que je me présente nue devant cette noble assemblée d'oisifs, il me semble que c'est aux maîtres et maîtresses de cette demeure de le faire. Je les imiterai avec joie.

– Bien vu, lança un des poètes guerriers de Tabarka, mais ça ne se passera pas comme ça. Ton homme nous a fait une promesse que tu dois honorer. Nous avons toujours pensé qu'il était beau garçon mais poète moyen et piètre guerrier, et, comme il nous a juré de revenir en compagnie d'une merveille algérienne, nous l'avons accepté en tant que membre temporaire du Cercle des poètes guerriers de Tabarka.

Ma fille, tout l'amour que j'avais pour Jamil de Fernana s'est effondré d'un coup. Cet être qui prétendait écrire pour dire le commerce et la détresse des hommes avait signé un contrat avec une bande d'oisifs, qui croyaient vivre quotidiennement au paradis d'Allah, et était venu me chercher à La Calle pour satisfaire le plaisir de seize êtres désœuvrés.

– J'entends votre argument, répondis-je, mais je ne changerai pas d'avis. Si vous voulez voir Lala Gamra nue, montrez-vous à moi nus d'abord. J'imagine que vous ne me forcerez pas.

Tu comprends, Zina, la perspective de côtoyer huit belles idiotes en attendant toute la journée le retour de neuf bandits ne m'enchantait guère. J'ai pris la fuite. Mais pour aller où ? Retourner à La Calle pour pleurer dans les bras des cinquante-cinq femmes de la cité ne m'aurait causé que douleur. Guidée par je ne sais quel instinct et quelle lumière, je marchai vers l'est, au hasard, en évitant la côte, et entrai un peu plus dans les terres tunisiennes. Serrant ma mallette dans ma main droite, j'avançais rapidement en regardant derrière moi, pour m'assurer de l'absence de tout danger. Et à force de me voir retourner, un homme sur son cheval me remarqua, accéléra le pas et vint se poster devant moi.

– Que fait une si belle jeune femme toute seule sur cette route malfamée ? demanda-t-il.

– Elle cherche son salut et un refuge. Je viens de fuir mon mari et sa famille, il me faut trouver une demeure et des gens honnêtes.

– Mais on ne fuit pas son mari sans raison. Vous battait-il ? L'avez-vous trompé ?

– Non, il ne m'a même pas touchée depuis notre mariage qui a eu lieu hier soir. Il y a une heure, ce mécréant a voulu m'offrir à ses amis et à leurs femmes. Il disait que c'était l'unique moyen pour lui d'intégrer le cercle.

– Je vois, vous êtes tombée sur les mauvais garçons du Cercle des poètes guerriers de Tabarka. Deux fois par semaine, je leur fournis des produits pour leurs fêtes nocturnes. Ils sont très discrets, très peu de gens les connaissent. Je les aime bien, mais je ne partage pas leurs idées.

– Connaissez-vous un certain Jamil de Fernana ?

– Il vient d'arriver chez eux, ils ne l'aiment pas. C'est un garçon maudit qui croyait avoir trouvé un abri auprès d'eux après avoir fui sa famille. Vous le connaissez ?

– C'est mon mari.

– Comment ce vaurien a-t-il réussi à séduire et à épouser une jolie fille comme vous ?

– En lui racontant un gros mensonge.

– Quelle est votre famille ?

– Une vieille famille algérienne.

– Vous êtes algérienne ?

– Oui.

– J'aime beaucoup nos voisins et frères algériens, avec qui je fais souvent de très bonnes affaires. Je les plains, en ce moment. Les Français sont très durs avec eux.

– Certes, toutefois votre pays connaîtra bientôt le même sort. Tôt ou tard, l'armée française parviendra jusqu'ici, non pas pour une visite amicale, mais pour prendre vos terres, vos rivières, vos forêts, votre blé et votre bonne réputation de peuple accueillant et chaleureux.

– Vous êtes bien informée !

– Je le sais, je le ressens, ils ne laisseront jamais le grenier de Rome aux Italiens, ils sont trop malins pour céder ce bout de pays généreux et aimable aux autres. Mais revenons à Jamil de Fernana, à ce vaurien, comme vous dites, comment le connaissez-vous ?

– C'est une longue et douloureuse histoire que je préfère garder pour moi. La vérité éclatera peut-être un jour et j'espère qu'alors il reviendra.

– Soit. Quel est votre nom ?

– Je m'appelle Alaya, je suis originaire du Cou-Froid. Mon métier, c'est commerçant voyageur, j'ai quatre demeures : mon cheval, mon commerce, la Source-de-l'Aube et le Cou-Froid. Je vends des bœufs, du grain, du tabac, des peaux, de la cire, de la laine, de l'eau-de-vie tunisienne, des produits aphrodisiaques et quelques renseignements, et j'achète des petites merveilles que je ne peux pas céder à tout le monde. Et vous-même ?

– Lala Gamra.

– Votre mallette est lourde, déposez-la et soufflez un peu, je ne suis pas un homme dangereux.

– Grand frère, accepteriez-vous de m'aider ?

– Vous aider ?

– Oui.

– Comment ?

– Offrez-moi le toit et la protection qui m'épargneront les bons à rien du Cercle des poètes guerriers de Tabarka et les aléas de la vie dans votre pays.

– Je veux bien vous épargner les seize oisifs (je ne

compte pas Jamil de Fernana), mais comme je n'ai pas de pouvoirs extraordinaires, les aléas de la vie ne sont pas de mon ressort.

– Et Jamil de Fernana ?

– Pour l'instant, je préfère ne pas parler de lui.

– Voulez-vous bien me protéger ?

– Oui, mais tout travail mérite salaire. Quel sera le mien ?

– Tout, sauf mon corps.

– Alaya du Cou-Froid, le grand commerçant connu des deux côtés de la frontière, est un homme de vertu qui ne touche jamais aux filles en détresse. Il apprécierait plutôt quelque chose de plus… bassement matériel.

– J'ai des bijoux en or dans ma mallette, prenez-les tous.

– L'or ne m'intéresse pas.

– Je sais faire un tas de choses. Je suis une fille versée dans plusieurs arts et peux vous aider à préserver les chefs-d'œuvre que vous achetez. J'ai même deux préférences : les manuscrits et la mosaïque.

– Qui vous a parlé de manuscrits ?

– Votre cheval.

– Mon cheval ?

– Oui, il a fait tomber certains de vos chefs-d'œuvre. Je vois par terre des livres anciens, une épée ottomane, que je daterais entre 1590 et 1650, et une bague du siècle dix-huit.

– Vous avez l'œil.

– Oui, et le soleil matinal est un allié de poids.

– Très bien, mais si vous voulez ma protection, j'attends un salaire immédiat.

– Vous l'aurez. J'ai dans ma mallette deux pièces précieuses : un Coran algérien du siècle dix-sept et une copie restaurée et éclatante de l'*Histoire des Arabes, des Berbères et de tous les Autres* qui date du siècle seize. Les deux ouvrages sont dans un bel état, dites-moi lequel des deux préférez-vous et il sera à vous. À une seule condition : vous devrez choisir avant de les voir.

– Affaire conclue, je choisis le Coran et non l'*Histoire*. À partir de cet instant, vous êtes sous la protection d'Alaya du Cou-Froid. Ma demeure la plus proche est mon cheval, je vous invite donc à monter dessus. Attendez ! Je vous aide ! Je vous tiens ! Montez ! Nous atteindrons bientôt ma maison de la Source-de-l'Aube. Moi, je marcherai à pied.

– Êtes-vous marié ?

– Oui.

– Comment s'appelle-t-elle ?

– Mienne, paix à son âme, morte à la naissance de notre fils unique, je ne prononcerai son nom qu'au retour de notre garçon perdu.

J'ai trouvé auprès de cet homme de quarante-cinq ans un refuge, un répit.

Il m'installa à la Source-de-l'Aube, dans une belle demeure peuplée d'un couple de gardiens, Assès et Martou, et de quantité de merveilles : manuscrits, épées, tapis, couteaux anciens, mosaïques, cartes géographiques dessinées à la main, vases, lettres ottomanes et monnaies antiques et médiévales.

Le contrat que j'avais passé avec lui était simple : il acceptait le Coran algérien du siècle dix-sept pour me protéger, et, si je voulais continuer à vivre paisiblement chez lui, je n'avais qu'à lui offrir mon savoir-faire, mettre en ordre et rajeunir ses merveilles : les répertorier, les nettoyer, les restaurer et les classer. Il tenait beaucoup à ses objets et à sa maison : « Mon plus beau chez-moi, je le préfère encore à celui du Cou-Froid, tu peux y rester tant que tu veux. Tu connais la valeur des choses et des hommes, j'ai trouvé ces merveilles entre les mains de trafiquants, de voyous, de commerçant ignorants. Les Français croyaient y découvrir une littérature qui leur permettrait de maîtriser notre géographie, nos mœurs, nos faiblesses et l'art de nous dominer. Ils s'en sont vite défaits pourtant, car je leur disais que c'étaient des histoires de sorciers, de marabouts et de poètes ivres et vicieux. Je te demande de t'occuper de ce patrimoine, regarde-le bien, fouille-le si nécessaire, répertorie-le, mets de côté ce qui est abîmé. Une fois ce travail accompli, je te demanderai d'effectuer quelques copies, peut-être en plusieurs exemplaires, de certains textes que des personnes haut placées souhaitent avoir. »

J'acceptai sans poser de questions. C'était la chance de ma vie. J'avais un toit et une vraie mission. Je me trouvais devant un honnête homme très cultivé et jaloux du patrimoine de son peuple. De 1879, date de mon arrivée chez lui, à 1896, Alaya s'absenta souvent, mais il rentrait une fois par mois déposer ses dernières acquisitions et récupérer la copie d'un manuscrit rare. Et à chaque fois, il répétait la même chose : « Mon salaud ne veut pas revenir, ma perte m'échappe toujours. » J'étais plus intéressée par sa réaction à l'égard de mon travail et j'évitais de lui poser des questions au sujet de son « salaud ». J'avais dix-huit ans quand je suis entrée au service d'Alaya du Cou-Froid. De 1879 à 1896, j'ai classé, rangé, réparé les merveilles abîmées et copié des manuscrits. Et je peux te dire qu'en dix-sept ans de travail appliqué j'ai réussi à refaire parler toutes ses perles. Ma fille, ce type qui venait du Cou-Froid possédait le passé. Pour moi, c'était une raison suffisante pour en apprendre un peu plus à son sujet : un jour, au bout de dix ans, vers 1889, lors de son passage habituel à la Source-de-l'Aube, il fut enchanté de mon dernier chef-d'œuvre, une copie élégante du *Livre de l'amnésie et des moyens de fortifier la mémoire* d'Ibn al-Jazzar, le médecin tunisien qui soignait les pauvres et les moins que rien au siècle dix. Je laissai passer les compliments pour l'amener aux confidences. Comme je n'espérais rien, il me dit tout.

– Alaya du Cou-Froid, vous êtes à la fois mon grand frère, mon bienfaiteur, mon employeur et mon protecteur. Je suis ici depuis dix ans, je restaure, travaille, copie et regarde sans poser la moindre question. Je sais que je suis logée, nourrie et protégée des huit poètes guerriers de Tabarka...

– Ne viens pas me parler de Jamil de Fernana.

– Je n'en ai pas l'intention. Aux yeux d'Allah, je ne suis plus sa femme.

– Tu l'es encore.

– Je n'ai pas envie de parler du passé, mais j'aimerais savoir ce que vous allez faire de votre trésor, de cette richesse cachée et protégée.

– La même chose qu'avec le passé, notre passé.

– Je ne comprends pas.

– Toi, tu as envie d'oublier Jamil de Fernana, tu fais tout pour y parvenir, tu l'as peut-être oublié. Moi, je n'oublie rien, je garde tout, j'aime savoir d'où je viens, ça me donne de la force. Ma chère Lala Gamra, on est mieux armé dans la vie quand on connaît son passé, oui, le passé que certains nomment commencement.

– Je le sais, mais que comptez-vous faire concrètement ?

– Concrètement, je peux m'enrichir tout de suite, dans une heure ou deux, en vendant tout aux collectionneurs, aux colons qui sont de plus en plus présents ici, aux intermédiaires qui sont intraitables sur les prix, mais j'aimerais installer ici même le musée de la Source-de-l'Aube, une Terre sainte de la mémoire et de notre identité qui fout le camp.

– Qui vous en empêche ?

– Mon fils, les circonstances, la guerre et les hommes.

– Je ne comprends pas.

– Ne cherche pas à comprendre, mais sache qu'il y a encore plein de choses à sauver. Les événements s'accélèrent, les Français sont chez nous depuis un bon moment, je dois poursuivre ma mission : commercer, voyager, écouter, rassembler et passer un peu plus de temps au Cou-Froid.

– Est-ce que je peux vous aider ?

– Pour l'instant, ta mission reste la même : copier les manuscrits que je te demande de copier.

– Et si je refuse ?

– Tu partiras d'ici et je me ferai un malin plaisir de parler de ta fugue au Cercle des poètes guerriers de Tabarka.

– Donc, je n'ai pas le choix.

– Exact.

– Même pour aller rendre visite à ma famille de La Calle ?

– Même pas.

– Eh bien, je continuerai à copier.
– Tu as intérêt. Je dirai au gardien d'être plus vigilant.
– Ne craignez rien.

J'acceptai de poursuivre ma mission. Je n'eus pas le courage de ma mère, ta grand-mère, Lala Sihème. Je ne connaissais personne à la Source-de-l'Aube, même le couple qui s'occupait de la maison n'avait pas le droit d'entrer en contact avec moi. Alaya les avait avertis dès la première rencontre : « On ne dérange pas la jeune dame. Bornez-vous à lui servir ses repas à heure fixe et ne la laissez pas sortir de la maison ! » À la suite de ses confidences, je commençai à comprendre que derrière son attitude chevaleresque Alaya du Cou-Froid se contentait d'exploiter mes dons et se moquait de mes états d'âme. Pour lui, je n'étais qu'une calligraphe douée, ce qui me convenait parfaitement. Je continuai à ranger, classer et copier de vrais manuscrits en attendant le moment opportun de m'enfuir. Oui, je quitterai cette caverne, me suis-je dit, mais sans rien voler. Tout en accomplissant honnêtement mon travail, je pris l'initiative d'établir un second catalogue pour mon usage personnel, un catalogue qui me servirait de monnaie d'échange si jamais il s'entêtait à me chercher après ma fuite, un travail méticuleux exécuté entre 1889 et 1896. Et c'est ainsi que je tombai sur un long parchemin soigneusement plié, portant pour titre : *Les Merveilles éparpillées dans la nature du Nord-Ouest tunisien*. Je n'eus qu'à déplier le long document, à lire et à copier attentivement sa carte aux trésors : « Mosaïques romaines : de la Source-de-l'Aube jusqu'au Cou-Froid ». Il avait pris soin de noter : « site surveillé par un gardien qui habite sur les lieux » ; « souvent fréquenté par un berger entre deux heures de l'après-midi et six heures du soir » ; « site sans présence humaine, accessible » ; « un colon vient de s'installer dans le coin » ; « mosaïque voisine de la mosquée, l'imam n'y accorde aucun intérêt » ; « mosaïque arrachée par les enfants d'un colon installé à la Belle-Région » ; « sublime mosaïque d'Hannibal à la Colline-Rouge ». Un peu plus loin, il avait noté ceci : « Autres merveilles : tombes antiques monumentales, possibilité de creuser pour chercher l'or ; Montagne-Blanche, abondance de monnaies anciennes et médiévales, romaines et arabes ; visiter le temple de Jupiter à Zagua le soir ; objets phéniciens sous la maison du Cercle des poètes guerriers de Tabarka et de l'enfant perdu ; voir du côté du Cap-Nègre, gros héritage phénicien... et romain ; attention : la colline de Bouzitouna serait le lieu de la grotte romaine ; à visiter discrètement. » Et sur la dernière page, il avait noté : « Maintenant que les Français veillent, ce sera pour nous très difficile de s'emparer de notre passé. »

Ma Zina préférée, mon enfant, le moment tant attendu se présenta à moi une journée de février 1896, le 3 ou le 4, peut-être après. Un berger, sorti de nulle part, criait : « Aidez-nous, aidez-nous, ma femme hurle de douleur, ma femme est sur le point d'accoucher, ma femme va mettre au monde notre première fille, aidez-la ! » Les gardiens de la demeure d'Alaya du Cou-Froid reconnurent la voix de Maghrébi, un voisin, leur ami d'enfance qui habitait à cinq kilomètres de là. Les cris de cet homme et son appel à l'aide étaient pour moi l'occasion rêvée de quitter la maison, je n'eus qu'à prononcer ces mots :

– Je peux aider votre ami à mettre au monde son bébé, je peux soulager la douleur de sa pauvre femme, je suis initiée aux douleurs féminines, dis-je au gardien.

– Pas question pour vous de quitter la maison de mon maître, répondit Assès, l'homme qui veillait sur moi, j'ai ordre de ne pas vous laisser sortir d'ici.

– Jamais je ne quitterai mon protecteur, insistai-je. L'homme qui m'a tendu la main quand j'étais en détresse.

Maghrébi supplia le gardien de me laisser partir : « S'il te plaît, mon ami, laisse-la m'accompagner, je te promets de la ramener dans deux heures. » Assès finit par céder.

Je pris soin de ranger quelques documents précieux entre mes seins et préparai le coup d'après : « J'ai besoin de ma mallette pour pouvoir accoucher cette pauvre femme, voulez-vous me l'apporter ? » demandai-je au gardien. Il alla la chercher et la mit aux pieds de Maghrébi. Ce dernier la prit, sauta sur Nahar, un sublime cheval gris, et m'aida à monter derrière lui. Aux premiers pas de Nahar, j'essayai d'engager un échange avec le cavalier : « Ne vous inquiétez pas, votre femme mettra au monde votre première fille, je l'aiderai, j'en suis capable. » Mais au lieu de me répondre directement, Maghrébi continua à parler à son cheval : « Plus vite, mon Nahar, plus vite. Ma fille attend ton retour. Tu lui feras découvrir les rivières, les arbres, les prairies, le printemps, le ciel et ses étoiles, les chèvres, les vaches et les amis. Encore quelques pas, mon Nahar. Ne retiens pas ton souffle. Tu aperçois toujours les maisons avant les autres. Encore quelques mètres. Et n'oublie surtout pas de souffler ! »

En arrivant chez lui, Maghrébi m'adressa enfin la parole : « Voici notre maison, nous sommes cinq adultes à y habiter : moi, ma femme, ma mère, mon frère, sourd-muet, et son épouse. Tous trois sont partis consulter un guérisseur de la Montagne-Blanche, tu les verras bientôt. Je vais te montrer la chambre de ma femme, je te préviens, sa sœur est avec elle, tu peux donc la mettre dehors si tu juges sa présence néfaste, je veux dire si tu considères à un moment ou un autre qu'elle peut empêcher ma bien-aimée Mahra de venir au monde. Tu as une heure ou deux pour aider à l'accouchement, je te conduirai après à la maison d'Alaya du Cou-Froid. C'est à toi d'agir. Je te laisse. Dieu veillera sur tes mains ! » Pauvre Maghrébi ! Il croyait dur comme fer que j'allais monter encore derrière lui pour regagner la demeure d'Alaya au bout d'une heure ou deux, mais il se trompait. Il ne savait pas que Lala Gamra avait toujours un temps d'avance sur les événements. Surtout, il avait oublié qu'une fois délivrée sa femme aurait besoin des soins et du réconfort de la part d'une femme expérimentée comme moi.

J'entrai dans la chambre, une vaste pièce propre et joliment arrangée, avec l'idée d'en sortir au bout de trois, quatre, voire sept heures. J'y découvris une sublime jeune femme de vingt ans, allongée sur son lit et criant : « Je souffre, je n'en peux plus, j'ai mal au dos, la petite risque de me faire exploser ! » Je tentai de la rassurer en lui parlant doucement.

Moi : Bonjour, mon ange, comment t'appelles-tu ?

Sa sœur : Assez de salamalecs, elle a perdu les eaux jusqu'à la dernière goutte. Au travail !

Moi : Ferme-la, tu veux ?

Sa sœur : Tu insultes la marraine du petit qui va naître, tu insultes la sœur de la femme pleine, honte à toi !

Moi : Je te demande de la fermer, laisse-moi aider ta sœur.

Sa sœur : Sale peste !

Moi : Mon ange, je vais t'aider à mettre ta fille au monde, mais, pour le faire, j'ai besoin de savoir ton prénom.

L'ange : Une fille ? Comment le savez-vous ?

Sa sœur : Ma sœur attend un garçon, mettez-vous au travail au lieu de raconter n'importe quoi.

Moi : Fille ou garçon, c'est un vrai bonheur, mon ange, je te demande seulement de prononcer ton prénom et de dire à cette garce de sortir.

L'ange : Mettre ma sœur dehors ?

Moi : Oui. Mais donne-moi ton prénom, fais vite, je t'en supplie.

L'ange : Hakaya, je te demande de sortir, non, va plutôt chercher notre mère, j'ai besoin d'elle, j'ai besoin de son soutien. Elle n'est jamais là au bon moment. Je m'appelle Hayette. Et vous ?

Moi : Lala Gamra. Ta sœur n'ira pas chercher ta mère, elle a mieux à faire ici : dis-lui de préparer une bassine d'eau chaude, des serviettes, beaucoup de serviettes, de l'eau fraîche, une peau de mouton très propre, des ciseaux – un couteau bien aiguisé aussi fera l'affaire.

Une fois la garce dehors, je calai la tête, la nuque et les épaules d'Hayette contre des coussins et lui demandai de respirer tranquillement et de pousser son enfant dehors. « Écarte les jambes, laisse-moi faire, sois heureuse de cette prochaine et immédiate arrivée », lui conseillai-je.

Mais elle était trop tendue. Je me mis alors à bercer le bébé afin de précipiter son expulsion hors du ventre de sa mère.

Petite Mahra, montre-nous ta tête

Sors voir la beauté de l'ange

Viens regarder Hayette, ta mère

Dépêche-toi, Nahar, le sublime compagnon de ton père, t'attend

Installe-toi dans les bras de la vie

Mahra, les prairies, le ciel, les étoiles et les oiseaux de la Source-de-l'Aube s'impatientent

Montre-nous ta tête

Viens voir Hayette

Viens goûter les douceurs de la vie

Viens respirer les fleurs de la Source-de-l'Aube et téter la vie, ta mère

Viens, parce que Nahar est seul

Montre-toi

Ton père t'attend

Son cheval aussi

Il te portera et, avec lui, tu découvriras les arbres, les rivières, les collines, les fourmis et l'horizon de la Source-de-l'Aube

Sors, parce que le cheval est beau

Sors, parce que ta mère est belle

Ton père aussi

Viens voir !

Et la tête sortit la première, ravie sans doute de toute la douceur qui l'entourait, mais surtout impatiente de nous dire qu'elle appartenait à un garçon, un beau bébé de trois kilos neuf cents grammes et cinquante-quatre centimètres. « Hayette, Hayette, je te félicite, je t'embrasse, c'est un garçon, un beau garçon bien en forme, je le pose sur ta poitrine, je le mets sur toi pour qu'il sente tes seins, ton lait et ta douceur », dis-je, mais Hayette ne répondit pas, elle continuait à perdre son sang, elle se vidait même, elle était en train de perdre la vie. Je criai et appelai sa sœur et le père de l'enfant : « Venez tout de suite, apportez-moi des ciseaux ou un couteau, il faut que je coupe le cordon avant qu'elle parte ! Venez vite, Hayette part, apportez-moi les ciseaux, la bassine et les serviettes ! Venez vite, l'ange meurt ! » On m'apporta la bassine, les ciseaux et les serviettes, et l'enfant fut détaché de sa mère. Je couvris la morte et enveloppai le bébé avant de lui donner son bain. Hayette mourut vingt minutes après la naissance du garçon. Le père, qui attendait une fille, était affolé face à ce nouveau-né : « J'attendais une fille, j'ai un garçon et, pour couronner le tout, ma femme est morte. Pas question que tu retournes chez Alaya du Cou-Froid, tu resteras ici jusqu'au retour de ma mère. Je ne comprends rien à ce qui m'arrive, je suis même terrorisé, ma mère saura faire face à ces malheurs, elle décidera de ton sort et de celui du bébé. Pour l'instant, installe-toi avec lui dans une pièce isolée, loin de nous, sors d'ici, laisse ma femme tranquille, sa sœur ira annoncer la funeste nouvelle à ses parents. Elle leur dira qu'Hayette sera enterrée demain », pesta-t-il.

Lala Zazia revint cinq heures après la naissance du garçon. Elle refusa de voir le nouveau-né et la morte et intima à tout le monde d'attendre quelques heures de plus, le temps qu'elle ait pris sa décision. Le lendemain, après l'enterrement d'Hayette, elle réunit tout le monde autour du bébé : « Qu'on me montre cet enfant ! » ordonna-t-elle. « Le voici, prenez-le dans vos bras », lui dis-je.

Elle : Il est beau et il se porte bien.

Le père : Mais, mère, on attendait tous une fille, tu lui avais même donné Mahra comme prénom.

Elle : Oui, je le reconnais, mais ce garçon me plaît, nous allons le garder, nous allons même garder la dame qui l'a fait sortir du ventre de sa mère, elle s'occupera de lui jusqu'à ses dix mois. Si, à cet âge, il réussit à prononcer dix mots, pas n'importe lesquels, Hayette, Nahar, la Source-de-l'Aube, grand-mère, père, Gamra, Ami, Nejma, Omri et chèvre, tu seras son père, je serai sa grand-mère et tu auras celle qui l'a encouragé à sortir du ventre de sa mère comme épouse.

Le père : Il reste un problème.

Elle : Les problèmes s'effacent toujours quand ils ont affaire à moi, Lala Zazia, mais je t'écoute.

Le père : Cette femme, l'accoucheuse, celle qui transforma ma bien-aimée, ma Mahra désirée, en garçon, est toujours au service d'Alaya du Cou-Froid.

Elle : Gamra est-elle sa femme, sa sœur ou sa fille ?

Le père : Non.

Elle : Que ce minable espion, ce vendeur de casseroles et de papiers, aille se faire foutre, finit par lâcher Lala Zazia.

La résolution de la maîtresse de maison me convenait parfaitement. Et la perspective de retourner chez Alaya du Cou-Froid s'éloigna à toute allure. Ma nouvelle famille me plaisait bien. Le bébé aussi. Et, pour être honnête, son père, l'homme qui savait parler à Nahar, son cheval, était très beau. Au bout de dix mois, l'enfant commença à marcher et à parler, oui, à parler pour dire Hayette, Nahar, la Source-de-l'Aube, grand-mère, père, Gamra, Ami, Nejma, Omri et chèvre, et d'autres mots de son âge, des mots pragmatiques et utiles. Lala Zazia, la maîtresse de la demeure de la Source-de-l'Aube, était enchantée. Elle me laissa même le choix du prénom : « Cet enfant est bien né. Il grandit vite, marche et dit des choses intéressantes. C'est à toi de lui donner un prénom », me dit-elle. « Mabrouk », répondis-je.

Les complications apparurent quand il fut question de mon mariage avec le père de l'enfant, car, aux yeux d'Allah et de la Cité des femmes affranchies et autarciques de l'Est algérien, j'étais encore liée à Jamil de Fernana, le poète décrié par ses pairs, l'enfant perdu qui aspirait à faire partie du Cercle des poètes guerriers de Tabarka. Je n'allais quand même pas mentir à Lala Zazia. Je décidai de lui raconter la vérité, ma fille.

– Lala Zazia, vous êtes une femme d'une grande grâce, vous êtes généreuse aussi, vous veillez jalousement sur votre famille, y compris le petit Mabrouk, et sur cette belle maison. Vous m'avez permis d'échapper à de longues années de peine chez Alaya du Cou-Froid. Je n'ai pas l'intention de vous tromper, ce serait indigne de ma part. Je suis mariée depuis 1879.

– Mariée depuis 1879 ? C'est parfait. Mais où est-il, cet homme ?

– Il est à Tabarka. Je l'ai quitté, car il voulait m'offrir à ses amis du Cercle des poètes guerriers de Tabarka.

– Tu l'as quitté quand ?

– Le lendemain de notre mariage.

– Quand ?

– En 1879.

– En 1879 ?

– Oui.

– Maintenant, ne me mens pas : est-il entré en toi ? Pour être plus précise, a-t-il mis son sexe dans le tien pour célébrer votre union ?

– Non, car j'avais exigé de connaître sa famille avant d'écarter mes jambes.

– Parfait ! Aux yeux d'Allah et de Lala Zazia de la Source-de-l'Aube, ce mariage est annulé pour trois raisons : il n'est pas entré en toi ; il brille par son absence depuis dix-huit ans ; je t'aime bien et je te veux pour mon fils, qui a grandement besoin d'une femme forte et courageuse comme toi. Je sais que tu lui feras du bien. Quel âge as-tu ?

– Trente-huit ans.

– Le bel âge.

– Mais je fais quoi si Jamil de Fernana et Alaya du Cou-Froid débarquent ici ?

– Rien. Ce sont deux vauriens qui n'oseront pas mettre les pieds ici. Ne crains rien, je n'ignore rien de leur lamentable commerce, et je ferai tout pour qu'ils apprennent ton mariage avec mon fils.

– Vous les connaissez tous les deux ?

– Absolument, mais c'est une longue histoire, familiale et compliquée. Pour l'instant, allons annoncer la nouvelle à Maghrébi. Il sera ravi de savoir qu'il ne dormira plus seul à partir de ce soir.

– Ce soir ?

– Oui.

– Disons demain soir. Il me faut un autre avis et je pourrai alors me remarier tranquillement. L'opinion d'un homme versé dans nos mœurs et notre droit me sera très utile. J'ai besoin de l'avis d'un imam.

– Je vais dire à mon fils d'aller chercher le cheikh de la Montagne-Blanche. C'est un homme bon et éclairé, il aura pour mission de procéder à votre mariage et à sa légitimité au nom d'Allah et de la Source-de-l'Aube. D'abord, il prononcera à voix haute l'annulation de ton ancien mariage ; ensuite, il célébrera votre nouvelle union. Vous vous marierez demain à l'aube. Le cheikh dormira ici ce soir, on lui préparera son dîner et des draps propres.

La cérémonie fut brève, très brève même : vers quatre heures du matin, le cheikh de la Montagne-Blanche installa tout le monde, y compris le petit Mabrouk, au bord de la rivière, à quelques pas de la maison, prononça l'annulation de mon mariage avec le poète guerrier de Tabarka et déclara mon union avec Maghrébi légitime aux yeux d'Allah et des habitants de la Source-de-l'Aube. Au moment où il s'apprêtait à lire quelques versets de notre saint Coran, on entendit des pas violents s'approcher de nous. Par précaution, Lala Zazia ordonna à mon nouveau mari d'aller chercher le fusil et dix cartouches. Il s'en fut récupérer l'arme et les munitions et revint vers nous. Peu après apparut le Cercle des poètes guerriers de Tabarka au complet. Les femmes des guerriers sans combat étaient restées cloîtrées chez elles. « Nous voulons reprendre Lala Gamra par la force de l'épée », lancèrent-ils d'une même voix. Saisissant le fusil, Lala Zazia leur répondit : « Vous voulez Gamra ? Dites-moi d'abord lequel de vous est l'indigne mari de cette lumière, qu'il se montre à moi, sinon je tire à l'aveuglette ! » Jamil de Fernana s'avança et elle commença à tirer pour éliminer ses compagnons un par un. « Mon petit poète guerrier, si tu tiens toujours à récupérer ta belle, tu n'as qu'à t'en prendre à son mari légitime, mon fils ici présent. Saisis donc ton épée et provoque-le en duel. Si tu le tues, Gamra sera à toi, sinon... » dit Lala Zazia à mon ancien époux. Et avant même qu'elle ait terminé sa phrase, Jamil de Fernana prit la fuite sur son cheval, laissant derrière lui ses huit compagnons du Cercle des poètes guerriers de Tabarka gisant dans une mare de sang.

Après ce coup de force, ma belle-mère fit comprendre à ses deux fils qu'il leur fallait creuser une fosse en bas de la rivière pour faire disparaître les corps des huit hommes. Elle chuchota quelques mots à l'oreille du cheikh. Lui a-t-elle demandé de taire à jamais cet incident ? Je ne sais pas. Le cheikh se contenta de répondre par ces mots : « Ma sœur, nous nous connaissons de longue date, tu peux compter sur moi dans les moments difficiles. » Il monta sur son cheval, installa le chevreau, un don de ma belle-mère, devant lui, et partit regagner sa Montagne-Blanche. Les deux garçons, mon mari et son frère, creusèrent la fosse et enterrèrent définitivement les huit poètes désarmés. À midi, ma belle-mère dressa la table et invita toute la famille à déjeuner pour m'accueillir dignement.

J'avais constaté que ma belle-sœur voyait d'un mauvais œil l'arrivée d'une étrangère. Mais Lala Zazia fit le point pendant le repas de mariage et établit définitivement une hiérarchie au sein de sa maisonnée : « Mes enfants, écoutez-moi bien, je ne le dirai pas deux fois. Je décide de tout dans cette maison. Si je devais m'absenter, Gamra deviendrait la voix de la demeure. Si je devais mourir, ce qui adviendra un jour, elle en serait la maîtresse. J'ai la chance d'avoir une belle-fille éduquée, digne et vertueuse, je ne manquerai pas de lui demander son avis sur certaines choses sensibles avant de prendre ma décision », dit-elle à toute l'assemblée. Flattée et rassurée, j'avais pourtant la tête ailleurs. J'étais impatiente de retrouver mon nouveau mari, le soir, et de vivre pleinement notre nuit de noces.

Nuit d'un bonheur inouï
Nuit du grand déplacement récompensé
Nuit de ta conception

Du sexe, j'avais une grande connaissance théorique glanée dans les livres et grâce aux conseils transmis par la Cité des femmes affranchies et autarciques de l'Est algérien. En me regardant faire, en sentant son corps transpirer et frémir de plaisir, Maghrébi s'abandonna à moi en me chuchotant : « Enchante-moi, fais-moi une fille, apprends-moi les secrets de la femme, dis-moi qui suis-je, libère-moi de ma mère, redonne-moi ma dignité et ma liberté. Apprends-moi à parler aux hommes. Aux femmes aussi. » C'était le 20 janvier 1897. Ma Zina, ma préférée, ma nuit de noces fut la tienne. Tu es née huit mois, vingt-neuf jours et cinq heures après.

Je vécus alors chez Lala Zazia. Je l'aidais à gérer la fortune familiale, une fortune constituée des revenus de l'élevage de chèvres, de moutons et d'une vingtaine de chevaux. Je découvris aussi qu'elle avait eu une liaison brève, mais intense, avec Alaya du Cou-Froid après la mort de son mari. Jamil de Fernana était-il né de cette union ? Je ne sais pas. À dire vrai, je ne tentai pas d'en savoir plus. J'étais heureuse de ma vie sans agitation à la Source-de-l'Aube. Ta naissance avait fini par renforcer mon attachement à ce lieu et à cette famille, et par me faire oublier La Calle et la Cité des femmes affranchies et autarciques de l'Est algérien.

Comme on m'épargnait les tâches ménagères et la cuisine, j'avais le temps de m'occuper de ton éducation et de celle de ton demi-frère Mabrouk. Paisible vie à la Source-de-l'Aube ? Pas tant que ça, car Maghrébi commença à se plaindre des gardiens de la forêt qui l'empêchaient de se déplacer librement avec ses chers animaux. On savait qu'en 1881 les Français avaient réussi à pénétrer en Tunisie, mais, au début, on les voyait peu. Vers 1900-1902, il y eut un changement, un basculement que je vécus en deux temps. La première fois, un crieur, mandaté sans doute par les autorités françaises installées à Tabarka, vint nous annoncer que les Français recrutaient : « Avis à tous les hommes de la Source-de-l'Aube, surtout les jeunes en bonne santé, à tous les désœuvrés et à ceux qui veulent gagner dignement leur vie : de grands et riches exploitants français installés à Tabarka cherchent des ouvriers costauds pour couper les arbres et transporter le bois. Avis aux moins costauds, aux jeunes lettrés qui connaissent le territoire et la langue française, ils recrutent dix guides-interprètes. Enfin, avis aux non-qualifiés, aux hommes perdus, aux déclassés et aux sourds-muets, ils ont besoin de gardiens de sangliers, oui, je dis bien de gardiens de sangliers. Vous serez bien payés et bien traités par les nouveaux maîtres des lieux ! » hurla-t-il. Mais Lala Zazia menaça ce messager de malheur avec son légendaire fusil et lui cria : « Corbeau de malheur, si tu reviens encore une fois, je te tue de mes propres mains ! Va dire à tes maîtres que la forêt, les arbres, les feuilles qui tombent ou restent accrochées aux branches, le ciel, les oiseaux, les étoiles, la poussière, la verdure, les scorpions, les brindilles, les fourmis, les escargots, l'herbe de la montagne, les chevaux, les larmes de ta mère, ta peine, les cailloux, la mort de ton père, les rivières, la truffe blanche et brune, la poussière et la terre rouges, les serpents poilus, les citrons, les chevreaux, les lapins, les sangliers, les oliviers et les Algériens sont à nous. »

Le crieur ne se montra plus, mais, trois semaines après son passage, nous fûmes surpris par l'arrivée de cent deux sangliers, suivis d'un homme de chez nous, qui les gardait, d'un autre, un gardien de la forêt, d'Alaya du Cou-Froid et d'un roumi entouré de dix soldats. Le roumi se prétendait le nouveau maître des lieux, c'est-à-dire de toute la Source-de-l'Aube. Comme à son habitude, fusil à la main, Lala Zazia sortit la première pour accueillir tout ce beau monde. Brandissant son arme, elle s'apprêtait à commettre l'irréparable, mais je parvins à la raisonner : « Calme-toi, observe avant d'agir. Nous sommes entourés de dix soldats et d'un traître à sa race et à sa patrie », lui dis-je. Elle eut quand même le temps d'assommer un sanglier qui venait de franchir les portes de la maison. Les dix soldats se précipitèrent pour lui enlever son arme.

Triomphal, grattant son gros ventre et lançant des clins d'œil complices au Français, Alaya du Cou-Froid s'avança vers elle et déclara : « Je vous présente Zazia, célèbre ici pour avoir tué huit pauvres hommes, mais c'est fini, il faut maintenant qu'elle pose son fusil et abandonne tout le reste, oui, tout le reste : chèvres, moutons, chevaux, rivière, son juteux petit commerce de la truffe, sa maison et son fils, le valide, celui qui parle et entend, Maghrébi. Son pauvre fils, il a eu ce qu'il méritait, il a voulu faire le malin en empêchant le seigneur François de visiter son nouveau domaine : la forêt, les arbres, la prairie et la rivière. Mais les soldats l'ont mis hors d'état de nuire à cet honnête homme venu de France pour investir chez nous, dans cette terre dépeuplée et négligée. Et comme le seigneur François est un très bon catholique, il a ordonné à ses protecteurs d'emporter le corps afin qu'il soit enterré dignement, selon les règles de notre religion. Zazia, tueuse d'hommes, je te conseille d'enterrer ton fils avant que le très honorable François change d'avis, je te recommande surtout d'écouter jusqu'à la fin ce que ces honnêtes gens viennent t'annoncer : à partir de cet instant, tu n'es plus la maîtresse de cet endroit magnifique, car les choses ont bien changé depuis l'arrivée de nos protecteurs français. Le seigneur François, ce bon colon, promet qu'il s'arrangera pour que les autorités compétentes taisent tes huit meurtres, à condition que tu lui cèdes ton troupeau – de toute façon, tes bêtes sont déjà sur le départ pour La Calle ; seuls les chevaux, tes beaux chevaux, voyageront sur un bateau jusqu'à la métropole –, que tu renonces à l'élevage des bêtes, à l'exploitation de la forêt et à la recherche des truffes et des champignons. Le nouveau maître des lieux préférant résider à Tabarka pour profiter de ses plages, de l'air marin, du poisson, des soirées mondaines et de ses compatriotes, ne compte pas s'installer ici, il te laisse la maison si tu lui cèdes l'écurie pour accueillir et héberger ses sangliers la nuit, ainsi qu'une partie de la maison pour y héberger ses deux indigènes, et si tu acceptes de rendre Lala Gamra à son maître, Sidi Alaya, moi. » Lala Zazia lui cracha au visage en le traitant de tous les noms : bandit, vendu, traître, espion, esclavagiste, voleur, corrompu… Les insultes furent brusquement interrompues par la crosse du fusil de chasse de l'homme humilié devant le Français. Dix coups mirent ma belle-mère à terre. « Arrêtez, arrêtez, arrêtez, je viendrai avec vous », le suppliai-je. Mais il était trop tard. Elle était morte.

Abattue, en larmes, je demandai à Alaya deux petites faveurs : enterrer ma belle-mère, mon mari, Maghrébi, et prendre mes enfants avec moi. Il accepta. Il fit même un large sourire à son seigneur François, lequel répondit par ces mots : « Bravo, mon cher Alaya, on finit toujours par s'entendre : à toi une belle femme retrouvée, avec deux gamins même, à moi la Source-de-l'Aube, son bois et sa forêt. C'est une terre généreuse, propice à l'élevage de mes sangliers, je compte bien y investir beaucoup pour devenir le plus grand fournisseur de bois et de viande de tout le nord-ouest de la Tunisie. Mon bon Alaya, je te laisse à tes retrouvailles avec la princesse orientale reconquise, moi, je vais inspecter la maison. » Mais à peine entré, il revint vers son complice pour lui dire qu'il y avait encore un homme et une femme dans la maison. C'était le frère de Maghrébi, le sourd-muet, et sa femme. Alaya connaissait évidemment leur existence. Il balbutia quelques mots convenus : « Seigneur François, ne vous inquiétez pas, l'homme est sourd et muet, la femme est trop brave, mais ils vous seront utiles pour tous les travaux ingrats. Il suffit de les nourrir un peu. » J'eus honte alors, oui, honte d'avoir oublié le frère de mon mari et sa femme, je me sentis coupable de les abandonner à des sangliers et à un colon français. Je suppliai Alaya de les emmener avec nous. « Pas question, me dit-il, je n'ai pas l'intention de m'encombrer de cinq bouches inutiles : toi, tes deux enfants, ton beau-frère et sa femme. »

Comme on m'avait autorisée à enterrer dignement ma belle-mère et mon mari, je pris une pioche pour creuser leur ultime demeure à quelques pas de la maison. Trois braves soldats français s'approchèrent de moi, s'emparèrent de la pioche et creusèrent, à tour de rôle, deux tombes. Profitant de ce geste généreux et aidée par mon beau-frère et sa femme, je pus laver les corps et les envelopper dans des draps blancs. Ensuite, nous transportâmes la mère, puis le fils, pour les enterrer. Pendant que nous priions pour accompagner nos deux êtres chers jusqu'à leur tombe, le nouveau maître des lieux hurla en direction d'Alaya du Cou-Froid : « Demande-leur d'arrêter leurs salamalecs ! Je n'ai pas besoin du sourd et de sa femme, prends-les, ils sont à toi. Qu'on me fiche la paix, je veux visiter la maison dans le calme. » Les mots du colon François mirent Alaya en colère : « Finalement, je ne prendrai personne d'autre que toi, tu viens avec moi toute seule. Tu vas laisser tes deux enfants à ton beau-frère et à sa femme, tu es à moi, je vais te reprendre toute seule. Tu es obligée de venir avec moi, j'ai le devoir de te rendre à ton mari légitime, Jamil de Fernana, mon fils », me dit-il. Je tentai de l'amadouer : « Écoute-moi bien, je te donnerai tout ce que je possède : mallette, bijoux, tous mes manuscrits et la fortune laissée par Lala Zazia. Je ne parlerai à personne de tes activités passées et de ta fortune cachée, mais, je t'en supplie, laisse-moi partir avec les miens », lui dis-je, mais il était intraitable, cynique et sûr de son fait : « Pauvre fille, tu es trop naïve, un peu bête aussi. Tu t'imagines que tu vas récupérer ta mallette et tout le reste, tu crois que le seigneur François, le nouveau maître des lieux, t'accordera ce plaisir. Détrompe-toi, il est le nouveau propriétaire de tous vos biens », répliqua-t-il.

Le colon François surgit de nouveau et lança à son serviteur : « Mon cher Alaya du Cou-Froid, tu es épatant, tu m'as bien aidé, grâce à toi mes affaires vont prospérer. Mais je viens de visiter cette maison et je change d'avis, je casse notre accord. Je sais que tu n'as jamais mis les pieds à l'intérieur de cette demeure, c'est dommage. Elle est bien tenue, propre, ordonnée et très agréable à vivre, tout ça ne peut être que l'œuvre d'une femme, ou de deux. Par conséquent, j'ai décidé de garder ta jolie reconquête, ses enfants – car une mère à qui on enlève ses enfants devient dangereuse –, l'autre femme aussi et son époux sourd-muet. Bref, tout le monde. Ils me seront d'une grande utilité. Quant à toi, je te laisse le loisir de poursuivre tes diverses activités. » Choqué et furieux, Alaya du Cou-Froid rétorqua : « Salaud de colon ! » Le Français répondit par une balle en plein cœur de l'homme qui voulait fonder le musée de la Source-de-l'Aube. Le traître gisait dans son sang. Il fut enterré dans la même fosse que les huit hommes du Cercle des poètes guerriers de Tabarka.

Soulagés, nous nous tenions groupés devant la maison, attendant le sort qu'allait nous réserver le nouveau maître des lieux. Celui-ci ne tarda pas à me dire ce qu'il voulait de nous, les survivants :

– Alaya du Cou-Froid m'a tout raconté à votre sujet, vous êtes une femme raisonnable et éduquée, vous parlez même notre langue, c'est un atout non négligeable de nos jours. Comme vous le savez, à partir d'aujourd'hui, cette demeure et toute la forêt de la Source-de-l'Aube sont à moi, j'y élèverai des sangliers en quantité, et je couperai les arbres aussi. Je constate que la maison est bien gardée et très agréable, vous y resterez tant que vous voudrez, à la condition de ne jamais parler des incidents survenus ici, aujourd'hui ; je compte aménager ici un petit chez-moi pour y dormir deux ou trois soirs par semaine, histoire de chasser et de surveiller mes biens ; vous me préparerez mes repas pendant mes séjours. Le reste de la semaine, vous serez mes yeux, vous me signalerez les pilleurs, les voleurs et toute personne qui pourrait nuire à mes affaires. Mes sangliers seront gardés de près par quatre indigènes à qui vous donnerez à manger tous les soirs ; quant à la femme du sourd-muet, elle viendra une fois par semaine à Tabarka faire le ménage chez moi. Son mari pourra l'accompagner. Je compte sur vous, détentrice d'un savoir rare à notre époque, pour adoucir mon image d'éleveur de sangliers et de bûcheron et faire de moi un homme d'affaires cultivé et féru d'antiquités et de belles lettres arabes. Vous m'apprendrez deux fois par semaine, le samedi et le dimanche, votre langue, que j'aimerais parler. Et peut-être pourrai-je lire un jour les beaux livres et les calligraphies que vous saurez me conseiller. Si vous acceptez toutes ces conditions, si vous honorez ma dernière demande, vous retrouverez votre maison et gagnerez mon estime, sinon...

– Sinon, quoi ? lui demandai-je.

Sa réponse fut claire et cinglante :

– Vous connaîtrez le même sort que les autres. Désormais, toute la forêt tunisienne, les mines, la terre et ses profondeurs, les rivières, les oiseaux, les feuilles qui tombent et toutes celles qui restent accrochées aux branches des arbres sont la propriété de l'État, oui, l'État, et pas n'importe lequel, la France, ce grand pays qui envoie des hommes comme moi cultiver une terre généreuse mais abandonnée des siens. N'ayez pas peur, cinq ou sept soldats veilleront sur le domaine pendant quelques semaines, en vue de sécuriser l'endroit et d'éviter les incursions, ajouta-t-il.

– Parfait, répondis-je, mais si vous voulez que je me charge de la constitution de votre bibliothèque et de soigner votre réputation d'amateur des belles lettres tunisiennes et arabes, si vous voulez qu'on veille sur votre domaine de la Source-de-l'Aube, il faut nous payer. Je vous rappelle surtout que nous ne nous occuperons pas de vos sangliers.

Tels furent les termes de notre accord, ma Zina, ma petite lumière. Je n'avais pas le choix, j'étais contrainte d'accepter pour sauver nos vies. À la suite de cet arrangement, je réunis toute la famille qui me restait pour expliquer quelques règles à respecter : « L'heure est tragique, nous avons perdu Lala Zazia, mon mari, nos chevaux, nos chèvres et nos moutons, nous ne voulons pas perdre davantage et ferons tout pour préserver notre dignité. Personne ne touchera aux biens du Français, d'ailleurs, il n'y a rien à voler. Que ferions-nous de ses sangliers et de son bois ? Nous ne dénoncerons pas les rôdeurs, non plus, les voleurs venus de l'extérieur ou les résistants qui souhaitent le zigouiller ou le dépouiller. Pour l'instant, contentons-nous de garder notre maison, préservons la demeure de Lala Zazia », leur dis-je. Ma belle-sœur proposa un empoisonnement progressif des sangliers de malheur, idée que je rejetai parce que trop dangereuse.

Finalement, le colon François vint deux jours par semaine, le samedi et le dimanche, pour admirer son domaine, s'initier à notre langue, toujours le dimanche, et manger son couscous préféré : semoule cuite à la vapeur et servie avec une jardinière de légumes variés. « C'est pour préserver ma ligne », me disait-il. Je voulais gagner du temps. J'avais imaginé lui enseigner une lettre, un mot et une phrase par leçon, grâce à quoi je pourrais tenir vingt-huit jours avant de penser à sa bibliothèque arabe. Première leçon, première lettre, première grande surprise pour notre colon François qui apprenait que la lettre âlif permet d'obtenir trois sons différents, correspondant à trois voyelles de la langue française : a, i, o. « Cher colon venu d'ailleurs, chaque lettre arabe porte en elle trois musiques. Donc, si je calcule bien, vingt-huit fois trois égale quatre-vingt-quatre musiques », lui enseignai-je. La treizième lettre, *harf echine*, le rendit perplexe : « Cher François, à la lettre *chine*, il y a *chaja-*

raton, un*e* arbre, et non un arbre comme vous le dites si mal », précisai-je. Mais cet homme venu d'ailleurs aima particulièrement la lettre *waw*, sa dernière, l'avant-dernière lettre de l'alphabet enseignée le vingt-septième jour. Ne me demande surtout pas pourquoi François était tombé sous le charme. Aucune idée.

Un lundi, l'irruption des Cavaliers bleus de la Colline-Rouge mit fin à cet enseignement et à notre vie paisible, mais précaire, à la Source-de-l'Aube. Ils saccagèrent tout sur leur passage. Ils tuèrent les deux gars de chez nous, les sangliers et les soldats français qui veillaient sur le domaine et mirent le feu à la forêt. Après avoir éliminé tout ce beau monde, ils pénétrèrent dans la maison pour mettre la main sur les objets de valeur et nous arrêter tous : toi, ton demi-frère et moi. Ma belle-sœur et son mari étaient à Tabarka, chez le seigneur François.

Si Slimane, le chef des Cavaliers bleus, voulut me décapiter devant mes deux enfants pour trahison et collaboration avec l'ennemi chrétien. Sentant le danger imminent, je lui dis la vérité : « Mon frère, ne vous y trompez pas, je ne suis pas au service de ce mécréant, ce François de malheur. Nous sommes dans notre maison, sur nos terres. C'est lui qui mérite la pendaison pour avoir envahi notre domaine avec ses sangliers et cette terrible machine qui coupe nos arbres. Je ne fais que préserver ce qui nous appartient, épargnez-moi, ne causez pas la détresse d'une veuve, ne faites pas de mes enfants de malheureux orphelins, comme il est écrit dans le Coran, notre Texte à tous. Si Slimane, je peux vous être utile dans votre combat contre l'ennemi. J'ai la liste de tous les colons installés dans la région, je connais les traîtres, les gars de chez nous qui travaillent pour les Français. Mon frère, j'ai échappé à la mort en trompant ce roumi de malheur. Non seulement j'adhère à votre noble combat, mais je vous aiderai à recruter et à nourrir de nouveaux soldats. Je possède une certaine fortune, prenez-la, mais épargnez ma vie et celle de mes deux enfants. » Sans consulter ses hommes, il répondit : « Votre fortune, nous la prenons, nous embarquons tout ce que nos chevaux peuvent transporter. Mais pour nous assurer de votre sincérité, nous mettrons le feu à la maison et à toutes les installations alentour. Vous viendrez avec nous. Les enfants aussi. Une fois chez nous, nous déciderons de votre sort. » Il me fit monter derrière lui, ordonna à « fils Ier » de prendre la fille, toi, ma Zina, et à « fils IIe » de prendre le garçon, Mabrouk. L'affaire réglée, Si Slimane dit à ses hommes de rejoindre la Colline-Rouge par la forêt : « Nous passerons par Mekna, Wichtata, Zagua et Elmcine », précisa-t-il.

En arrivant à la Colline-Rouge, les Cavaliers bleus furent accueillis par les youyous des femmes et les cris des enfants. Le chef calma la ferveur de tout le monde et prit la parole : « Braves soldats, frères cavaliers de la Colline-Rouge, nous n'existons que depuis une semaine, mais nous venons d'accomplir notre premier geste héroïque. Nous poursuivrons la lutte contre les roumis qui occupent nos terres et nos rivières, coupent nos arbres et empêchent nos bêtes de vivre normalement. Nous ne devons pas laisser faire l'ennemi, nous irons l'attaquer là où il le faut, chez lui. Soyez prêts. Les jours de notre digne combat resteront les mêmes : mardi, mercredi, jeudi, vendredi, samedi et dimanche. Comme vous le savez, nous avons épargné la vie de cette femme et de ses deux enfants, car elle a juré devant nous tous qu'elle n'était pas au service de ce Français qui élève les sangliers et coupe les arbres de la Source-de-l'Aube. Cette étrangère – elle prétend s'appeler Gamra – a promis de nous rendre divers services : nous fournir la liste des collaborateurs de chez nous qui facilitent l'établissement des colons sur nos terres, et nous renseigner sur l'emplacement des colons dans le Grand Nord-Ouest, la patrie des montagnards. Elle dit détenir certaines connaissances et une fortune utile à notre cause. C'est à elle maintenant de nous prouver sa bonne foi : non seulement elle nous donnera les noms des traîtres et des colons, mais elle nous accompagnera lors de nos razzias, elle nous guidera vers nos cibles et servira à manger et à boire aux hommes pendant trois ans, oui, trois ans qui correspondent aux trois vies : la sienne et celles des enfants. Ces derniers resteront ici pendant ses absences. Mes frères, à présent, allez déposer le butin dans la maison commune, chez ma mère », dit-il à ses hommes. À peine avait-il terminé son petit discours qu'une dame, s'appuyant fermement sur sa canne, s'avança vers lui et l'interpella avec autorité.

– Tu es parti avec tes cavaliers valeureux combattre l'ennemi, mais au lieu de rapporter chez toi le vrai butin, les têtes coupées des sangliers qui devaient être brûlées ici même afin que l'odeur se propage à travers toute la forêt du Nord-Ouest et empoisonne les autres bêtes immondes, tu reviens avec une femme et ses enfants pour leur infliger une peine de trois ans. Je t'ai mis à la tête de ces cavaliers, car je pensais que tu étais digne de ton père.

– Quelle peine, mère ?

– As-tu besoin que cette pauvre femme vous accompagne pour vous servir de guide, mon fils ? Avez-vous besoin de cette femme pour gagner la guerre ? Avez-vous besoin d'elle pour tirer des coups de feu ?

– Oui.

– Vraiment ? Réfléchis : d'où viennent les Cavaliers bleus ?

– D'un peu partout : Wichtata, la Montagne-Blanche, Tbaba, Mekna, Zagua, la Source-de-l'Aube et Fernana.

– Tes hommes connaissent donc notre territoire et ses habitants. Par conséquent, cette femme restera ici. Cette peine lui sera épargnée, et bien d'autres malheurs encore, pour une femme seule, la nuit, en compagnie de quinze hommes. Je propose, non, je ne propose pas, j'ordonne qu'elle prépare sa liste et les renseignements précis qu'elle détient. Si ce qu'elle dit est vrai, elle aura la vie sauve et elle pourra s'occuper de ses enfants et vivre avec nous. Si elle ment, on lui coupera la tête.

– Oui, mère.

– Je préfère entendre ça, dit la mère.

Ma fille, je peux te dire que Lala Hbiba m'a rendu la vie et l'honneur. Après son intervention autoritaire, elle nous installa chez elle, dans sa « demeure récente », selon ses mots, où logeaient son fils unique Slimane, sa femme et leurs deux garçons. C'est en m'accompagnant dans la partie gauche de la maison, une grande pièce où elle stockait les provisions et le maigre butin de ses résistants, qu'elle me raconta son histoire : « Nous sommes heureux d'avoir trouvé refuge sur la Colline-Rouge. Mon mari, le regretté Si Majd de Siliana, a construit cette maison après de long mois d'exode et de mauvaises rencontres. Nous venons de l'ouest. Les Français nous ont chassés de Fernana à cause d'un arbre : le gigantesque et beau chêne-liège. Depuis la nuit des temps, nous, les Khmirs, nous nous réunissions à jour fixe au pied de cet arbre pour déclarer la guerre ou signer des accords de paix, décider du non-paiement des impôts au bey de Tunis, ce Turc que nous ne connaissons pas, du mariage de nos filles, de la réception des amis étrangers, des soins à apporter à nos malades, de l'éducation à donner à nos enfants, de nos fêtes, parler des jours qui passent et de notre vie. Cet arbre nous enseignait l'art de bien vivre entre nous et de refuser l'intrus et l'envahisseur, excepté nos voisins algériens. Le bey et ses soldats, qui nous détestaient, ne nous faisaient pas peur. Nous étions bien chez nous. Nous étions jaloux de notre arbre et de notre indépendance. Notre maison était située en face du sublime et imposant chêne-liège dont l'ombre s'étendait sur une superficie de deux cents mètres carrés et adoucissait nos journées d'été. Mon mari et moi avions pris l'habitude de servir les hommes qui se réunissaient là et discutaient des affaires courantes. Mais l'irruption des Français, en 1881, a bouleversé nos vies et nos destins : à peine arrivés ils comprirent que les Khmirs ne céderaient pas facilement face à leurs coups de feu et à leur armée. Ils se faisaient une idée précise de ce que nous étions. Pour eux, nous étions des voleurs, des pilleurs, des sanguins, des brigands, des intégristes, des terroristes, des sauvages et des barbares qui osaient traverser la frontière et s'attaquer aux honnêtes paysans algériens pour leur voler leurs bœufs et leurs moutons. L'armée française a donc débarqué chez nous avec un bon paquet de préjugés, mais elle ne s'attendait pas à se heurter à l'arbre qui ne mentait pas et ne trahissait jamais les siens, le chêne-liège, la demeure préférée des Khmirs, là où se décidaient la vie, la guerre et la paix, l'arbre qui nous rappelait à l'ordre quand il fallait chassait l'intrus, ottoman ou pas, musulman ou roumi. “Que faire ?” demanda un officier de l'armée française. “On ne va pas l'arracher”, répondit son supérieur, tout en regardant fixement l'arbre. “Vous savez”, dit-il, “les bandits tunisiens, je veux dire les Kroumirs, sont célèbres, tristement célèbres, même notre presse en parle. J'ai un exemplaire de *La Vie Populaire* qui décrit avec justesse ce peuple et la situation dans laquelle nous sommes, écoutez bien cet extrait" : "Ce n'est pas d'aujourd'hui que la tribu des Kroumirs ravage nos frontières de La Calle et de Souk-Ahras, tous les centres de colonisation, tous les points de notre province de Constantine confinant à la régence de Tunis. Ces audacieux bandits sont retranchés, comme dans une forteresse, derrière le contrefort de Djebel-el-Dada, qui forme la démarcation de la régence de Tunis et de l'Algérie orientale. Dès qu'ils ont volé, assassiné le colon français, ou incendié quelque partie de nos belles forêts de chênes-lièges, ils se réfugient sur leur territoire et rentrent dans leurs repaires pour prendre du repos et recommencer leurs expéditions de chauffeurs. Rien n'égale leur audace ni leur férocité. Ils pillent nos tribus arabes, enlèvent les Européens, les libèrent moyennant forte rançon, ou leur coupent la tête quand ils ne peuvent rien en tirer. Aussi les habitants de La Calle, toutes les fois qu'ils sortent de la ville, soit qu'ils se rendent au marché de Roum-el Souk, soit qu'ils aillent à la mine argentière d'Oum Théboul, doivent-ils se munir d'un bon fusil à deux coups et d'une autorisation de circuler du commandant de la place. L'autorisation ne vous empêche pas d'être enlevé ou assassiné ; mais tout au moins la chose se passe dans les formes, et l'on sait quelle brebis manque au bercail." Après avoir lu avec enthousiasme son journal parisien, il ordonna notre expulsion. Ils mirent une clôture autour de l'arbre, y accrochèrent leur drapeau et chantèrent à la gloire de leur patrie. Et pour anéantir notre heureuse demeure, ils confisquèrent les quatre maisons, y compris la nôtre, qui entouraient l'arbre, et forcèrent les familles à vider les lieux. Plus d'arbre ! Plus de maison ! Plus d'ombre ! Plus d'espace souverain ! Plus de quiétude ! Plus de thé au pied de Fernana, ce don du ciel ! Il est douloureux de perdre sa maison, mais la tragédie des Khmirs, peuple fier, autarcique et libre, est d'avoir été dépouillé de son arbre, sa vraie demeure, l'espace de sa liberté et de son souffle : le chêne-liège. Les Français nous ont privés de notre unique force, de notre vertu première : décider ensemble de notre destin à l'ombre d'un arbre, livrer le gouvernement de notre peuple à la nature. C'était notre seul bien. Nous n'aimions ni la guerre, ni les armes, ni l'injustice. Seule la bonté de l'arbre nous rendait heureux et libres. Où aller ? Vers l'Algérie, dangereuse, instable et verrouillée par l'armée française ? Non. Nous sommes partis à la recherche d'une terre d'accueil et avons fini par arriver à la Colline-Rouge, épargnée par les colons parce qu'elle ne figurait sans doute pas sur leur carte. Cette grande demeure, œuvre de mon défunt mari, Si Majd, et de notre fils Slimane ! Entre, à gauche, dans la grande pièce qui nous sert de réserve. Installe-toi. Repose-toi, je vais vous donner à boire et à manger. Mais n'oublie pas la liste des traîtres et des colons installés dans le Nord-Ouest. Sois précise ! »

Après deux heures de repos bien méritées, j'allai trouver Lala Hbiba pour lui remettre le document censé faciliter le combat mené par les Cavaliers bleus de la Colline-Rouge.

– Bien reposée ? me demanda-t-elle.

– Oui, répondis-je.

– Comment t'appelles-tu ?

– Lala Gamra.

– D'où viens-tu ?

– De la Source-de-l'Aube.

– Je le sais, je te parle d'avant.

– De La Calle.

– Une algérienne parmi nous ?

– Oui.

– Pourquoi as-tu fui ton pays ?

– Pour les mêmes raisons que vous.

– On vous a pris votre arbre et votre maison ?

– Non. Lala Hbiba, mon histoire est trop longue à raconter, je préfère parler de notre arrangement.

– D'accord, mais, dis-moi, que sais-tu faire ?

– À peu près tout, sauf manier des armes.

– Toutes les femmes des Cavaliers bleus de la Colline-Rouge disent la même chose quand elles arrivent ici, mais au bout d'une semaine on se rend compte qu'elles ne savent faire que trois choses : des enfants, qu'elles éduquent mal, cuisiner et coudre.

– Je sais éduquer les enfants, leur apprendre à lire et à écrire, je les ai aidés à sortir la tête du ventre de leur mère. Je parle la langue de nos protecteurs. Je sais fabriquer de faux manuscrits et restaurer des mosaïques. Et, surtout, je sais me taire quand il le faut.

– As-tu préparé la liste ?

– Oui.

– Parfait, je vais faire rassembler les hommes. Je leur annoncerai des nouvelles et les placerai en face de mes dernières volontés.

Tout de suite après que je lui eus transmis la liste, Lala Hbiba appela son fils Slimane et lui demanda de réunir les Cavaliers bleus en bas de la Colline-Rouge, au pied du figuier. « Tu es admise, tu viens avec nous », me dit-elle. Quand tout le monde fut installé à l'ombre du figuier, elle prit la parole : « Mes chers combattants, je vous ai fait venir jusqu'ici, à l'abri de cet arbre généreux qui ne ment jamais et que les roumis ne peuvent pas arracher, à l'endroit où mon mari m'avait promis de venger Fernana, le chêne-liège, notre demeure perdue, pour vous transmettre la liste préparée par cette honnête étrangère. Je vous ordonne à tous de ne plus la regarder d'un œil noir. Laissez-moi vous rappeler les termes de notre accord : si sa liste est authentique, si elle nous donne vraiment les colons et les traîtres tunisiens, Lala Gamra vivra parmi nous, elle fera partie de la communauté que je compte fonder ici. Dignes cavaliers, vous partirez la nuit faire la guerre et venger nos arbres, nos écureuils, nos scorpions, Mehrez, le serpent nocturne qui nous annonce souvent de merveilleuses nouvelles, nos fourmis lentes et patientes, nos prairies et nos plaines, vous reviendrez ici à l'aube. Le jour, vous finirez la construction des maisons ; je veux que vos femmes vivent confortablement ici, je veux qu'elles soient heureuses et comblées. Je veux quinze cavaliers heureux de vivre et de faire la guerre ; je veux surtout que mes guerriers s'abstiennent de toucher aux femmes des autres ; je ne veux pas entendre parler de mœurs indignes et de crimes d'honneur. Soyez patients et précis dans la vengeance, vous éliminerez les cibles une par une. Contentez-vous de la liste de Lala Gamra, ne faites pas de zèle, soyez prudents. Ici, le soleil cogne cinq mois par an et le ciel nous crache sur la tête le reste de l'année, nous n'avons ni bois, ni blé, ni fruits, ni légumes, nous sommes contraints de faire la guerre à l'ennemi et aux traîtres. L'occupant nous dit depuis son arrivée que la forêt et les arbres sont propriété de l'État. Il nous accorde quand même le droit d'usage des feuilles qui tombent pour muscler les toits de nos maisons, des brindilles pour griller nos viandes et des branches mortes pour soutenir nos vieux... »

Une voix vint interrompre le discours de Lala Hbiba. Un garçon cria fort en direction de l'assemblée : « Lala Hbiba, Lala Hbiba, on vous appelle là-haut, c'est urgent ! La femme du cavalier Mirad, celui qui est mort hier parce que son cheval ne le supportait plus, celle qui porte quatre enfants dans son ventre, elle dit vouloir accoucher, elle perd les eaux et la raison, viens vite, elle souffre. » Se tournant vers moi, Lala Hbiba dit : « Chère étrangère, Gamra, c'est le moment de me prouver tes multiples talents. Aucune autre femme n'osera faire sortir quatre têtes du ventre d'une femme aussi maigre. Cours mettre au monde nos futurs soldats, cours soulager cette femme pleine. Garde-la en vie ! » Sans attendre une seconde, je partis aider la veuve à mettre au monde non pas quatre mais trois enfants, deux filles et un garçon. L'accouchement fut facile et rapide. Quelques instants plus tard, Lala Hbiba vint faire connaissance avec les nouveau-nés, leur donna des prénoms et les présenta à tous. Une fois la présentation terminée, elle appela tous les garçons âgés de cinq à douze ans, y compris mon petit Mabrouk, et leur ordonna de poursuivre leur résistance quotidienne dans les environs, laquelle consistait à piller l'ennemi et à rapporter poules, moutons, fruits, légumes et céréales. « Et revenez entiers ! » leur dit-elle.

Munis de ma liste, les Cavaliers bleus de la Colline-Rouge partirent faire la chasse aux traîtres et aux colons. En trois ans de combat, la durée de notre accord, les vaillants combattants ne parvinrent qu'à éliminer trois traîtres et à tuer quatre-vingts sangliers. Aux yeux de Lala Hbiba, ce n'était pas une grande réussite. Les informations que j'avais fournies étaient pourtant claires et précises. Mais les cavaliers ne pouvaient atteindre les colons parce qu'ils n'habitaient jamais sur leurs domaines.

Maigre bilan, mais trois vies sauvées. Lala Hbiba en décida ainsi. Je me souviens très bien de cette fin de journée d'août 1906. Mabrouk était parti tôt avec les garçons de son âge harceler le colon et rapporter à manger. Après le départ des futurs guerriers, Lala Hbiba vint me voir pour me signifier notre libération : « Lala Gamra, même si les Cavaliers bleus de la Colline-Rouge n'ont pas réussi à éliminer les colons que tu as identifiés sur ta liste, je me dois de respecter les termes de notre accord : vous avez la vie sauve. Mais j'espère que vous ne nous quitterez pas, car le travail que tu fais auprès des filles et des garçons est précieux. Personne avant toi n'avait osé les éduquer, leur apprendre à lire et à écrire. Tu es très habile pour faire accoucher les femmes. Reste avec nous. Il faut que nous soyons soudés. Les temps sont difficiles, nous manquons de tout ici. Les hommes sont de plus en plus nerveux, et les femmes se plaignent et gémissent. Je suis fatiguée. Il nous faut une femme habile et courageuse comme toi. Les hommes foncent, mais ne savent pas raisonner, ils sont impatients de piller, de résister, de pénétrer et de dormir. Nous autres femmes, nous sommes plus raisonnables et plus intelligentes qu'eux, nous connaissons mieux l'âme humaine et la détresse des nôtres ! » me dit-elle.

Je ne trouvai rien à redire.

Je ne pouvais qu'être d'accord avec cette parole juste.

Oui, je me rappelle cette fin de journée d'été, ce dimanche du mois d'août, journée mémorable où nos trois vies furent décrétées sauves par Lala Hbiba. Mais les heures passaient, je ne voyais toujours pas revenir Mabrouk, et l'inquiétude commençait à me gagner. Les enfants partis le matin piller l'ennemi tardaient à rentrer à la Colline-Rouge.

La joie de l'affranchissement et de la vie sauve sur les hauteurs de la Colline-Rouge fut brève. Les garçons partis guerroyer tôt, ce matin-là, rentrèrent tous, sauf un, Mabrouk, ton demi-frère. Quelle cruauté ! Quelle horreur ! Tous les garçons juraient qu'ils ne l'avaient pas abandonné : ils avaient simplement fui pour échapper au sort de Mabrouk, répétait le chef des soldats du futur, Mahrouse, un garçon de quinze ans :

– Lala Hbiba, nous avons arraché un butin consistant à Zmamliyya : cinq poules, un coq, deux moutons, un chevreau, vingt kilos de blé, des pommes de terre, des poires, du raisin et dix melons. Je vous le jure. Mais nous avons tout perdu au retour. Lala Hbiba, nous n'avons rien jeté, nous nous sommes juste arrêtés devant les figuiers du Cou-Froid, nous avions un petit creux. Lala Hbiba, la faim est mauvaise conseillère, en plus les figues étaient très belles. Elles étaient d'un brun-violet qui nous narguait. La tentation était trop forte. Nous ne savions pas que ces maudits figuiers appartenaient à un colon, nous ne savions pas que ces roumis venus d'ailleurs adoraient les figuiers, personne ne nous l'avait dit. C'est la faute aux adultes qui nous ont toujours dit que les colons ne s'intéressaient qu'au bois, aux sangliers et aux céréales. Nous vous demandons pardon. Pardon d'avoir perdu un des nôtres. Pardon d'avoir été tentés. Pardon de ne pas avoir attendu d'être rentrés à la Colline-Rouge pour manger. Pardon d'avoir perdu Mabrouk. J'avais dit à tout le monde de prendre des figues en passant, j'avais même précisé : « Ce fruit est traître quand il est chaud, il peut vous envoyer au tombeau. » Mabrouk a voulu grimper au sommet de l'arbre pour cueillir les meilleures. Et il a grimpé, il a mangé une dizaine de figues, puis il a commencé à remplir un sac, sauf qu'à sa descente de l'arbre il a été accueilli par le chien, qui l'a mordu au mollet droit, le garde, un gars de chez nous, et le colon. Lala Hbiba, s'il vous plaît, demandez à un autre de vous raconter la suite, j'ai peur, j'ai mal, je ne peux pas, c'était horrible à voir.

– Continue, intima Lala Hbiba.

– D'accord, je vais continuer, répondit le garçon. Après la morsure du chien, le garde a fait signe à l'animal de retourner dans sa cage et a demandé à son maître, le colon qui doit aimer les figues : « Qu'allons-nous faire de ce pauvre garçon ? » Et le colon a répondu : « Nous allons le punir, pour l'exemple. Attache-lui les mains derrière le dos, colle-le à l'arbre, face au soleil, fouette-le et, quand il aura les deux genoux à terre, tu me passeras le fouet pour que je l'achève. Tu lui couperas la main droite. Après, tu le monteras là-haut, oui, là-haut, à l'endroit même où il a commencé à me voler, tu le suspendras la tête en bas, bien attaché à une branche solide, toujours face au soleil. » Lala Hbiba, nous nous sommes cachés au moment où le garde a commencé à le fouetter. Ce n'était pas beau à voir, mais nous avons eu le courage de hurler un bon coup et de prendre la fuite après. Nous avons erré comme des chiens, mais après j'ai dit aux autres de hurler encore un bon coup. Le garde nous a ordonné : « Allez dire à vos chiens de parents qu'on n'a pas le droit de déranger le seigneur Marianni pendant sa sieste du dimanche… »

Je criai pour interrompre le garçon. Il s'arrêta net et courut se cacher derrière un arbre. Je me mis à me frapper la tête et à hurler ma douleur. Lala Hbiba interrompit mes lamentations et me supplia de ne pas aller toute seule chercher le corps de Mabrouk : « Tu n'iras pas toute seule, je t'en supplie, arrête, me dit-elle. Arrête de me fendre le cœur, cesse de pleurer, viens dans mes bras, tu es ma fille, tu ne vas quand même pas récupérer le corps toute seule, attends demain, je t'en supplie, attends demain. Et ne pleure plus, tes larmes et ton deuil te font vieillir de dix ans. Oublie ton idée de chercher le corps ce soir. Et puis, franchement, ce n'est pas le moment d'ouvrir un autre front. Ce soir, nous devons décider de la survie de nos Cavaliers bleus. Nous ne pouvons pas continuer comme ça, nous n'avons rien ramassé pendant trois ans, les temps sont durs, nous manquons de tout, cinq cavaliers viennent d'abandonner le combat pour aller travailler dans les grandes exploitations agricoles de certains colons… »

Ses mots me mirent en colère. Je parlais de la mort d'un enfant, elle répondait « la survie de mes Cavaliers bleus ». Je suivis mon idée et partis le soir même récupérer le corps : « Écoute-moi, Lala Hbiba, je vais partir toute seule reprendre le corps de mon fils, donne-moi juste un cheval et garde bien ma petite. N'essaie pas d'envoyer des hommes à mes trousses, le colon et le garde seraient furieux de voir des cavaliers arriver chez eux le soir. Rassure-toi, on n'osera pas s'attaquer à une femme seule, la nuit. Mais je t'en supplie, je te confie Zina, ma lumière, le seul enfant qui me reste », lui dis-je. Elle céda. Le Cou-Froid n'était pas très loin de la Colline-Rouge, mais j'avais pris un cheval pour transporter le corps de Mabrouk. La maison du colon Marianni était située au milieu de figuiers, d'oliviers et de vignes, et face aux plaines fertiles que traversait la Rivière-Bleue. Quand j'atteignis cette demeure fraîchement construite, les chiens réagirent les premiers, puis apparut le garde, le tortionnaire.

– Qui va là ? cria-t-il.

– C'est une pauvre femme qui…

– Il n'y a plus rien à manger, il fallait venir dans l'après-midi, le maître des lieux offre à manger aux indigènes nécessiteux, le dimanche, après son déjeuner.

– Je ne suis pas une mendiante, je suis la mère de l'enfant que tu as torturé.

– Tu es la mère de ce minable petit voleur ?

– Oui. Rends-le-moi, je t'en supplie, laisse-moi enterrer mon fils.

– Ne crie pas, le maître dîne avec des notables importants pour ses affaires.

– Pardonne-moi.

– Je veux bien te laisser récupérer le corps de ta sale progéniture, mais que me donnes-tu en échange ?

– Le chokran et toutes les récompenses divines.

– Tu peux les garder, pars d'ici.

– J'ai peut-être mieux pour ton maître : une information qui l'intéresserait beaucoup.

– C'est quoi ?

– Les noms de ceux qui ont mis le feu au domaine de François, le colon de la Source-de-l'Aube.

– Attends un peu, je vais chercher mon seigneur.

Et il revint en vitesse en compagnie du maître des lieux. Ce dernier dit à son serviteur de se taire et engagea la causerie :

– Je n'ai pas beaucoup de temps à vous consacrer, dites-moi d'abord si vous parlez français, sinon je retourne à mon dîner.

– Oui, je le parle.

– Parfait.

– Merci.

– Assez de mercis, dites-moi plutôt si vous connaissez les terroristes qui ont saccagé le domaine de mon ami François et tué ses sangliers.

– Oui.

– Qui sont-ils ?

– Ce sont les Corsaires blancs du Cap-Nègre. Tout le monde pense que ce sont les Khmirs qui sont derrière toutes les attaques visant les colons fraîchement installés dans la région, mais votre véritable ennemi se trouve à quelques kilomètres d'ici, vous n'avez qu'à informer vos autorités.

– Pourquoi nous haïssent-ils ? Oui, je m'interroge, je

m'inquiète, car nous, les petits, encouragés par nos politiques et nos soldats, n'avons rien à nous reprocher, nous sommes venus ici dans de bonnes intentions, on nous avait promis des terres dépeuplées et des richesses à amasser sans faire de mal à personne, je veux dire à vous. On nous a invités à participer au festin, à une richesse qui appartenait au bon Dieu et à l'humanité tout entière.

– Je vous crois.

– Oui, il faut bien me croire. J'étais tranquille dans ma Drôme natale, ma patrie. Ils sont venus me chercher en me promettant le paradis en Méditerranée, alors que je n'avais jamais vu la mer avant. Et les indigènes encore moins.

– Je vous crois toujours.

– Voulez-vous travailler avec moi ?

– Non.

– Pourquoi ?

– Parce que je veux tout simplement enterrer mon fils.

– Bon ! Abdou, détache ce garçon, rends-le à sa mère et dépêche-toi d'avertir la garnison française la plus proche. N'oublie surtout pas de lui donner la main droite du garçon.

Je n'ai jamais compris pourquoi le colon Marianni avait avalé mon histoire des Corsaires blancs du Cap-Nègre. Naïf Marianni ! Je récupérai le corps de Mabrouk et sa main droite. Oui, sa main droite : on avait appliqué la sentence islamique, couper la main du voleur, mais mon fils n'en était pas un, il voulait simplement goûter à ce fruit millénaire de chez nous, à ces figues qui le narguaient, lui qui grimpait à tous les arbres de la Source-de-l'Aube. Pauvre Mabrouk ! Je l'installai devant moi, sur le cheval, et nous prîmes un chemin très peu connu pour fausser compagnie à d'éventuels espions envoyés par le colon Marianni : Bouzitouna, Dar Harchia, Braïkia et la Colline-Rouge.

Souviens-toi, ma fille. Nous y arrivâmes vers onze heures du soir. Tu étais encore éveillée. Toutes les femmes et les enfants de la Colline-Rouge aussi. Les Cavaliers bleus étaient partis faire leur guerre nocturne. Lala Hbiba attendait mon retour devant la maison. « Viens, entre, digne femme, dépose ton fils chez moi, dans ma chambre, nous l'enterrerons demain matin. Laisse-moi lui donner le bain du départ, laisse-moi le purifier et le rendre beau, parce qu'il a rendez-vous avec les anges et Allah. Nous pleurerons ensemble demain matin. Tout le monde sera là, y compris les Cavaliers bleus de la Colline-Rouge. Laisse-le-moi et va dormir. Éloigne Zina, ne lui montre pas le corps ! » me dit-elle. Le lendemain, Lala Hbiba plaça Mabrouk devant la maison sur une grande planche en bois, enveloppé dans des draps blancs propres. Je ne voulais pas que l'on voie les traces des cruelles tortures.

Mabrouk fut enterré le lendemain de sa mort, en présence de tous les Cavaliers bleus de la Colline-Rouge, rentrés chez eux après une nuit de guerre sans victoire ni butin.

Avoir quitté La Calle et la Cité des femmes affranchies et autarciques de l'Est algérien ne m'avait servi à rien. J'étais à la Colline-Rouge et j'avais la rage, la haine même, mais une haine bien identifiée, la haine de l'occupant, du colon qui s'entichait de figuiers, et de mon histoire qui devenait triste et sans saveur, car tout ce que j'entreprenais s'effondrait au bout de quelques jours. Pourtant je m'entêtai à poursuivre l'aventure et à lancer de nouveaux projets. L'échec ne me faisait pas encore reculer. Après l'enterrement de Mabrouk, je demandai à Lala Hbiba de rassembler les hommes et les femmes devant la grande demeure. Intriguée par ma requête, elle répondit : « Mais, ma fille, tu es en deuil, nous le sommes aussi, ce n'est pas le moment de faire causette. » J'insistai. Elle accepta.

Les quinze Cavaliers bleus de la Colline-Rouge et leurs femmes s'installèrent en cercle. Taisant ma douleur et séchant mes larmes brûlantes, je pris la parole pour les secouer :

– Chère Lala Hbiba, mes frères et sœurs, vous avez accepté de m'accueillir parmi vous, voici maintenant trois ans. Vous l'avez fait parce que vous m'avez crue sur parole, une parole transcrite sur papier et transmise aux quinze cavaliers. Cette parole était authentique, mais elle n'a pas rendu votre guerre victorieuse. Je m'en veux. Je culpabilise. Aussi, je me rends compte qu'on ne peut pas éliminer les traîtres et nuire aux colons en restant perché ici. Non, on ne peut pas demeurer caché ici, alors qu'ils s'en prennent désormais à nos enfants. « Une figue mangée, un meurtre » : voilà ce qu'ils nous proposent. Les figues sont à nous. La plaine aussi, oui, la plaine, cette immense terre fertile qu'ils exploitent. Nous devons descendre dans l'arène, nous devons être présents sur la plaine. Notre combat est légitime, mais menons-le autrement, menons-le bien. Déplaçons la guerre et le commerce sur un territoire que nous connaissons mieux que quiconque, le nôtre, qui s'étend de la Colline-

Rouge jusqu'à la Source-de-l'Aube. Depuis la nuit des temps, c'est le bon commerçant qui gagne la guerre, car il connaît les hommes, leurs besoins et leurs faiblesses. Nous avons des cavaliers, de bons cavaliers, des armes, mais il nous manque le commerce. Connaissez-vous la route que prennent les hommes, tous les hommes (les voyageurs, les espions, les commerçants et les soldats), pour aller jusqu'à la Source-de-l'Aube ?

– Oui, répondit un cavalier, c'est celle qui part de Béja et traverse Tbaba, la Montagne-Blanche, Wichtata, Mekna et la Source-de-l'Aube, c'est une route très fréquentée qu'on peut apercevoir d'ici.

Moi : Connaissez-vous une auberge ou un restaurant installé sur cette route ?

Un autre cavalier : Il n'y a rien de tel.

Moi : Eh bien, mes frères et sœurs, je vous propose d'ouvrir une auberge et d'y accueillir tous ceux qui passent sur la route : voyageurs, commerçants, soldats français qui acceptent de manger notre nourriture, et colons qui s'aventurent au-delà de leurs domaines pour aller prendre le soleil à Tabarka ou rejoindre leurs somptueuses demeures.

Lala Hbiba : Tu veux cuisiner pour les roumis ? Tu veux mettre les Cavaliers bleus de la Colline-Rouge en cuisine ?

Moi : Les femmes en cuisine, les hommes dehors, à la guerre. Nous allons bâtir une auberge où l'on pourra manger et faire une sieste, car l'auberge ne sera ouverte que dans la journée.

Lala Hbiba : Et la guerre, quelle guerre ?

Moi : C'est l'étape suivante.

Lala Hbiba : Aucun homme n'acceptera de quitter son cheval et son fusil pour redescendre dans la plaine.

Moi : Qu'ils votent.

Lala Hbiba : C'est entendu, voyons comment ils vont réagir.

Quatorze cavaliers votèrent contre ma proposition, seule Lala Hbiba m'apporta son soutien et celui de son fils Slimane. Son ralliement et la défection des quatorze combattants mirent fin à l'existence des Cavaliers bleus de la Colline-Rouge. Lala Hbiba nous rassembla, partagea ce qui demeurait du butin entre les hommes et demanda à ceux-ci s'ils comptaient rester ou pas. Les quatorze prirent leur part, femmes et enfants, et partirent vers l'est et les immenses plaines de Béja et de la Porte-Ouverte. Allaient-ils travailler chez le colon ou faire la guerre sur la plaine ? Mystère.

Ma fille, je pensais bien faire en provoquant leur départ. Je ne voulais pas bâtir un projet avec des inconnus. J'avais juste besoin de la bénédiction et de l'engagement de Lala Hbiba, cette grande dame qui avait connu la douleur de l'arrachement et la blessure de l'exil. Et comme elle m'avait accordé son soutien personnel et celui de son fils, Si Slimane, je lui révélai tout mon plan, toute la philosophie de l'auberge : « Lala Hbiba, nous voilà entre nous, entre femmes blessées mais qui gardent une haute ambition humaine et politique, je dirais même une ambition salutaire, car je pense détenir notre victoire. Je me dois d'être honnête avec toi, parce que je te dois la vie. J'admets avoir fait un discours sur la guerre et le commerce très peu enthousiasmant devant tes hommes, tes cavaliers, je l'ai fait exprès pour les pousser à partir ailleurs, j'ai omis de leur raconter mon vrai projet : gagner la guerre en cuisinant. Je ne veux pas me lancer avec des hommes que je ne connais pas. Ils sont partis. Tant mieux ! Nous sommes entre nous. Je me dois de te dire ce que je ferai avec l'Auberge que je compte nommer l'Auberge de la Tunisie qui se réjouit et regarde vers l'ouest. Dans un premier temps, il faut qu'elle devienne un lieu apprécié et recommandé par tous les voyageurs, les commerçants et les curieux fréquentant la route qui mène de Béja à la Source-de-l'Aube, un endroit où ils pourront manger et faire la sieste. L'auberge sera ouverte uniquement dans la journée. Nous lui laisserons le temps d'être définitivement adoptée avant de passer à la véritable étape, sa vocation première qui demeurera inconnue de tous : la résistance et la guerre. Bien entendu, nous ne ferons pas la guerre avec les marmites, le feu, le couscous et les figues. Nous recruterons des hommes, trois groupes d'hommes : un petit groupe de quatre garçons qui assureront le service en gardant une oreille vigilante pour enregistrer toutes les histoires et les conversations qui circulent dans l'établissement – ces quatre garçons devront parler l'arabe et le français ; un groupe de dix hommes qui sillonneront la région pour écouter, espionner, noter, faire des recommandations et l'éloge de la nourriture de l'Auberge de la Tunisie qui se réjouit et regarde vers l'ouest ; un dernier groupe de dix guerriers saura manier le fusil et éliminera les traîtres. Tous ces jeunes hommes seront choisis un par un. Je mettrai à part les dix gars qui porteront les armes, car je les choisirai, pardon, nous les choisirons parmi les hommes non mariés et sans attaches, des orphelins à qui nous donnerons une mère et nourrice : l'Auberge de la Tunisie qui se réjouit et regarde vers l'ouest. Lala Hbiba, il me semble que ton fils Slimane et tes deux petits-fils joueront un rôle déterminant en amont, ils nous aideront à repérer les forces vives du nord-ouest de la Tunisie. Ces jeunes gens passeront devant nous deux et nous leur expliquerons en quoi consiste le combat. Bien entendu, les trois groupes seront nourris et payés : la moitié du butin qu'ils rapporteront leur reviendra. La moitié restante sera versée dans les caisses de l'Auberge de la Tunisie qui se réjouit et regarde vers l'ouest. Lala Hbiba, nous gagnerons la guerre. À nos fourneaux ! »

Soupirant et levant les yeux au ciel, Lala Hbiba répondit : « Tu nous proposes de partir à La Mecque dans tes bras ? Eh bien, partons, donnons à manger à l'ami et à l'ennemi, et voyons si ce commerce se révèle un allié précieux dans notre futur combat. Nous sommes sept à y croire : moi, toi, Lala Zina, ta fille, mon fils Slimane, ses deux garçons et sa femme. Nous sommes donc suspendus à ton idée de génie. Nous te suivrons. Je vais envoyer mon fils et mes deux petits-fils en repérage, il nous faut un lieu propice à nos affaires. Nous le chercherons longtemps s'il le faut. »

Nous concentrâmes notre exploration d'un endroit stratégique pour notre commerce et notre guerre entre Tbaba et la Source-de-l'Aube. Il fallait trouver un emplacement à l'écart des vastes plaines exploitées par les colons et les rares collabos gâtés par leurs protecteurs français. Cette recherche fut longue, trop longue même, car les notables, des vendus ayant réussi par je ne sais quel miracle à préserver leurs propriétés et à poursuivre le travail de la terre, refusèrent tous d'en vendre ou d'en louer une petite parcelle. D'août 1906 jusqu'à mai 1907, les efforts consentis par les trois hommes n'eurent aucun succès, et l'idée de laisser tomber l'Auberge de la Tunisie qui se réjouit et regarde vers l'ouest commença à s'imposer à nous. Mais le miracle pointa son nez au cours de la première semaine de juin : Si Slimane finit par dégoter un terrain sur la colline de Bouzitouna, à cinq cents mètres de la route principale, entre Tbaba et la Source-de-l'Aube, proche de la Montagne-Blanche. Cette colline, d'une petite superficie, appartenait à la Confrérie des Frères vaillants et solitaires de la Rivière-Bleue, cinq sexagénaires célibataires installés là depuis toujours, qui veillaient sur un petit mausolée et un cimetière de quatre-vingts tombes. Si Slimane était chanceux : « Je partais tout juste du souk de la Montagne-Blanche, raconta-t-il, mais au lieu de prendre la route habituelle, j'ai fait un détour par la colline de Bouzitouna, histoire d'en avoir le cœur net. Je voulais me rendre compte par moi-même de ce qu'était ce lieu, objet de rumeurs, de légendes et de délires. En arrivant devant le mausolée, j'aperçus cinq vieillards en train de creuser une tombe, la quatre-vingt-unième, me dirent-ils. Ils avaient un mal fou à enterrer le mort. Je descendis de cheval, pris la pioche et creusai le trou récalcitrant. Touchés par mon geste, les frères me demandèrent si je préférais la récompense divine ou la fraternelle. Sans hésiter une seconde, je répondis que je préférais celle des frères : cent fois la surface de cette tombe que je venais de creuser – je n'étais pas gourmand, j'estimais que mon estimation correspondait à notre Auberge de la Tunisie qui se réjouit et regarde vers l'ouest. Et ils acceptèrent, mais en me demandant un petit privilège : le quart des revenus de l'Auberge leur reviendrait, pour mettre une couche de blanc sur le mausolée et les tombes, et nourrir le pauvre, l'orphelin, la veuve et la fille égarée. Je n'avais qu'à dire oui. Pardonne-moi, ma mère, si j'ai mal fait. Je n'avais pas le choix, nous n'avions pas le choix, nous sommes contraints d'accepter leur arrangement. »

Salutaire arrangement !

Le détour de Si Slimane par la colline de Bouzitouna, cette balade imprévue, tenait du miracle. Le fils de Lala Hbiba avait trouvé le lieu de notre future Auberge de la Tunisie qui se réjouit et regarde vers l'ouest, mais n'avait pas réussi à percer le mystère de Bouzitouna, la colline de Bouzitouna. Drôle de nom ! Drôle de père ! Drôle d'arbre ! Drôle d'olivier ! Drôle de langue roumie qui prive l'arbre de sa féminité ! Drôle d'arrangement ! Drôle de colline ! Dans la langue de Molière, elle devient la « colline du père de l'olivier ». Une fausse colline, une terre plate gonflée par le poids du premier mort, raconte une légende : refusant d'accueillir ce défunt, la terre s'était mise à bomber le torse, à s'élever de plus en plus et avait tout simplement fait monter le corps au ciel, la vraie demeure des morts. D'autres histoires disaient que la nature avait violemment réagi à la philosophie des Frères vaillants et solitaires de la Rivière-Bleue, êtres aux mœurs douteuses, hommes qui aimaient les hommes et privaient ainsi les femmes de la Montagne-Blanche du précieux liquide de la vie. La plaine aurait alors décidé de les renvoyer chez leur Créateur, Allah le Grand, ce qui avait provoqué l'apparition de notre petite colline. Mais le récit le plus cocasse et le plus partagé par nos compatriotes, je veux parler des dignes habitants du nord-ouest de la

Tunisie, prenait ses origines au moment de la conquête arabe de l'Espagne, vers l'an 725 : comme les nobles chevaliers arabes d'Orient manquaient cruellement de fantassins et de guerriers pour venir à bout de cette terre chrétienne, ils avaient décidé de forcer les indigènes de la Montagne-Blanche et de ses alentours à partir en guerre. On raconte que plusieurs hommes en âge de combattre avaient refusé de quitter femmes et enfants et creusé la colline de Bouzitouna pour s'y cacher et échapper à leur vengeance. Pourquoi nos hommes avaient-ils tourné le dos à la grande entreprise arabe de conquête de l'Espagne et de l'Occident ? Ils avaient exigé vingt pour cent du butin au lieu des cinq proposés par les guerriers venus d'Orient, et comme ces derniers avaient trouvé la demande excessive, les nôtres s'étaient mis d'accord pour ne pas partir et étaient allés se cacher au pied de l'olivier. Or, jadis, à ce qui se disait, les Romains, réputés pour leur maîtrise de l'art du camouflage, avaient décidé de creuser leur grenier au pied de cet olivier, qui tenait toujours le coup depuis la mort de César. Non seulement ces futés de Romains avaient percé un trou énorme dans le ventre de la plaine, mais ils avaient réussi à la soulever par endroits pour en faire une colline.

En ce qui nous concernait, nous, des déplacés du Nord-Ouest – de pauvres gens qui connaissaient la valeur du commencement des choses et de la patrie, le sol et ses hommes –, les rumeurs et les légendes autour de la colline de Bouzitouna ne nous inquiétaient pas. Seule comptait la fondation de l'Auberge de la Tunisie qui se réjouit et regarde vers l'ouest : une belle initiative qui deviendrait la demeure de notre commerce, de notre résistance et de notre espoir. C'était l'emplacement idéal, un endroit surélevé par la géographie, les légendes et les rumeurs, donnant sur la route principale reliant Béja à la Source-de-l'Aube, par laquelle passaient les voyageurs, les commerçants, les cartographes français envoyés par leur pays, les trafiquants, les bandits, les espions, les informateurs, quelques résistants qui osaient se montrer en public, les colons qui appréciaient l'odeur et l'ampleur de leurs domaines agricoles, ainsi que les soldats français. Et puis, il y avait la Rivière-Bleue, qui veillait sur les lieux.

L'auberge fut construite douze mois plus tard, en juin 1908. Si Slimane et ses deux fils la bâtirent pierre après pierre, une grande cuisine légèrement ouverte sur une grande salle divisée en deux parties : l'une réservée aux gars de chez nous et l'autre aux étrangers, les rares roumis qui seraient tentés par nos fourneaux et nos spécialités culinaires. Et derrière la salle à manger, deux grandes pièces qui serviraient aux siestes, l'une pour les indigènes, l'autre pour les étrangers. Le tout couvert d'un joli toit de chaume solidement ancré. Une semaine avant l'ouverture de l'Auberge de la Tunisie qui se réjouit et regarde vers l'ouest, Si Slimane et ses deux garçons devinrent les émissaires chargés de prêcher la bonne parole en répétant cette parole simple et amicale : « Avis à tous les habitants de notre région, à l'occasion de l'ouverture prochaine de l'heureuse auberge de Bouzitouna, vous êtes invités à venir célébrer l'événement et à manger gratuitement. Les femmes et les enfants sont les bienvenus. » Et pendant que les trois hommes portaient la bonne parole, deux femmes, Lala Hbiba et moi-même, se querellaient au sujet des agapes à offrir, le jour venu.

Lala Hbiba : Ma fille, laisse-moi faire un délicieux couscous de Fernana, j'ai à peu près trois cents kilos de semoule travaillée à la main au pied de notre regretté arbre : il sera servi avec des légumes de saison, une viande légère, du chevreau, et décoré de fruits secs, de caviar de la forêt, des pignons de pin, d'œufs durs et de halva, dit-elle.

– Sublime plat d'hiver, oui, d'hiver, un plat qui sera notre allié quand nous passerons à l'étape secrète : le combat. C'est un plat lourd qui nous rendra service en temps de guerre. Il sera servi pendant trois mois : décembre, janvier et février. Une fois que les colons, les autres roumis et les gars de chez nous qui les accompagneront auront mangé ton couscous sublime, nous leur offrirons de l'eau-de-vie de figue, histoire de les assommer et de les faire parler.

– Donc, je ne peux pas faire le couscous de Fernana ?

– Si, tu le feras, mais pas en plein mois de juin.

– Que donnera-t-on aux invités, alors ?

– Ceux qui viendront pour l'ouverture seront des gars d'ici, des voisins, ils mangeront vite et repartiront dès qu'ils auront le ventre plein. Pas de chichis, pas de stratégie avec eux, on fera simple : une salade d'été de la Colline-Rouge et de la viande grillée suffiront. Pour le dessert, on leur proposera des fruits du mois de juin.

– Une salade d'été ?

– Oui.

– Qu'est-ce que c'est ?

– Une salade : échalotes, tomates de la Rivière-Bleue, raisins secs, huile d'olive, *halhala*, de délicieuses feuilles qui poussent au bord de la rivière, et amandes.

– Curieuse salade de la Colline-Rouge.

– Pourquoi, curieuse ?

– Parce que la nôtre est à base de pastèque, de pignons et de raisins secs.

– Ce n'est plus une salade, c'est un dessert. Et en plus, ce n'est pas la saison des pastèques. Nous ferons la salade de notre coin, sinon les gars de chez nous ne vont pas être contents, et nous gardons donc ton idée de couscous de caractère pour plus tard : l'hiver, la résistance et notre vrai combat.

– Et la sieste ?

– Après un couscous bien garni et mangé honnêtement, tout humain qui se respecte se doit de faire la sieste.

– Tu n'oublies pas de me dire quelque chose ?

– L'eau-de-vie de figue ? À part ça, je ne vois pas de quoi tu parles.

– Tu ne me caches rien ?

– Non.

– Es-tu sûre ?

– Oui.

– Nous sommes entre femmes, tu peux tout me dire.

– Que veux-tu que je te dise ? Que des filles de joie feront la sieste avec les clients ? Avec les roumis avides de femmes bronzées et de leur petite demeure bien étroite ?

– Des filles de joie ! Allah te pardonne.

– Qu'Il commence par te pardonner.

– Qu'est-ce qui te prend ?

– Tu me soupçonnes, tu doutes de moi, alors que nous partageons la même histoire, la même tragédie. Lala Hbiba, nous sommes deux sœurs, nous sommes une famille, nous sommes la patrie.

– Un, je ne suis pas ta sœur, deux, je suis de Fernana et toi d'Alger.

– Et tu crois qu'il y a une différence entre Fernana et Alger ? Non, nous partageons le même destin, la même tragédie : le malheur d'être occupés par une superpuissance venue jadis chasser le corsaire et ramasser du bois pour faire marcher ses trains et meubler ses demeures. Nous sommes deux femmes déplacées à cause du bois : toi, pour avoir choisi un arbre, le chêne-liège, comme patrie, moi, à cause d'un foutu chasse-mouches.

– Des mouches ?

– Oui.

– C'est quoi, cette histoire de mouches ?

– Trop long à expliquer, ça remonte à 1827, trois ans avant l'expédition punitive française. Mettons-nous d'accord sur le menu, je te raconterai le chasse-mouches après l'inauguration de l'Auberge de la Tunisie qui se réjouit et regarde vers l'ouest.

– Je peux attendre. Mais crois-tu qu'on va s'entendre ?

– Oui.

– Excuse-moi, je te pose la question parce que je suis devenue une femme désabusée depuis la mort de mon mari.

– Tu es une mère pour moi.

– À propos de la sieste, il n'y a pas d'amalgame possible ?

– Une déracinée ne connaît pas l'amalgame.

– La femme de Fernana non plus.

– Oui, j'ai dit sieste après le déjeuner. Mais pas d'auberge ouverte le soir, pas de filles de joie, pas de parasites. Le soir, nous rentrerons chez nous.

– Les choses sont claires.

– Dieu merci !
– Viens que je t'embrasse et te prenne dans mes bras.
– Embrassons-nous, mettons fin au malentendu !

Une semaine d'impatience suivit notre querelle féminine sans grandes conséquences. Enfin l'événement tant attendu arriva : l'ouverture de l'Auberge de la Tunisie qui se réjouit et regarde vers l'ouest. Soixante-quinze convives, des voisins, vinrent manger les trente-sept mille cinq cents grammes de viande d'agneau accompagnés de la salade de la Colline-Rouge. Les premiers morceaux de viande à peine dans leurs bouches, l'irruption d'un roumi et de ses soldats mit fin au festin et à l'Auberge de la Tunisie qui se réjouit et regarde vers l'ouest.

Maudite colline de Bouzitouna ! Maudit espoir, ce fils de rien !

Un militaire français, sans doute un officier, ordonna l'évacuation des lieux. Quelques récalcitrants résistèrent et poursuivirent leur repas. Nerveux, les soldats étaient en quête de je ne sais quoi. Muni d'une carte, un homme en civil les orientait et leur demandait de concentrer leurs recherches autour du cimetière, de l'auberge et du mausolée : « Il y a bien une ouverture quelque part, trouvez-la, elle vous conduira jusqu'au sous-sol il faut trouver les armes », déclara-t-il. Tout en dirigeant ses soldats, l'homme à la carte cherchait visiblement un interlocuteur dans l'auberge.

– Y a-t-il quelqu'un qui parle français dans ce coin perdu ? demanda-t-il.

J'avançai vers lui et répondis :

– Moi.

– Vous parlez français ? C'est très bien ! Dites à vos invités de prendre leur viande et d'aller ailleurs, un peu plus loin, dans la plaine. À partir de maintenant, la colline de Bouzitouna est déclarée propriété de l'État français. Il s'agit d'une zone extrêmement sensible. Elle passe sous l'autorité de l'armée et sera placée sous sa surveillance.

– Mais il n'y a rien par ici.

– Ce rien intéresse grandement nos autorités.

– Nous avons mis une année à bâtir l'auberge. Il faut nous indemniser ou nous laisser travailler.

– Ne discutez pas, partez d'ici, sinon les soldats vous expulseront de force.

– Je peux vous être utile, je peux faire l'interprète si vous le souhaitez, je suis parfaitement bilingue.

– Vous parlez le latin aussi ?

– Le quoi ?

– Nous nous débrouillerons tout seuls. Allez dire aux vôtres et à vos clients de partir illico.

– Nous sommes chez nous, ici.

– Chez vous ?

– Oui.

– Soldats ! appela-t-il.

Je compris qu'il était inutile de négocier, l'homme était très déterminé à en découdre et au moment où je m'apprêtais à aller voir Lala Hbiba pour lui annoncer la triste nouvelle, un soldat cria très fort :

– Il est où, monsieur l'archéologue ? Nous avons découvert l'entrée qui mène au sous-sol et à la cache. Il n'y a pas d'armes, mais c'est une vraie caverne d'Ali Baba, des antiquités vieilles comme le monde...

– Espèce de bavard, arrête, l'interrompit l'homme à la carte. Ne dis jamais les vérités devant les indigènes. Ferme-la !

Lala Hbiba ne voulait pas partir. Elle n'acceptait pas l'injustice faite à l'Auberge de la Tunisie qui se réjouit et regarde vers l'ouest. Très en colère, elle s'approcha de l'archéologue à la carte et le frappa au visage. Un soldat excité lui tira une balle dans la tête. Elle s'effondra devant nous. Un attroupement se forma autour du corps. Nos hommes lancèrent des pierres et crièrent en direction des envahisseurs. Ces derniers répliquèrent par des coups de feu en l'air et ordonnèrent la dispersion de la foule. L'homme à la carte nous proposa un marché : soit on récupérait le corps dans le calme et on partait, soit tout le monde était arrêté. Quelques convives continuaient de proférer des injures et de lancer des pierres.

Si Slimane récupéra le corps de sa mère, l'installa sur le cheval, ordonna à ses deux garçons d'aller chercher les autres chevaux et m'annonça qu'ils rentraient chez eux, à Fernana, pour enterrer sa mère. « Tu peux garder la maison de la Colline-Rouge », me dit-il.

ZINA

Ma fille, Mabrouka, j'ai quarante-sept ans, tu en as dix, l'âge où nos filles se nourrissent des histoires de leur mère et s'emparent de la mémoire.

Une fois ta grand-mère revenue à la Colline-Rouge, elle se dirigea vers sa chambre, ouvrit sa mallette, sortit quelques feuilles pliées et lut à voix haute : « Autres merveilles : tombes antiques monumentales, possibilité de creuser pour chercher l'or ; Montagne-Blanche, abondance de monnaies anciennes et médiévales, romaines et arabes ; visiter le temple de Jupiter à Zagua le soir ; objets phéniciens sous la maison du Cercle des poètes guerriers de Tabarka et de l'enfant perdu ; voir du côté du Cap-Nègre, gros héritage phénicien… et romain ; attention : la colline de Bouzitouna serait le lieu de la grotte romaine ; à visiter discrètement. Maintenant que les Français veillent, ce sera très difficile pour nous de nous emparer de notre passé. » Elle s'arrêta plusieurs fois sur la mention de la colline de Bouzitouna et se mit à pleurer.

La mort de Lala Hbiba et la fin précoce de l'Auberge de la Tunisie qui se réjouit et regarde vers l'ouest avaient fait couler les premières larmes de ma mère. Elle pensait sans doute à la Cité des femmes affranchies et autarciques de l'Est algérien, à sa vie d'avant, mais je peux te dire qu'à partir de ce moment-là elle est devenue l'ombre d'elle-même, un être triste, même si elle a toujours su garder son amour pour moi et son art inné de la débrouille. Avant de sombrer dans le silence, elle me mit en garde : « Je te confie cette mallette et le passé de nos femmes, transmets-les, ne trahis jamais et garde surtout les hommes à l'écart, garde-les à l'écart, y compris les tiens. Ne les laisse pas s'emparer de notre mémoire, car ils ne savent pas quoi faire du passé. »

À notre retour à la Colline-Rouge, nous nous retrouvâmes toutes les deux dans la maison léguée par Si Slimane, qui faisait face à cinq demeures vides, le tout dans un silence inquiétant qui dura sept jours. Oui, sept jours, et cette absence de parole entre une mère et sa fille fut interrompue le huitième jour par un crieur égaré chez nous, sans doute payé par les autorités françaises qui géraient le gouvernement des indigènes du Grand Nord-Ouest. Il passa par la colline pour annoncer ceci : « Avis à tous les hommes et femmes de la région, avis à tous ceux qui veulent gagner dignement leur vie. Une épidémie qui tombe à pic pour vous, une épidémie dévastatrice vient d'envahir le Cou-Froid : depuis une semaine, des chiens enragés s'attaquent au domaine de l'honnête colon Marianni, mordent les sangliers au ventre, mangent les vignes et les céréales, et urinent sur les figuiers. Les hommes sont invités à prendre leur fusil pour éliminer les klebs, et les femmes à allumer le grand feu pour les brûler et faire disparaître la rage. Le seigneur Marianni offre une forte récompense aux hommes et aux femmes qui accepteront cette mission et nettoieront le Cou-Froid de l'épidémie. Venez nombreux demain matin. Venez vous inscrire auprès de l'homme à tout faire de monsieur Marianni et tâchez d'éviter la morsure des bêtes ! » cria-t-il.

Ma mère leva les bras au ciel, embrassa le Tout-Puissant et dit : « Voilà ce qui arrive quand on s'attaque à un enfant, voilà ce qui arrive quand on torture un enfant, voilà ce qui arrive quand on touche à nos figuiers. La justice divine triomphe toujours. Maintenant que Mabrouk est vengé par nos chiens, je dois me ressaisir, il faut que j'expulse ma tristesse, il faut que je me remette au travail, il faut que je trouve la voie du salut, il faut que je repeuple la Colline-Rouge. Il y a toujours cinq maisons à occuper, il suffit de faire venir trois ou quatre familles honnêtes. Il faut que j'ouvre un commerce, il faut que je gagne la guerre ! »

Le lendemain matin, assises toutes les deux devant la maison, au pied d'un arbre généreux en ombre et en douceur estivale, nous entendîmes des coups de fusil et des chiens qui aboyaient de rage, de fureur et de douleur. Et au bout de quatre heures, tout ce bruit assourdissant fit place aux flammes et à l'odeur de chair canine. À l'époque, on parlait de cent trois chiens réduits en cendre. Ce fut une vraie fournaise. La fumée envahit le ciel bleu et boucha l'horizon. Suite à cette gigantesque grillade, le Cou-Froid devint le cimetière de la vie, plus rien n'y poussait, ni arbres, ni herbe, ni figuiers, même les voyageurs et les chiens raisonnables l'évitaient. Imitant les autres êtres vivants, le colon Marianni quitta les lieux et jeta son dévolu sur une autre terre. Certains disaient que cette histoire de rage et de klebs poussa le colon à regagner sa Drôme natale.

Après les flammes, le grand sacrifice et la malédiction, nous reprîmes nos habitudes de mère et fille : installées devant la maison, nous contemplions l'horizon en espérant des jours meilleurs. De la Colline-Rouge, on pouvait apercevoir la Montagne-Blanche. S'y tenait une fois par semaine le célèbre souk du mercredi, ce qui donna à ma mère une idée pour nous sortir de l'impasse. Douze jours après la mort de Lala Hbiba et le départ de son fils pour Fernana, elle m'annonça avec une fougue et un enthousiasme tout frais :

« Aujourd'hui, nous allons au souk, j'ai l'intention d'acheter un cheval et une carriole, c'est bien pratique pour se déplacer et porter les affaires. Ma fille, ma détresse et ma tristesse prennent fin aujourd'hui, j'arrête de me tourmenter avec la guerre et la résistance, j'arrête de penser à la défaite et au grand déplacement, je vais me consacrer au commerce. De toute façon, les gens d'ici n'aiment pas la guerre, ils préfèrent le commerce au combat, je ne vais quand même pas leur apprendre à défendre leur pays. Oui, nous allons acheter un cheval et une carriole. Et adopter un homme aussi. Ne t'offusque pas, tu seras toujours mon unique enfant que je continuerai d'éduquer tous les soirs, nous allons toutes les deux adopter un homme au souk de la Montagne-Blanche, pas n'importe qui, un homme âgé et en bonne forme physique, capable de marcher, de faire ses besoins tout seul, de porter le fusil et de tirer en cas de besoin, de monter à cheval, un veuf sans descendance, un père pour moi et un grand-père pour ma Lala Zina préférée, un homme qui viendra habiter avec nous, il sera le maître de la maison et nous protégera. »

Pour une petite fille de mon âge, cela avait semblé curieux.

– Maman, comment fait-on : on achète d'abord le cheval et la carriole, et on adopte ensuite le vieux monsieur, mon futur grand-père ? lui demandai-je.

– Je n'ai pas encore réfléchi à l'ordre des choses, j'aviserai une fois sur place.

– Et comment vas-tu le trouver, cet homme à adopter ? Tu vas peut-être demander au crieur du coin d'annoncer à tout le monde que Lala Gamra, une femme algérienne exilée ici, et qui se retrouve soudain propriétaire de six maisons sur la Colline-Rouge, cherche un vieillard, veuf et sans enfants, pour venir habiter avec elle et la protéger.

– Impertinente, non je ne vais pas engager un crieur pour rechercher l'homme qu'il nous faut.

– Ma maman adorée, ma douce mère, je pense que c'est une petite folie, nous ne connaissons personne par ici, on peut donc te tromper facilement. Tu vois bien que depuis ton arrivée à la Source-de-l'Aube tu n'as pas réussi à nous établir dans un endroit pendant longtemps.

– Ma fille, c'est la guerre, il faut que nous trouvions notre compte sur cette terre étrangère : depuis l'assassinat de Lala Hbiba, je commence sérieusement à douter de ce pays et de ses habitants. Je pense qu'il nous faut un homme, peut-être que le destin changera alors de visage.

– Et pourquoi ne pas faire appel à des familles sans

toit, des familles avec des enfants qui rendraient la vie agréable sur la Colline-Rouge ? Tu sais, je serais contente qu'il y ait des enfants de mon âge ici, des enfants qui puissent t'aider à renouer avec ta vocation première : l'éducation. Mère, enseigne-moi en groupe, enseigne-nous, fais venir d'autres enfants, je t'en prie, laisse des traces par ici, marque ton territoire, fais quelque chose d'autre, pense à Lala Hbiba, la véritable maîtresse des lieux, la femme assassinée par les Français parce qu'elle tenait à votre belle création : l'Auberge de la Tunisie qui se réjouit et regarde vers l'ouest.

– Tu as peut-être raison, mais il est très difficile de déplacer des familles par ici, en revanche, un homme seul à qui on dit qu'il sera logé et nourri sera plus facile à convaincre. Ne t'inquiète pas, on verra bien sur place.

– Non, je ne veux pas de grand-père, je veux t'avoir toi comme mère, père, grand-père, grand-mère, sœur et amie.

– Ne pleure pas !

– Laisse-moi !

– Viens que je te prenne dans mes bras !

– Oui, mais à condition d'abandonner ton idée.

– Je n'aime pas ce chantage.

– Allons au souk, on verra après.

– Tu es une fille très dure.

– Je suis une fille de l'exil, la tienne.

– J'aurais dû attendre un peu pour débuter ton éducation, car on ne dit pas des choses pareilles à ton âge. Allons, marchons, nous verrons bien sur place.

Nous nous dirigeâmes tranquillement vers le souk de la Montagne-Blanche, un énorme terrain situé au bord de la Rivière-des-Orphelins et protégé par un mur d'un mètre de haut. Ma mère voulut d'abord voir les chevaux, histoire de repérer un bel animal. Pour accéder au coin réservé aux bêtes, nous entrâmes dans le souk par la porte des cordonniers, où cinq artisans postés là réparaient les chaussures usées par la marche et le soleil. Le souk s'étendait sur une seule longue rangée. Juste après les cordonniers, il y avait les menuisiers, les forgerons, un armurier et les vendeurs de tapis. Le coin des fruits secs, situé juste après, attira particulièrement notre attention, car il y avait un marchand qui vendait uniquement des pignons de pin et n'arrêtait pas d'attirer une foule de clients. Il savait utiliser sa voix et vanter son produit : « Venez par ici, venez goûter la merveille de la Montagne-Blanche, celle qui a fini par détrôner le fruit persan, je vends le caviar de la forêt, je vends le fruit qui fera le bonheur des jeunes mariés, je vends le caviar qui nettoiera vos poumons, vos estomacs et vos âmes. Venez goûter mes pignons de pin ! » criait-il. Ma mère me dit que ce type avait de la chance parce que son commerce marchait bien.

Dans le coin réservé aux meuniers, on avait improvisé un bureau de recrutement de jeunes ouvriers agricoles pour les grandes plaines des environs. Après le bureau, un vieux monsieur avait installé par terre d'anciens livres, des produits aphrodisiaques et des parfums. Lui aussi vantait son commerce : « Je vends le Coran, la vérité, le plaisir et le salut ! » hurlait-il fièrement. Quelques heures plus tard, ma mère m'avouerait avoir reconnu deux ou trois livres de la bibliothèque de la Source-de-l'Aube, du temps où elle travaillait pour Alaya du Cou-Froid. Nous traversâmes la partie réservée aux bouchers, puis nous atteignîmes l'endroit du cheval tant espéré de ma mère. Elle me dit de faire un tour complet des bêtes pour repérer la perle qui nous plairait à toutes les deux. Au bout de quinze minutes, elle jeta son dévolu sur un élégant cheval gris : « Est-ce que je peux m'approcher de cette belle créature ? » demanda-t-elle à l'éleveur. Ce dernier répondit : « Oui, mais faites attention, ne vous mettez pas derrière lui, car il a tendance à donner des coups violents. » Ma mère s'approcha du cheval, prit sa tête entre ses mains, mit son front contre le sien et commença à lui parler discrètement.

– Que faites-vous ? lui dit le propriétaire de l'animal.

– Je fais connaissance, expliqua ma mère.

– Mais il faut d'abord payer avant d'entrer en communication avec le Précieux, rétorqua le monsieur.

– Combien en voulez-vous ? questionna ma mère.

Au moment où le propriétaire s'apprêtait à prononcer le prix, un gars de chez nous, accompagné de dix gendarmes français, vint interrompre les négociations. Il annonça que tous les chevaux étaient réquisitionnés et vendus à la gendarmerie de Béja, ville située à quarante-quatre kilomètres de la Montagne-Blanche. Les forces de l'ordre encerclèrent les lieux. « Partons avant que les choses ne s'enveniment », ordonna ma mère. Nous prîmes quelques maigres provisions (viande et farine) et rentrâmes à la maison. Sur le chemin, ma mère ne cessait de se lamenter : « Ma fille, je rate tout ce que j'entreprends depuis que j'ai quitté La Calle et la Cité des femmes affranchies et autarciques de l'Est algérien, je rate tout depuis mon arrivée à la Source-de-l'Aube, je ne trouve pas de bons alliés sur cette terre, j'ai l'impression que les gens d'ici se contentent de peu. Mais ta présence me rassure et me donne un peu d'espoir. Je pense avoir accompli une bonne partie de ton éducation et je compte bien la poursuivre jusqu'à mes derniers jours : je t'apprendrai la langue des hommes, les nôtres et les autres, je ferai de toi une femme affranchie et heureuse, et tu sauras tout sur la vie », me dit-elle avec douceur et fierté. Ma mère était particulièrement bavarde, elle avait retrouvé son enthousiasme algérien, même si notre escapade au souk de la Montagne-Blanche avait été un fiasco total : ni cheval, ni carriole, ni homme adopté.

De retour à la maison, Lala Gamra me chargea de préparer les *mlawis*, notre pain chéri fait à base de farine, d'eau, de levure, d'huile d'olive et d'un chouïa de sel. Une fois la pâte prête, je la coupai en vingt boules bien huilées que j'étalai soigneusement pour obtenir mes vingt galettes bien épaisses. Ma mère alluma deux feux doux au pied d'un arbre : l'un pour le pain, l'autre pour faire griller les quelques morceaux de viande et les deux cent cinquante grammes de foie achetés au souk. Je n'avais plus qu'à nettoyer mon plat, le tajine en terre cuite, et à le mettre sur le feu pour chauffer et accueillir mes galettes les unes après les autres. Tout fut prêt au bout de trente minutes. Mais avant de commencer à manger, ma mère me dit de prononcer à voix haute notre gratitude au Tout-Puissant : « Au nom d'Allah... » Et avant même d'aller jusqu'au bout de notre prière, l'Omniprésent vint interrompre notre éloge et nous offrit un des miracles dont Il a le secret. Et quel miracle ! Il fit descendre sur nos têtes deux pommes de pin bien vertes. Ma mère leva les yeux au ciel et cria : « Zina, Zina, Zina, tu vois ce que je vois ? Je crois, non, je suis même sûre, Allah nous envoie le caviar de la forêt, Allah nous envoie le salut. Finissons de manger vite et allons scruter l'arbre, non, prends le pain et les morceaux de viande, et viens avec moi ! »

Nous découvrîmes alors l'arbre qui nous servait toujours de parasol pendant les longues heures d'été : rempli de pommes de pin, il trônait au milieu des maisons de la Colline-Rouge. Pourquoi ne levons-nous jamais les yeux vers le ciel ? Mystère ! « Ma fille, future Lala Zina, regarde toujours en face de toi pour savoir où tu mets les pieds, mais n'oublie pas de lever les yeux au ciel, n'oublie surtout pas de parler aux arbres et aux oiseaux, peut-être que tu pourras apercevoir le Tout-Généreux », dit ta grand-mère. Intriguée par cet arbre, ma mère insista pour qu'on prospecte les alentours des maisons, en particulier l'autre versant de la Colline-Rouge, l'endroit où on n'allait jamais parce qu'il annonçait la grande forêt, les loups, les sangliers et autres êtres sombres et maléfiques. Là se dressaient cinquante arbres à perles : des pommes de pin en abondance. « C'est ma première vraie joie depuis la Cité des femmes affranchies et autarciques de l'Est algérien ! » avoua-t-elle. Je pardonne à ma mère, Lala Gamra, cet écart de langage. Je pardonne tout à Gamra. Je pardonne tout à la femme qui a bâti l'Auberge de la Tunisie qui se réjouit et regarde vers l'ouest. Je pardonne tout à la femme qui a vu disparaître son rêve.

Cette découverte me rendit euphorique : il suffisait d'aller chercher soigneusement le pignon à l'aisselle de chaque écaille du cône, mais ma mère, toujours elle, refroidit mon enthousiasme naissant en m'expliquant clairement les saisons, les choses et les fruits : « Il faut attendre l'hiver, sans doute, janvier ou février. Ce n'est pas grave, nous n'allons pas attendre longtemps », me dit-elle. Impatiente de savoir, je lui coupai la parole :

– Et peux-tu me dire pourquoi nous allons attendre le froid pour cueillir le caviar de la forêt ?

– Tu te souviens du marchand du souk de la Montagne-Blanche qui faisait l'éloge de ses pignons de pin : « Je vends le caviar de la forêt, je vends le fruit qui fera le bonheur des jeunes mariés, je vends le caviar qui nettoiera vos poumons, vos estomacs et vos âmes ! » On ira le voir mercredi prochain.

– Pourquoi faire ?

– Pour lui vendre nos pignons de pin.

– Et qui te dit qu'il va accepter d'acheter son caviar chez nous ?

– Ça serait stupide de sa part de refuser.

– Et s'il refuse ?

– Il ne refusera pas.

– Et s'il refuse ?

– Il ne le fera pas.

– Et s'il nous arnaque ?

– Il ne peut pas nous arnaquer, car il aura à sa disposition des arbres pleins de pommes de pin.

– Maman, tu n'arrêtes pas de te plaindre des gens d'ici depuis ton départ de La Calle et ton installation ratée à la Source-de-l'Aube, tu m'as souvent répété que tous les hommes que tu as côtoyés ont fini par te trahir, et maintenant, tu vas livrer le caviar de la forêt de la Colline-Rouge à un parfait inconnu.

– Nous sommes obligées de faire confiance à cet homme, nous n'avons pas le choix.

Nous allâmes donc voir le marchand, le mercredi d'après. Il était sept heures du matin. L'homme venait juste d'ouvrir ses sacs et d'installer son étalage. Ma mère voulait lui parler tout de suite de sa grande découverte, mais il répondit sèchement : « Je ne traite jamais mes bonnes affaires à cette heure de la journée, je n'achète rien, je ne dépense jamais mes sous avant d'avoir écoulé tout le caviar qui guérit le poumon, l'estomac et l'âme, et rend le sourire à tout jeune aspirant au mariage et à la nuit de noces. Je vous invite à revenir me voir à la fin de ma journée, entre onze heures et midi trente. » Une réaction franche qui nous laissa le temps de déambuler et de faire notre inspection du souk. Au marché des bêtes, le coin réservé aux chevaux avait disparu depuis une semaine. Deux nouveaux bureaux de recrutement avaient vu le jour : le premier était réservé aux femmes de ménage appelées à travailler chez les colons, et le second aux gardiens de la forêt. Le libraire qui vendait le Coran, la vérité, le plaisir et le salut était toujours là. Ma mère refusait toujours d'aller l'aborder pour lui demander d'où il tenait les quelques beaux livres qui appartenaient à la bibliothèque de la Source-de-l'Aube. Chez les bouchers, les mouches étaient plus nombreuses que les clients.

Comme nous n'avions pas mangé avant de partir au souk, nous cherchâmes à nous restaurer sur place, mais à part les fruits secs et la viande crue, il n'y avait rien à se mettre sous la dent. Il nous faudrait patienter jusqu'à notre retour à la Colline-Rouge. L'attente fut trop longue.

Au bout de deux heures, ma mère proposa que nous nous asseyions discrètement non loin du vendeur de pignons de pin et du libraire, histoire d'observer l'ampleur de leur commerce et de leur mensonge. Le libraire s'ennuyait à mourir, même si, de temps à autre, un homme s'arrêtait pour lui demander un remontant qui l'aiderait à retrouver toute sa virilité. Le marchand de pignons vendait, criait, encaissait, mettait l'argent dans ses poches qu'il secouait frénétiquement. Tout était liquidé aux alentours de onze heures. Nous retournâmes le voir pour lui parler de notre affaire. Il accepta de venir constater le trésor de la Colline-Rouge, le jour même. Il rangea ses sacs et quatre caisses vides dans sa carriole, qu'il attacha soigneusement à son cheval. « Montez sur la carriole, nous dit-il, allons voir vos arbres de très près. » Sur le chemin, il reconnut ne pas savoir où se situaient la Colline-Rouge et ses arbres généreux. Son caviar à lui venait des forêts de Fernana, de la Source-de-l'Aube et de Tbaba. En arrivant sur les lieux, ma mère lui fit faire la visite du domaine. Satisfait de ce trésor méconnu, il nous proposa un peu d'argent, prix de notre patience jusqu'à l'hiver, saison où il reviendrait avec ses ouvriers cueillir les pignons de pin et payer le reste de l'argent. Combien ? Je ne sais pas. Mais l'arrangement avait tout pour plaire à ma mère. Elle en était même ravie.

L'homme revint nous voir sept mois après cet accord, au mois de janvier 1909. Il était accompagné de plusieurs ouvriers, des gars de chez nous, de deux gardiens de la forêt habillés en vert et de vingt gendarmes venus spécialement de Béja pour veiller au bon déroulement de la transaction. Oui, il revint comme prévu, en hiver, pour cueillir les pignons de la Colline-Rouge, le caviar de notre digne colline, cet endroit merveilleux qui nous avait été transmis par Lala Hbiba, la grande dame de Fernana. Dès son arrivée, le marchand ordonna aux ouvriers de commencer la cueillette et de rassembler tout le caviar devant la grande maison. Ma mère l'interrompit pour lui faire comprendre qu'il ne pouvait pas le ramasser sans en avoir d'abord négocié le prix. Sans accorder le moindre égard à la parole de Lala Gamra, il poursuivit ses recommandations à l'adresse de ses ouvriers. Ne voulant pas se laisser impressionner par l'intrus, ma mère haussa le ton : « Il faut qu'on négocie, il faut me payer avant de toucher à mon fruit ! » dit-elle au marchand, mais ce dernier continua de l'ignorer tout en se tournant vers les deux gardiens de la forêt : « Préparez-moi tous les papiers et les témoignages qui concernent cette colline et les zones voisines », leur ordonna-t-il. Et il ajouta à l'adresse des gendarmes de Béja : « Tenez-vous prêts ! » Puis se tournant vers ma mère :

– Vous vous appelez bien Lala Gamra ?

– Et vous, comment vous appelez-vous ? lui demanda ma mère.

– Moi, on me connaît de l'autre côté de la frontière et de la mer, j'ai même une petite réputation à Paris, je suis connu ici et ailleurs, je m'appelle Jbali, l'homme des montagnes, et voici mes amis, mes alliés et mes protecteurs : Khanis, un gars de chez nous, le gardien de la forêt basse, et Émile, arrivé il y a une semaine tout droit de ses Cévennes natales pour garder notre forêt haute ;

mais je vous présente surtout les gendarmes de Béja, des gens très bien à qui je rends des services.

– Et pourquoi êtes-vous venu avec deux gardiens de la forêt et des gendarmes ? Ils vont peut-être faire la cueillette avec vous.

– Tu as le sens de l'humour, ma belle !

– Pourquoi sont-ils là ?

– Ils sont là pour te mettre dehors. Tout d'abord, les deux gardiens de la forêt vont te signifier la loi et l'acte d'expulsion, mais comme je suis un homme bon, je te laisse le choix de l'interlocuteur et la voix de la sentence : le gars de chez nous, qui te parlera avec mépris, ou notre bon Émile ?

– Peu importe !

– Bon, comme tu ne pratiques pas la langue de mes bienfaiteurs, Khanis se chargera de te faire comprendre la loi. C'est à toi, mon bon Khanis !

– Depuis l'arrivée de nos protecteurs français, dit le gars de chez nous, toute la forêt de la Montagne-Blanche, de Fernana, d'Aïn Draham, de la Source-de-l'Aube, du Cap-Nègre, de Sidi Michrig, de Wichtata, de Zagua, de Tbaba, de Siliana, du Kef, de la Fontaine de Sidi Youssef et de tous les coins hauts de la Tunisie appartiennent à l'État, je veux dire aux nouveaux maîtres des lieux, les Français, ce peuple digne qui a eu la bonté de venir nous protéger et peupler une terre en manque d'hommes et d'intelligence. Depuis cette divine et impériale loi, il est interdit aux indigènes d'habiter la forêt, d'y élever des bêtes, de couper les arbres et les branches, d'y bâtir des maisons et des tombes. Pour toutes ces raisons, les autorités compétentes ont décidé de vous expulser d'ici. Ensuite, les six maisons seront défaites pierre par pierre.

– J'espère que vous avez bien compris, reprit Jbali. Épargnez-nous vos larmes et vos cris ; les maisons seront détruites ; et mes ouvriers porteront les pierres pour la fortification d'une autre colline : Bouzitouna. Nos amis français y ont trouvé un vrai trésor.

Et pour nous signifier le sérieux de leur décision, ils s'attaquèrent au démantèlement de la grande maison, celle bâtie par les regrettés Hbiba et son mari. Affligées mais dignes, nous regardâmes notre demeure s'effondrer. Ils ne nous laissèrent même pas le temps de récupérer nos provisions. Seule la mallette de Lala Sihème fut sauvée.

Ma mère ne manifesta aucun signe de résistance, elle n'en avait pas envie, elle s'était résignée à l'idée d'accepter les événements et commençait à faire sienne l'attitude des gens de la région : se contenter de peu, oui, de peu, ce bâtard, cet enfant terrible du destin.

L'homme qui nous chassa de la Colline-Rouge, ce maudit Jbali qui vendait le caviar de la forêt, était le collabo le plus célèbre de tout le nord-ouest de la Tunisie, celui qui dénonçait les rares résistants ayant élu la forêt comme domicile et tous les abrutis qui mettaient le feu dans la forêt pour apaiser je ne sais quelle colère.

Privées du caviar de la forêt et de notre maison de pierre, nous nous retrouvâmes encore une fois sur la route de l'exode.

Après avoir récupéré la mallette et dit adieu à la Colline-Rouge et à ses pignons de pin, nous longeâmes la Rivière-Bleue, située exactement entre le Cou-Froid, ce lieu maudit par Allah et détruit par les chiens enragés, et la colline de Bouzitouna. Arrivées au bord de la route principale, l'axe qui reliait Béja à La Calle, en passant par la Source-de-l'Aube et Tabarka, ma mère s'arrêta un moment, regarda à gauche, leva la tête vers le ciel, poussa un long soupir, baissa la tête, regarda à droite et dit : « Nous marcherons à droite, vers la Montagne-Blanche. C'est le moment de connaître cet endroit en dehors de son souk. Et puis, on pourra toujours poursuivre notre route au-delà, vers d'autres lieux où le salut et le bonheur ont droit de cité. »

Nous nous mîmes alors en chemin avec l'espoir de trouver une solution avant la tombée de la nuit. Nous atteignîmes notre destination au bout de vingt minutes. À part deux échoppes ouvertes, il n'y avait personne dans les rues. Ma mère était malheureuse, fatiguée et nerveuse. Après avoir erré pendant quelques instants dans une Montagne-Blanche déserte, Lala Gamra cessa de marcher et dit : « Nous ne dormirons pas dehors ce soir, allons voir la mosquée, la demeure de Dieu accepte les femmes égarées. » Nous allâmes donc frapper à la porte de la maison divine entre les deux prières du soir, moment idéal selon ma mère pour aborder l'imam et le supplier de secourir une femme et sa fille dans le besoin.

La porte de la mosquée était ouverte. Pas de fidèles à l'intérieur. Un homme vêtu en blanc rangeait des livres et pestait contre les croyants qui abîmaient les ouvrages de la bibliothèque. Comme il ne remarquait pas notre présence, ma mère finit par rompre le silence et lui dit : « Imam vénéré ! » Il déposa par terre les quatre livres qu'il tenait dans ses mains et répondit :

– Que faites-vous ici ?

– Nous venons prier dans la maison de Dieu et solliciter votre aide, annonça ma mère.

– La maison d'Allah est bâtie depuis des années pour accueillir tout le monde : hommes, femmes, jeunes filles, jeunes garçons et toutes les âmes égarées, déclara l'imam. Mais vous aider… à cette heure-ci !

– On vient de nous chasser de chez nous. Nous avions une grande maison à la Colline-Rouge et une fortune jusqu'il y a trois heures, mais ce diable de Jbali est venu nous mettre dehors.

– Ma fille, pas de diable ici ! Mais dites-moi, comment avez-vous pu acquérir une maison à la Colline-Rouge alors que la loi de l'occupant l'interdit ?

– C'est trop long à expliquer.

– Bon ! Écoutez-moi bien, je vais d'abord faire la dernière prière du soir, installez-vous au fond de la salle, on reprendra la conversation après, je verrai comment vous aider. Prions ! Et, surtout, n'oubliez pas de demander de l'aide à Allah, Lui seul peut vous sauver de l'injustice des hommes.

– Oui, nous allons prier, acquiesça ma mère.

– Ne vous inquiétez pas, ça ne va pas être trop long.

– Je ne m'inquiète pas, moi et ma fille préférons prier toute la nuit, nous aimons rester éveillées pour célébrer la gloire divine.

– Allez, concentrez-vous, l'appel à la prière va commencer, une fois que tout le monde sera là, je veux dire que tous les hommes seront là, je fermerai la porte de la mosquée pour que vous puissiez vous mettre au dernier rang, derrière les hommes, car, ici, chez moi, je préfère que les femmes regardent le dos des hommes.

Au bout de quatre *rakaats*, quatre contacts bien appuyés du front des fidèles sur le tapis, l'imam gratifia d'abord sa droite, puis sa gauche, de la paix divine. Tous les fidèles firent de même. Nous aussi. Mais avant même que sa paix eût franchi la porte de la demeure sacrée pour se répandre ailleurs, un attroupement de fidèles, que des hommes, se forma autour de lui. Ils parlèrent en même temps. Certains se plaignaient de leurs voisins qui n'arrêtaient pas de s'étendre sur leurs terrains. D'autres voulaient savoir ce que prévoyait la loi d'Allah en cas d'injustices commises par le colon. Un homme voulait s'assurer que sa femme pouvait aller faire le ménage chez le colon sans offusquer le Coran. Deux frères, visiblement très remontés contre l'imam, râlaient beaucoup parce que la fatwa qu'ils attendaient depuis trois semaines tardait à venir, et cela compliquait sérieusement leurs affaires : « Notre père est mort depuis un mois, l'héritage attend toujours d'être partagé entre nous deux et notre sœur, mais depuis que vous nous avez dit qu'étant veuve et mère de cinq enfants elle hériterait de la moitié de sa fortune, on a hâte de connaître la sentence divine à ce sujet », expliquèrent-ils. Un autre fidèle cherchait à mettre un nom sur le châtiment prévu par Allah en cas de collaboration avec l'ennemi : le colon et le traître tunisien. Un boucher demandait à l'imam ce que prévoyait le Coran au sujet de son taureau qui s'était échappé de l'abattoir parce qu'il avait senti le sang et le couteau sur sa gorge, et que lui et son frère avaient finalement réussi à rattraper et à ramener à l'abattoir pour l'égorger et le vendre à ses clients de la Montagne-Blanche : « Sa viande est-elle halal ou pas ? » questionna-t-il l'imam. Un autre homme souhaitait savoir de la bouche de l'imam ce que Dieu prévoyait comme récompense pour un garçon de sept ans et demi, son fils, qui connaissait par cœur tout son Coran. Très fier de sa progéniture, ce père mit l'imam dans une colère noire : « Il ira au paradis. Et toi avec. Mais tu n'auras jamais un salaire, tu comprends, nada, rien, wallou, ce qui ne t'empêchera pas de continuer à creuser la terre au pied de ton olivier à la recherche d'or et d'autres trésors. Je veux bien continuer à faire entendre la voix d'Allah à la mosquée de la Montagne-Blanche, je veux bien vous donner des fatwas et vous aider à résoudre vos tracasseries quotidiennes, mais jamais après la dernière prière du soir, jamais, vous entendez, jamais. Vous savez très bien que la maison d'Allah est ouverte toute la journée, vous savez aussi qu'après mes cours d'arabe et d'initiation à l'islam dispensés à vos enfants, une partie de la matinée et du reste de la journée vous est consacrée, revenez demain, après-demain, ou plus tard, mais, de grâce, laissez-moi la nuit et l'aube pour renouer le lien avec Allah et lire. Maintenant, je vous invite tous à regagner vos demeures et à retrouver vos épouses et vos enfants », dit-il à ses fidèles.

La colère de l'imam les mit tous dehors.

Assises dans un coin de la mosquée, discrètes, nous gardions la tête baissée pour ne pas attirer l'attention de tous ces hommes impatients d'avoir la bénédiction divine. Une fois les fidèles partis, l'imam ferma la porte de la mosquée et revint nous voir. Très embarrassé, il reconnut que depuis son installation ici, en 1875, il n'avait jamais reçu la visite d'une femme et sa fille le soir, qu'il avait l'habitude de recevoir des femmes la journée, certaines demandant l'aumône, d'autres à manger, et que notre cas l'inquiétait beaucoup. S'adressant à ma mère, il lui demanda de tout raconter depuis le début.

– Nous avons découvert, il y a six ou sept mois, des arbres pleins de pignons de pin à côté de notre maison de la Colline-Rouge, nous sommes allées voir Jbali, le marchand de la Montagne-Blanche, pour lui vendre le fruit qui guérit le poumon, l'estomac et l'âme, répondit ma mère.

– Ce diable de Jbali, coupa l'imam, il fait le même coup à tout le monde, surtout à ceux qui s'installent quelque part sans le moindre titre de propriété : il profite du chaos juridique entretenu par la France et de ses amitiés avec les gendarmes et les colons, il s'attaque surtout à tous les étrangers venus d'Algérie.

– Oui ! acquiesça Lala Gamra.

– Mais dites-moi, d'où venez-vous ? Je vous pose la question parce que pour vous faire dépouiller aussi facilement, vous ne devez pas être du coin.

– En effet, je viens d'ailleurs.

– Racontez-moi tout depuis le début.

– Imam vénéré, c'est trop long à raconter et douloureux à entendre.

– Faites-le quand même, j'ai tout mon temps, le reste de la nuit vous sera consacré.

– Mon histoire peut attendre, mais pas votre aide.

– Pour que je vous aide, dites-moi comment vous vous appelez et d'où venez-vous.

– Je m'appelle Lala Gamra, et je vous présente Zina, ma fille, nous venons de la Colline-Rouge.

– C'est l'avant Colline-Rouge qui m'intéresse.

– Je suis algérienne, je viens de La Calle.

– Vous n'êtes pas la seule Algérienne installée ici, d'autres sont venues bien avant vous, dès les années quarante du siècle dernier.

– Mais je suis peut-être la seule à être vraiment étrangère et malheureuse dans ce pays, aidez-nous, je vous raconterai tout plus tard, sauvez-nous des griffes de certains hommes.

– Que voulez-vous ?

– Un toit pour dormir et veiller sur mon enfant, un toit qui me rabibocherait avec la vie et les gens d'ici, un toit qui me redonnerait ma dignité, un toit qui nous réconcilierait avec l'exil.

– Avez-vous de quoi payer ce toit ?

– Je ne possède que ma mémoire, la douleur de l'Algérie et un manuscrit de Lala Sihème.

– C'est très bien, mais les commerçants n'aiment pas cette monnaie-là, surtout aujourd'hui.

– J'ai dépensé toutes mes pièces d'or, toute la fortune de ma mère pour échapper à la méchanceté des hommes et aux rencontres malheureuses.

– Je vois, oui, je vois, après tout, moi aussi je suis devenu imam de la Montagne-Blanche par le hasard des choses et les accidents de l'Histoire, je vais vous offrir un toit, un toit qui n'est pas loin d'ici : vous voyez cette porte ? Non, je ne parle pas de celle de l'entrée principale de la mosquée, mais de celle qui est devant nous, la porte qui me fait face cinq fois par jour parce qu'elle se situe juste en bas de mon *minbar*, c'est la porte d'une maison honnête divisée en deux espaces : l'endroit où je dors, médite, lis et travaille sur toutes les demandes de fatwas, et un petit logis réservé à l'étranger qui nous vient.

– Avez-vous des enfants ?

– Je n'ai plus d'enfants depuis 1871 : mes cinq garçons sont morts au combat.

– Avez-vous une femme ?

– Elle n'est plus, elle a rejoint le Créateur, le jour de la mort de nos enfants. Mais dites-moi, pourquoi me demandez-vous tout ça ?

– Je pourrais m'occuper de vous : vous faire à manger, laver vos affaires, nettoyer votre maison et la mosquée tous les jours.

– Je n'ai pas besoin d'une femme qui aide, les gens d'ici sont très bons, même si on ne leur demande rien, ils s'occupent de tout, y compris de ma toilette, parce que je veille bien sur eux dans un moment où ils sont complètement désemparés, les pauvres, ils ne savent plus qui ils sont ni d'où ils viennent.

– Je vous épouserai, dit crânement ma mère.

– Lala Gamra, j'ai juré de ne plus toucher aux femmes depuis la mort de mon épouse, désormais je me consacre complètement aux autres, j'essaie de montrer aux fidèles le droit chemin, et puis, vous êtes encore jeune et belle pour un vieux comme moi. Maintenant que nous avons écarté la cuisine, le ménage et le mariage, dites-moi sérieusement ce que vous savez faire pour m'aider à rendre cette maison d'Allah accueillante et aimée de tous ses fidèles, dites-moi ce que vous pouvez apporter de plus pour rendre les gens d'ici pieux et honnêtes dans le commerce.

– Je ne vais quand même pas prendre votre place.

– Et pourquoi pas, après tout, les femmes connaissent mieux le digne Créateur que les hommes, elles sont complices des anges, mais sérieusement, dites-moi ce que vous savez faire dans la vie.

– Si j'écarte la cuisine, le ménage, les enfants, le tissage, les larmes et ma petite demeure, il me reste deux dons : la lecture et l'écriture. Je sais lire et écrire, mais pas n'importe quelle langue, je suis experte dans le langage des hommes, celui des nôtres et des autres, les roumis. Ma fille aussi.

– Lisez-vous le Coran ?

– Frère, votre question m'offusque.

– Pardon.

– Je lis le Coran depuis ma tendre enfance, c'est le

texte parfait pour maîtriser notre langage et habiter notre grande maison arabe, c'est le texte inimitable qui nous montre d'où on vient, où on va et qui nous sommes.

– C'est très bien ! Êtes-vous capable d'enseigner la lecture, l'écriture et le Coran aux enfants de la Montagne-Blanche ?

– Oui, mais où et quand ? Et, surtout, combien sont-ils ?

– Ici même, à la mosquée, à partir de demain, ils sont vingt, quinze filles et cinq garçons, ils ont entre quatre et sept ans. Je ne peux plus m'occuper d'eux, ils me fatiguent de plus en plus, je n'ai plus la force de tout porter sur mes épaules : l'éducation des enfants, les fatwas, les médiations entre les hommes d'ici, mes lectures, les cinq prières, le prêche de vendredi et mes mémoires, oui, mes mémoires, mon passé que je compte bien restituer et sauver de l'oubli, j'ai même écrit la première phrase ce matin : « Tout a débuté bien avant la Montagne-Blanche, de l'autre côté de la frontière, chez l'heureuse Confrérie des Algériens vigilants de Constantine… », mais ma main droite tremble de plus en plus et ma vue baisse.

– Je peux vous aider dans l'écriture de vos mémoires.

– Ne brûlons pas les étapes, vous allez d'abord enseigner aux enfants la langue arabe et les vertus de l'islam, vous commencerez demain matin, pour le reste, on verra après. Pour l'instant, vous allez vous reposer, je vais vous montrer le coin réservé à l'étranger qui nous vient, c'est un logis bien confortable.

L'imam ouvrit la porte. Ma mère entra et dit : « Je crois que je vais réussir la fin de ma vie ! » Elle avait raison. Non seulement nous avons eu le toit et la dignité, mais elle a surtout retrouvé une vocation : enseigner aux enfants. Elle était apaisée. Elle s'est même réconciliée avec la Montagne-Blanche et ses hommes. De l'hiver 1909 jusqu'à sa mort au printemps 1915, la vie nous a de nouveau souri.

Le lendemain de l'accord avec l'imam, Si Layl – il finit par nous dire son prénom –, Lala Gamra donna son premier cours d'initiation à la langue arabe et à notre digne religion musulmane aux enfants de la Montagne-Blanche. J'y étais. Je n'avais pas eu besoin d'insister, c'est elle qui m'avait proposé de l'accompagner. Les enfants furent surpris de voir une femme à la place de l'imam. Elle s'en tira bien parce qu'elle était douée et douce. Mais au deuxième cours, ils n'étaient plus que seize : quinze filles et un garçon. Les quatre autres avaient quitté la mosquée et son enseignement sans doute sur l'ordre de leurs pères. Cette défection affecta beaucoup ma mère.

J'essayai de la consoler. Peine perdue. Je ne voulais pas la laisser replonger dans le silence et la tristesse, je tentai alors un ultime réconfort : aller chercher un livre dans la bibliothèque bien fournie de l'imam et lui faire la lecture. J'en pris un en me disant : Pourvu qu'il redonne le sourire à ma mère. Je m'assis en face d'elle et commençai ma lecture :

« Il fut un temps où Nasr Eddin dut exercer la fonction de cadi. Il reçut un jour à l'audience une femme en furie qui criait vengeance contre un homme qu'elle avait fait amener de force par ses frères.

« – Femme, quel est l'objet de tant de vacarme ? lui demande Nasr Eddin. Le dommage doit être bien considérable.

« – Il l'est, par Allah ! Ce fils de chien a essayé de

m'embrasser de force dans la rue. Je suis déshonorée. J'exige un châtiment sévère.

« À l'écoute de ce forfait, le cadi entre en colère contre le prévenu :

« "Gredin ! Pour ce crime, et conformément à la coutume, je t'applique la loi du talion, âme pour âme, œil pour œil, nez pour nez, oreille pour oreille, dent pour dent, poil pour poil, joue pour joue, tête pour tête, langue pour langue, bisous pour bisous, câlin pour câlin !"

« Puis, se retournant vers la femme :

« "En exécution de cette loi divine, je le condamne à ce que tu l'embrasses de force." »

Les Sublimes Paroles et l'Intelligence d'un idiot redonnèrent le sourire, la joie de vivre et l'appétit à maman. Ce soir-là, elle engloutit deux assiettes de couscous.

Ma mère décida alors de poursuivre ses cours d'arabe et d'éducation islamique. Je l'accompagnais chaque jour non pour assister au cours mais pour regarder les livres de la bibliothèque de la mosquée. Au bout d'une semaine, elle avait réussi à gagner quelques élèves de plus : ils étaient à présent vingt-six au lieu de seize, vingt-cinq filles et un garçon.

Mais mes petits plaisirs quotidiens dans la demeure d'Allah cessèrent au bout d'un mois, car Si Layl et son devoir de mémoire en décidèrent autrement : se plaignant de plus en plus de son état de santé et de sa fatigue, l'imam était persuadé qu'Allah s'apprêtait à le rappeler auprès de Lui, ce qui le paniqua sérieusement et le poussa à modifier les termes de son accord avec ma mère. En effet, au bout d'un mois de cours d'arabe et d'initiation à la religion de Mohamed, le Prophète aux nombreuses femmes et à l'intelligence politique précoce, Si Layl finit par dire clairement à ma mère : « Gamra, je sens la mort approcher, venir à moi, peut-être pas aujourd'hui, mais demain ou après-demain, sans doute bientôt, je sens mes jambes s'affaiblir et mes mains trembler à chaque heure qui passe, je vois arriver le moment où je devrai me retirer, ne te fais surtout pas de fausses idées, évite les ambitions démesurées, je ne pourrai pas te désigner imam*e* de la Montagne-Blanche, en revanche, tu vas abandonner tes cours à la mosquée pour venir auprès de moi et de ma mémoire, tu vas m'aider à rédiger mes mémoires, tu seras ma béquille pour rattraper ce passé qui veut m'échapper. Le seul problème à résoudre est simple : trouver un remplaçant qui poursuivra l'éducation des enfants. Je suis persuadé que je ne trouverai pas meilleur que toi, mais je suis obligé de chercher quelqu'un d'autre. Pour le reste... » Et avant même qu'il eût fini sa dernière phrase, ma mère l'interrompit et lui dit précisément ceci :

– Je vous en prie, n'essayez pas de trouver un remplaçant, ne mettez pas un inconnu à ma place, ne faites pas appel à un étranger pour instruire les petits, je vous promets de vous aider à rédiger vos mémoires, je pourrai y travailler vingt heures par jour, je vous demande juste d'abandonner vos recherches d'un remplaçant parce que je connais le seul être, la seule personne douée qui pourrait prendre ma place, je pense même que vous la connaissez...

– Qui est-ce ? demanda l'imam.

– Lala Zina, ma fille, répondit-elle.

– Mais elle a l'âge des enfants qu'on éduque.

– Vous exagérez, dit ma mère, elle a quelques petites années de plus qu'eux. Si vous voulez que je vous aide à vous réconcilier avec votre passé, si vous voulez préserver votre mémoire, vous devez me faire confiance, vous devez croire à ma graine, ma fille, car elle est douée, elle maîtrise le verbe parce qu'elle connaît la lettre, le souffle et la première femme. Lala Zina sait d'où elle vient parce qu'elle connaît sa langue et sa religion.

Finalement l'imam céda face à la détermination de Lala Gamra : « Je veux bien vous croire, mais je n'ai pas l'intention de livrer vingt-six enfants à une petite fille de dix ans. Je tiens à être présent demain pour observer les dons exceptionnels de votre fille. Si je juge qu'elle peut faire l'affaire, je la laisserai poursuivre, sinon je chercherai son remplaçant », dit-il à ma mère. Le lendemain, il pointa son nez et son aura, observa et partit avec la satisfaction du devoir accompli. Au bout de deux jours d'enseignement, je décidai de séparer les enfants en deux groupes : les trois-cinq ans et les six-huit ans. Aux premiers, la lettre, la syllabe et le mot, aux seconds, la chorégraphie des mots : la phrase.

De 1909 à 1915, chaque matin, de neuf heures à onze heures du matin, j'eus deux heures souveraines à la mosquée de la Montagne-Blanche. Pendant ce temps, et en dehors des moments de la prière, Lala Gamra était auprès de l'imam Layl pour l'aider à rattraper le temps perdu et à sauver ce qui restait de sa mémoire défaillante. Et chaque soir nous nous retrouvions tous les trois pour dîner et faire le bilan de la journée. J'étais bien évidemment curieuse de connaître la vie de cet homme. Je pensais que ma mère saurait satisfaire le désir de sa fille, celle qui la remplaçait à la mosquée de la Montagne-Blanche, mais elle résista avant de me confier quelques bribes de la vie de Si Layl.

L'homme avait quitté La Calle en 1875 à la suite de l'assassinat de ses garçons. Errant en direction de l'est, il était arrivé à la Montagne-Blanche avec l'espoir d'échapper à l'armée française et de trouver un refuge. « J'ai fui ma douleur », disait-il souvent à ma mère. En arrivant ici, il se fit passer pour un mufti versé dans la théologie musulmane et loua une petite maison non loin de la mosquée qu'il fréquenta quotidiennement. Mais l'incursion de l'armée française en Tunisie au printemps 1881 allait changer son destin. Le bruit des bottes provoqua un mouvement de panique et le départ de plusieurs habitants de la Montagne-Blanche, ils craignaient sans doute les représailles des soldats français. Parmi ces fuyards, il y avait l'imam de la mosquée. Personne ne savait pourquoi il était parti alors qu'il ne risquait rien. En plus, les Français avaient de bonnes intentions à l'endroit de la Tunisie. Les fidèles restèrent sans imam pendant une semaine. Ayant constaté cette défection, Si Layl proposa alors de le remplacer. Les fidèles acceptèrent cet homme pieux et généreux, connu pour avoir toujours aidé le pauvre, l'orphelin et la veuve. Et l'homme de Constantine devint l'imam de la mosquée de la Montagne-Blanche.

Ma mère ne voulait pas m'en raconter davantage sur cet homme qui accepta des années plus tard d'ouvrir la demeure divine pour accueillir deux exilées algériennes. « Je te donnerai à lire sa vie après sa mort », me dit-elle.

Mabrouka, Lala Gamra, ta grand-mère est morte avant l'imam de la mosquée de la Montagne-Blanche, bien avant qu'elle finisse la rédaction des mémoires de Si Layl, au printemps 1915, un vendredi matin. Je me souviens très bien de cette matinée. J'étais à la mosquée avec les enfants, je leur expliquais pourquoi ils devaient réciter la *chahada* (« J'atteste qu'il n'y a pas de Dieu sauf Allah et j'atteste que Mohamed est son Messager ») avant de dormir, quand l'imam, appuyé sur sa canne, entra et dit aux enfants de partir annoncer à leurs parents qu'ils avaient bien travaillé. Quand la mosquée fut vidée, il me prit dans ses bras et prononça ces mots : « Ma sœur est morte, ta mère est morte, tu es devenue ma fille, tu es sous ma protection. Ne t'inquiète pas, elle sera enterrée dignement. Ta mère est morte un vendredi, elle ira directement au paradis. Le prêche de vendredi lui sera consacré, je prononcerai son oraison funèbre moi-même, il faut que les fidèles sachent les bienfaits de ta digne mère. Pleure, tu la laveras. Élégante et belle, elle partira voir son Créateur. Pleure encore ! Gamra ne sera pas enterrée très loin de la demeure divine. Pleure, ta mère est grande. Ta peine aussi. Pleure, je la célébrerai. L'exil de ta mère prend fin ici. Sa douleur aussi. Lave-la bien, lave-la trois fois, cinq fois, sept fois, neuf fois, onze fois, lave-la avec de l'eau, n'oublie pas de mettre du lotus dans l'eau, lave-la plusieurs fois, évite le nombre pair. Presse doucement sur son ventre pour éliminer les restes et les impuretés, nettoie-la au fur et à mesure. À la fin, tu ajouteras du camphre et tu lui couvriras le corps. N'oublie surtout pas de lui détacher les cheveux, lave-les et fais-lui trois nattes, deux sur les côtés et l'autre au-dessus du front que tu placeras derrière la tête. Lave-la, tu seras affranchie. Lave-la, tu seras ma fille. Lave-la tu seras libérée. Lave-la, tu seras la fierté de la Montagne-Blanche. En attendant, pleure, expulse ta douleur, crie-la ici même, dans cette demeure divine où Allah entend tout. »

Je ne comprenais pas tout ce que me disait Si Layl. Je pleurais de plus en plus fort. Je voulais voir maman. Je voulais voir Lala Gamra sur son lit. Je voulais savoir à quoi peut ressembler une mère morte. L'imam me conduisit jusqu'à la chambre. Elle avait les yeux fermés. La bouche aussi. Elle n'avait pas changé. Je pleurai. Je finis par demander à Layl : « C'est quoi, la vie ? » Il me regarda dans les yeux, prit mes deux mains et dit : « C'est la mort qui fait irruption après la douleur de la vérité, c'est le début de l'heureuse rencontre avec le Créateur. » Il ajouta : « Zina, nous n'avons plus le temps de regarder ta mère qui n'est plus, je te propose de la déplacer. » Nous la déposâmes sur une grande table. L'imam me laissa toute seule face au corps muet de ma mère et me dit de prendre le temps de la laver. « Je reviendrai après », déclara-t-il. Il ferma la porte et partit préparer son oraison funèbre.

Je déshabillai ma mère et gratifiai longuement son corps nu de mes larmes. Mais comme Malay Layl m'avait bien précisé qu'on ne devait pas nettoyer un mort avec les larmes, je respectai ses instructions en lavant Lala Gamra plusieurs fois, en commençant toujours par la partie droite et en faisant sortir de son ventre toutes les impuretés accumulées quelques heures avant son décès. Je crois avoir bien fait la toilette de ma mère pour qu'elle soit belle et élégante pour le grand rendez-vous avec son

Créateur, Allah, le Dieu qui apprécie toujours de recevoir des femmes avides d'explications sur le sens de la vie, de l'exil et de la mort. Parfumée, enveloppée dans un drap blanc propre, elle était prête à aller Le rencontrer.

Après avoir bien fait les choses, j'allai voir l'imam pour l'informer, mais comme il était toujours occupé à écrire son hommage, il me fit comprendre de retourner auprès de la dépouille pour veiller sur elle : « Tu lui liras quelques sourates, on a le temps, laisse-moi juste un moment pour finir, je termine presque, et de toute façon, nous allons bientôt faire sa prière, dans une heure, peut-être moins, mais qu'on déplace le corps jusqu'ici », me dit-il. À peine avais-je franchi la porte de la mosquée et mis le pied droit dans la chambre de ma mère que l'imam se pointa en compagnie de quatre fidèles. Ils portèrent le corps jusqu'à la demeure sacrée. Il me dit de les suivre. Une fois à l'intérieur, l'imam demanda à deux autres fidèles d'aller chercher une table haute et de la mettre juste en bas de la tribune, à l'endroit où il faisait ses prêches du vendredi. Après avoir mis la table à cet endroit, les quatre fidèles porteurs y placèrent le corps de ma mère. Si Layl chargea un autre fidèle connu pour ses vertus vocales d'appeler au rassemblement du vendredi.

Ma petite Mabrouka, la prière offerte à un mort se fait toujours debout. On ne s'agenouille pas. On ne frotte pas son front contre le tapis ou la terre. On reste droit pour regarder le mort et le destin qui nous attend. L'imam rendit d'abord hommage à ma mère avant de prier. Toujours debout. J'étais bien installée, au fond de la mosquée, je pouvais entendre l'imam et tout observer. Il commença par prononcer la formule d'usage : « Au nom d'Allah le

Tout Clément et le Très Miséricordieux » et enchaîna par « Mes fidèles de la Montagne-Blanche, une femme digne vient de mourir en tenant une plume à la main, une gardienne de la mémoire algérienne et tunisienne vient de s'éteindre, une partie de l'histoire de l'Algérie est morte aujourd'hui, ici même, sur cette terre fraternelle qu'est la Montagne-Blanche, la femme qui, pendant un mois, a appris à vos enfants les fondements de la langue arabe et l'art de bien se tenir en tant que bon musulman vient de s'éteindre. Nous allons donc... »

Mais avant même qu'il annonçât quoi que ce fût, dix hommes armés jusqu'aux dents, portant épées, couteaux et une lettre, pénétrèrent dans la demeure divine et troublèrent la cérémonie : « Nous ne voulons pas interrompre le prêche sacré, loin de nous cette idée impie, nous voulons juste que vous lisiez ce message adressé par la Confrérie clémente à vos fidèles, les hommes pieux et en bonne santé. Si vous le lisez maintenant, vous pourrez continuer votre prière et rester l'imam de cette digne mosquée, sinon quelqu'un d'autre prendra votre place », dirent-ils à Si Layl. Ce dernier saisit le message et lut : « Le gouvernement du Protectorat nous a comblés de bienfaits depuis trente-trois ans. Par conséquent, la France est devenue notre Patrie et les Tunisiens sont ses enfants. Nous appelons donc ses petits en âge de combattre à partir libérer la mère patrie. Nous appelons ses dignes enfants à aller combattre l'ennemi allemand, cet infidèle, ce peuple nihiliste qui aime la guerre et l'apocalypse, ce mécréant qui a toujours détesté les Arabes et les musulmans, nous appelons les enfants en bonne santé à être héroïques. Chers fidèles, vous ne partirez pas d'ici à pied, un bateau, *l'Empire*, vous conduira la semaine prochaine chez la mère patrie qui est venue il y a maintenant trente-trois ans vous protéger. Vous serez payés. Vos femmes et enfants seront bien traités. Il est temps de connaître votre vraie patrie, il est temps de voyager et de voir le monde, il est temps de quitter la Montagne-Blanche et sa misère. À présent, continuez de prier. Rendez-vous donc la semaine prochaine à bord du bateau l'*Empire*. Un officier, un gentil officier français, et son interprète viendront tout à l'heure vous expliquer toutes les démarches à faire pour que vous puissiez monter à bord. »

À peine le message lu, les dix hommes de la Confrérie clémente quittèrent la salle de prière. L'imam reprit son hommage après avoir calmé les ardeurs guerrières des hommes : « Nous allons toujours enterrer Lala Gamra tout à l'heure, au cimetière du Palmier. Personne ne nous empêchera d'enterrer nos morts. Personne ne nous empêchera de faire le deuil du passé. Personne ne nous empêchera de dire notre commencement et notre douleur. Aucun bateau n'emportera notre désir d'être en deuil. Mes fidèles, ils veulent prendre nos enfants, sans nous laisser le temps d'enterrer nos morts. Ils veulent prendre nos vaillants garçons sans nous laisser le temps d'enterrer nos femmes. Ils osent embarquer la fleur de notre patrie sur l'*Empire* sans nous laisser le temps d'enterrer Lala Gamra. Ils veulent prendre nos enfants sans nous laisser le temps de les aimer. Ils nous confisquent l'avenir sans nous laisser le temps de savoir d'où on vient et où on va. Ils veulent des tirailleurs, ils seront bien payés, disent-ils. Ils veulent notre perte. Ils veulent posséder la terre et la gloire. Mais prions pour Lala Gamra, prions pour qu'elle soit parfaite quand elle sera confrontée à son Créateur lors de la grande explication, prions pour qu'elle incarne la voix qui ne tremble jamais face à Dieu, prions pour nous, prions pour l'Algérie et la Montagne-Blanche. Chers fidèles, je compte sur vous pour accompagner Gamra jusqu'au pied du palmier. » Et les larmes de cet homme bon jaillirent à la fin de son oraison funèbre.

Ma mère fut accompagnée jusqu'à sa dernière demeure, le cimetière du Palmier, par quelques fidèles, dont moi. Visiblement, l'oraison funèbre de Si Layl n'avait pas mobilisé la foule.

Après l'enterrement de Lala Gamra, je repartis vivre auprès de l'imam et poursuivre ma mission d'éducatrice attitrée des enfants de la Montagne-Blanche, que je repris le lendemain, un samedi. J'étais en deuil, mais je pensais que revoir les enfants me ferait du bien. Et puis, je ne voulais pas décevoir mon bienfaiteur qui continuait à me soutenir et à me protéger, mais cet état de grâce, de sécurité et d'espoir s'arrêta net au printemps 1916, au mois d'avril 1916, un maudit 11 avril : l'imam rejoignit ma mère au cimetière du Palmier.

Je découvris le corps de Si Layl, tôt le matin, en lui apportant son petit déjeuner préféré juste avant la prière de l'aube : une assiette creuse contenant de l'huile d'olive, un pain chaud, un verre de lait tiède et dix dattes, ni plus ni moins, dix comme le furent les tout premiers complices du Prophète Mohamed. Arrivant devant chez lui, je frappai à sa porte comme d'habitude. Pas de réponse. Pas de voix. Pas de lecture habituelle. J'entrai. Allongé sur son lit, il ne bougeait pas. Il était mort. Dieu me l'avait pris après avoir enlevé ma mère quelques mois auparavant. J'étais devenue orpheline et sans filiation. Paniquée, en larmes, je ne savais pas quoi faire. Je restai assise longtemps auprès du corps en attendant l'arrivée d'une connaissance, d'un témoin ami, d'un fidèle qui m'appréciait. À l'approche de la première prière de la journée, j'allai faire le même geste qu'avait répété l'imam depuis des années : ouvrir la porte de la mosquée. Et j'attendis.

Pressés de faire leur devoir, les premiers fidèles arrivèrent. Leur imam n'était toujours pas là. Ils commencèrent à s'impatienter. Je les voyais. Je demeurai derrière la porte de mon petit chez-moi à les observer. Au bout de quelques instants d'hésitation, j'ajustai mon foulard sur la tête et pénétrai de nouveau dans la maison de Dieu pour leur annoncer la mort de Si Layl : « Votre imam est mort. Notre imam bienfaiteur est mort. L'un de vous doit faire l'appel à la prière, on annoncera sa mort plus tard. Pour l'heure, prions comme d'habitude », annonçai-je. Un homme me pointa du doit et dit : « Tu l'as tué, tu l'as empoisonné. Il n'était plus le même homme depuis votre arrivée ici. Dieu a déjà puni ta mère, les fidèles te puniront. Vous l'avez ensorcelé. Il ne sortait plus. Il ne nous voyait plus. Il ne trouvait plus le temps de résoudre nos problèmes par ses fatwas tranchantes et bienveillantes. Il nous a laissée tomber depuis qu'il s'est entouré de ta mère et toi. Et en plus, il a fini par confier l'éducation de nos enfants à une femme. Tu paieras ton crime. Tu seras châtiée selon la loi divine. Tous les fidèles te jugeront dans les heures qui viennent. Retourne chez toi, retourne en Algérie. » Un homme vint à mon secours en disant que c'était *haram* de me soupçonner, de s'en prendre à une jeune fille, qu'il avait une bonne opinion de moi et que même sa fille me trouvait très bonne enseignante et grande sœur avec un cœur gros comme ça ! Le fidèle clément finit par calmer les esprits et rappeler aux autres quelques confidences faites par l'imam à notre sujet, à moi et Lala Gamra : deux pauvres mais dignes et vertueuses exilées algériennes à la Montagne-Blanche.

Ma fille, j'ai échappé à la vindicte des fidèles, mais je n'ai pas réussi à garder la maison, mon petit chez-moi. Après les obsèques de Layl, tous les fidèles et notables de coin se réunirent pour choisir le meilleur parmi eux afin de poursuivre la mission divine de la maison d'Allah. Cinq hommes bien versés dans la théologie et possédant cinq bourses confortables se déclarèrent candidats au poste d'imam de la mosquée. Comme les cinq pouvaient faire l'affaire, les fidèles, tous des hommes de plus de cinquante ans, optèrent pour un tirage au sort. Le gagnant fut Mebli, un sexagénaire. Il remercia tout de suite l'assemblée et révéla ses vraies intentions au sujet de sa nouvelle mission : « J'ai une famille nombreuse, dit-il, j'habiterai avec mes enfants et ma femme dans les maisons voisines de la mosquée. Je n'aurai plus besoin de la jeune fille ici présente. L'éducation de nos enfants sera assurée par moi-même, car on ne peut pas les livrer à une fille, aussi douée soit-elle, mais comme je suis un enfant de Dieu, j'appelle tous les fidèles ici présents à sauver cette pauvre créature, que l'un d'entre vous la prenne chez lui, elle pourra le servir. Apparemment, elle est douée. » Heureusement, un homme, sans doute plus intelligent et plus rapide que les autres, prit la parole et dit : « Moi, je veux bien l'accueillir chez moi, elle s'occupera de l'éducation de mes enfants. Et de mes comptes aussi. Je la prends parce que le regretté Layl n'arrêtait pas de faire son éloge, je la prends parce qu'elle fera l'affaire, elle quittera les lieux et vous laissera tranquille en compagnie de votre famille nombreuse et vos nouvelles fonctions. On va juste lui laisser le temps d'aller chercher ses affaires. »

La mallette de ma grand-mère ! songeai-je. La mallette de Sihème et de Gamra mérite toujours d'être gardée et préservée. Ma fille, je pense que l'homme qui a pris l'initiative de m'accueillir chez lui m'a certainement sauvée d'un destin malheureux, car ce qu'il proposait n'était pas indigne de moi. L'affaire fut conclue rapidement. Même le nouveau maître de la demeure divine acquiesça sans sourciller. Adil, mon sauveur, appela son serviteur et lui ordonna de préparer le cheval et la carriole : « Nous rentrons chez nous, fais vite, il faut qu'on arrive à l'heure du déjeuner », lui dit-il. Adil habitait la Baraka, une colline située à cinq kilomètres de la Montagne-Blanche et surplombant toutes les autres collines. En arrivant chez lui, il me présenta sa famille : son serviteur, que je connaissais, et ses onze enfants, oui, onze enfants, dix filles âgées de deux, quatre, cinq, six, sept, huit, dix, douze, quatorze et seize ans, et un garçon de vingt ans. Après la présentation, Adil se tourna vers moi et déclara :

– Voilà, vous savez tout, ce que je vous propose est très simple, simple comme la parole dite ce matin : vous vous occuperez de mes filles, vous épouserez mon fils unique, Omar ici présent, vous deviendrez une des nôtres, vous ferez partie de la famille !

– J'accepte, oui, j'accepte, vous me faites honneur, répondis-je.

Je savais qu'en disant oui à sa proposition je mettais fin à l'interminable déplacement, je rompais avec ce goût bien trempé de nos femmes de se rebeller pour mieux partir vers l'inconnu, marcher et marcher encore pour mieux connaître le commerce des hommes et trouver un chez-soi. En acceptant d'entrer au service d'Adil, je mettais fin d'un seul coup à l'exode et à l'aventure.

Ma fille, ma petite Mabrouka préférée, j'ai accepté l'accord, mais après coup, ma mission m'a paru lourde : épouser un inconnu, m'occuper de ses dix sœurs et des comptes de son père. J'avais donc intérêt à modifier les termes de l'accord avec mon futur beau-père. Je suis allée le voir pour lui faire part de mes états d'âme : « Si Adil, mon bienfaiteur et futur digne beau-père, je suis heureuse de faire partie de votre famille, je suis honorée de devenir votre belle-fille, je vous promets fidélité et obéissance, j'assumerai honnêtement ma mission, je m'occuperai de la gestion de vos comptes et je vous ferai plein de petits-enfants, mais je vous demande une petite faveur, d'engager une femme qui m'aide, une femme qui ferait le ménage, la cuisine, et donnerait le bain aux filles, et je m'engage à me consacrer cœur et âme à ma mission. »

Ma demande ne le surprit pas.

– C'est normal, me répondit-il, j'engagerai deux femmes qui t'aideront : une pour le ménage et la propreté des enfants, l'autre pour la cuisine, mais à une seule condition.

– Encore des conditions ! m'exclamai-je.

Et il ne tarda pas à me révéler ses exigences :

– Je veux bien t'accorder cette faveur, je veux bien te décharger des peines quotidiennes, il faut juste que tu respectes mon nouveau souhait : tu dois consacrer toute ton énergie, tout ton temps, à bien gérer mes comptes et mes filles, tu dois accompagner mes dix alliées jusqu'à leur affranchissement, je veux dire leur mariage. Autrement dit, si ma petite dernière qui a aujourd'hui deux ans se marie à l'âge de seize ans, tu dois lui consacrer quatorze ans de ta vie pour faire d'elle une femme digne de fonder un foyer et renforcer ma position sociale à la Montagne-Blanche. Et pour que les choses soient bien claires, je t'interdis de me faire des petits-enfants avant que je puisse marier toutes mes filles. Inutile de consulter mon fils, ton mari, il ne te dira rien.

– J'accepte, répondis-je.

– Parfait, dit-il, vous vous marierez la semaine prochaine.

J'épousai le fils d'Adil, Omar, un homme qui me parla pour la première fois au bout de quatorze ans de mariage, un mariage conclu devant deux témoins : son serviteur, un bon musulman de chez nous, et sa grande sœur de seize ans. Oui, Omar n'aimait pas parler, Omar avait peur de tout, à commencer par son père. J'avais épousé Omar et étais devenue du même coup la mère des filles de Si Adil.

La fête fut discrète et familiale. Le maître des lieux, l'homme qui m'avait sauvée d'un destin inconnu, ne voulait pas se réjouir alors que ses affaires se portaient mal. Il se plaignait des colons qui lorgnaient sur son élevage et ses terres, et des Français qui lui interdisaient de vendre toutes ses bêtes aux bouchers de la région. En effet, Si Adil était contraint de fournir au marché de la viande de Bône quatre-vingt-dix pour cent de sa production à prix réduit, les dix pour cent qui restaient étant écoulés au marché de la Montagne-Blanche, dont cinq pour cent allaient dans les caisses de la Confrérie des Tunisiens offensifs du Nord-Ouest. Adil aimait bien payer l'impôt de la résistance, mais sa caisse était de plus en plus vide : « J'aime ces gars de la confrérie, oui, je les aime bien, ils défendent nos terres et notre honneur, alors que d'autres garçons de la Montagne-Blanche sont tentés de rallier la France en bateau pour aller combattre l'Allemand, l'ennemi des Français, j'aime bien les gens de la confrérie, je pense même donner mes filles comme épouses à ces vaillants combattants », disait-il souvent.

Oui, j'ai accepté toutes ses exigences, j'ai accepté sans consulter un mari absent et taiseux, j'ai accepté en pensant aux quatorze années de sacrifice et de misère sexuelle, j'ai accepté avec la perspective de la privation du plaisir divin, de la semence et de la graine pendant une bien grosse décennie, j'ai accepté parce que mon mari, Omar, n'avait pas voix au chapitre. En quatorze ans de mariage, j'ai vu mon mari deux fois : la première pour notre mariage et son oui timide et bref, la deuxième pour me faire pénétrer, le soir des noces de sa petite sœur. Omar gardait les bêtes de son père et allait une fois par an à Tabarka, à trente kilomètres de la colline de Baraka. Pourquoi ce voyage ? Mystère ! Il ne parlait pas. C'était un être triste qui me regardait de loin, un être triste qui attendait son heure : la mort de son géniteur. Mais qu'avait-il fait à son père pour mériter la douloureuse privation : ne pas faire l'amour à sa jeune et belle épouse pendant quatorze ans ? Avait-il commis un crime ? Avait-il essayé de tuer son père ? Peut-être avait-il couché avec sa mère ? Avait-il touché à une de ses sœurs ?

Ma fille, j'ai porté toutes ces questions pendant quatorze ans, et la réponse vint le soir même du mariage de Sourour, la petite dernière de Si Adil, au mois de juin 1930, le soir où la petite et moi-même fûmes pénétrées par nos maris respectifs, le soir où Omar et moi-même conçûmes ton premier frère. En me pénétrant jusqu'au dos, Omar pleurait en m'avouant son forfait : « Zina, tu es à moi maintenant, je te pénètre et te parle, je venge mes années de misère et de solitude, je venge ce stupide pari fait à mon père, il y a maintenant quinze ans, je venge ma bêtise, je hais le jour où j'ai promis à qui tu sais de ne plus traiter mes sœurs de putes, oui, je l'avoue, j'avoue aussi que mon père est très dur avec moi, violent et radical même, car comment proposer à son fils de se marier avec la plus belle femme de la Montagne-Blanche et lui dire qu'il ne pourra pas la toucher pendant quatorze ans ? J'ai accepté le pari, histoire de lui montrer que j'étais un garçon digne de lui et de mes sœurs, que j'étais un homme qui appréciait beaucoup les paris, oui, j'ai accepté, j'ai même promis de ne plus traiter mes sœurs de putes, mais maintenant que je suis dans toi, fais-moi des mâles, des bons gars, commence déjà par me faire le premier, honore mon pari, détrône mon père, fais-lui comprendre son erreur avant qu'il parte rejoindre son Créateur, fais-moi oublier mes années tristes, lie-moi à toi, enchante-moi, rends-moi mon enfance et ma joie de vivre parce que je suis ton mari, fais-toi plaisir aussi, apprécie ton exil, installe-toi ici, oui, ici, chez nous, de ce côté-ci de la chaîne montagneuse qui sépare nos deux pays. »

Ma Mabrouka, ton premier frère fut conçu une nuit de juin 1930. Mais qu'avais-je fait pendant quatorze ans, entre mon mariage avec celui qui deviendrait ton père et ma nuit de noces ? Qu'avais-je fait en attendant de retrouver mon mari ? Qu'avais-je fait en attendant sa première parole ? J'avais passé quatorze ans à m'occuper de l'éducation de dix filles qui n'étaient pas les miennes, quatorze ans à leur apprendre l'art de devenir femmes et, surtout, épouses. Telle était l'ambition de Si Adil, leur père, qui voulait toutes les marier aux honnêtes et valeureux combattants de la Confrérie des Tunisiens offensifs du Nord-Ouest. Les filles avaient entre deux et seize ans. Omar, mon époux, lui, en avait vingt. À vrai dire, je n'avais pas eu à trop me creuser la tête, car pour les quatre plus âgées, celles qui avaient entre dix et seize ans, j'avais opté pour un apprentissage accéléré de la vie, un apprentissage accéléré des hommes, leurs futurs maris, en particulier de l'art de tenir la maison et son mari, surtout son mari.

Au bout de quatorze ans de sacrifices, la petite dernière a fini par épouser un cavalier de la Confrérie des Tunisiens offensifs du Nord-Ouest. Quant à moi, j'ai retrouvé mon mari et conçu ton premier frère. Donc, si je récapitule, ton premier frère est né en 1931, le deuxième en 1932, le troisième en 1933, toi en 1935, l'hiver 1935, le 31 décembre 1935, le quatrième en 1938, le cinquième en 1940, le sixième en 1945 et le septième en 1950.

Mabrouka, je vais très vite parce que je considère que c'est à toi désormais de raconter l'aventure de nos femmes. Mais n'oublie surtout pas d'enseigner aux filles leur passé, n'oublie pas de leur rappeler d'où elles viennent. N'oublie pas de leur transmettre mon enseignement et mes arts. C'est aux filles de raconter l'essence des choses, c'est aux filles de dire la vérité, car elles sauront toujours la préserver.

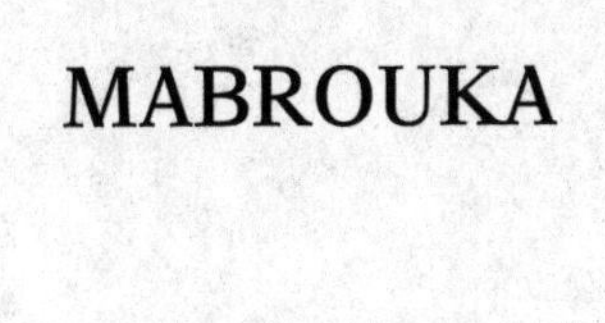
MABROUKA

Fils, aucun homme n'a réussi à perturber l'ordre féminin codifié et préservé depuis Lala Sihème, mon arrière-grand-mère : la mémoire de nos femmes et leur vie passée sont deux affaires trop sérieuses pour les abandonner aux hommes. Ta lettre ne changera rien à l'affaire. Ton silence rompu non plus. Mon histoire est bien gardée par mes filles, tes sept sœurs.

Au bout de quinze ans d'absence, tu viens de te souvenir de l'existence d'une mère qui t'a porté pendant neuf mois, tu oses corriger cet oubli en m'envoyant une lettre sans saveur où tu me supplies de t'accorder une longue conversation, des archives et de vraies retrouvailles qui te permettront d'écrire ma biographie pour mieux adoucir ta douleur et ta culpabilité. On ne demande pas pardon à sa mère en lui consacrant un livre indigeste sur sa vie, on revient vers elle, après de longues années d'absence et de trahison, pour tout lui dire et hurler dans ses bras. Fils, je ne réclamerai jamais ton pardon, mais je te réponds.

L'exil a fini par t'arracher à la langue de ta mère
Il te tuera
Attelle-toi à l'écriture de ta vie
Dis la vérité
Parle aux tiens

Pourquoi es-tu parti ? Donne-moi les raisons qui t'ont poussé à quitter la Montagne-Blanche. Est-ce que tu es heureux là-bas, chez la France ? Est-ce que tu manques de quelque chose ? Est-ce que tu es devenu plus heureux ? Étais-tu vraiment obligé de nous quitter pour comprendre l'altérité ? Est-ce que tu as froid ? Sautes-tu des repas ? L'exil rend-il les êtres plus solides ? Est-ce que tu as des enfants, des filles, j'espère ? Ta femme est rousse, brune ou blonde ? Est-ce que tu lis des histoires à tes enfants le soir ? Est-ce que mes petites-filles et mes petits-fils connaissent l'existence de la Montagne-Blanche, des *Mille et Une Nuits*, du verbe *aqmara*, attendre la lune, du Dante arabe, l'intrigant *Ma'arri*, de la métaphysique arabe, de la Montagne-Blanche comme une terre pompée et exploitée à l'excès par les élites ingrates de la côte est tunisienne, du sublime Jahiz, d'une brick uniquement faite à l'œuf barbare avec une larme de citron, d'un appel à la prière qui met tout le monde d'accord, d'une salade méchouia qui a la vertu de te faire pleurer beaucoup plus qu'une séance chez un disciple de Lacan, d'un Allah Akbar, d'un Maïmonide écrivant en arabe et d'une grand-mère qui n'écrit jamais ? Ou connaissent-ils seulement le cheval de Troie et les fables de La Fontaine ? Est-ce qu'ils savent qu'âlif est la première lettre arabe ? Est-ce qu'ils savent que tous les arbres sont féminins ? Est-ce qu'ils savent que Maurice Audin est né chez nous, à Béja ? Est-ce que tu leur parles de la Colline-Rouge et de la merveilleuse Rivière-Bleue qui la traverse ? Est-ce qu'ils savent que le mot *wihda* veut dire solitude et union dans la langue de leur grand-mère paternelle ? Est-ce qu'ils apprennent l'arabe à la mosquée ou à l'école de la République ? Savent-ils qu'une fille peut hériter plus qu'un garçon ? Sont-ils convaincus par ton adhésion totale à la langue française ? Est-ce qu'ils aiment les légumes de saison ? Préfèrent-ils l'*Odyssée* à l'*Iliade* ? Si oui, ça me rassure. Est-ce que tu leur dis que Tunis est à deux heures de Paris ? Est-ce qu'ils savent qu'apprendre une langue, c'est construire sa demeure soi-même ? Est-ce que tu leur parles de notre prairie au printemps, de nos poules sauvages, de nos chevreaux, de nos manuscrits du siècle dix-neuf que tu as abandonnés pour fuir de l'autre côté de la Méditerranée ? Est-ce qu'ils savent qu'on ne raconte pas des histoires de loups aux enfants de la Montagne-Blanche ? Leur parles-tu de tes sœurs ? Est-ce que tu les grondes ? Est-ce qu'ils aiment manger ? Quelle est la couleur de leurs yeux ? Rends-moi mes petits-enfants, j'ai hâte de les embrasser sur les yeux avant de partir. Est-ce que tu t'entêtes toujours à ne pas prendre de petit déjeuner ? As-tu trouvé le grand amour chez nos frères et amis français ? Comment s'appelle-t-elle ? Combien d'enfants as-tu mis au monde ? Comment s'appellent-ils ? As-tu des photos que je puisse regarder avant de partir rejoindre les bienheureux et taquiner Allah le Grand en Lui réservant une bonne conversation horizontale ? Est-ce que tu vis dans l'abondance ou dans le besoin ? As-tu toujours les poils blancs de ton genou droit ? « Le signe d'un futur grand bonhomme », disait ta grand-mère, ta préférée d'entre nous toutes. Est-ce que ton mal de ventre te poursuit toujours ? Est-ce que tu continues de te soigner au miel amer ? S'il te plaît, dis-moi que tu n'as plus mal au ventre, je partirai voir mon Créateur sans inquiétude. As-tu su préserver ton silence même si tu n'as jamais mangé ton verbe ? As-tu toujours peur de ton père ? Comment va le citoyen chez vous ? Et l'étranger, va-t-il mieux ces derniers temps ?

Fils, je ne te dois rien. Seule la vérité m'anime et constitue ma raison d'être. J'ai tout transmis à tes sœurs. Mais puisque tu insistes, je suis bien obligée de te mettre face à ton passé, le vrai, celui qui expliquera ta détresse, ton exil et ta soif de biographie. La mère que je suis t'offre trois événements. Toi et moi, nous y sommes impliqués jusqu'au cou : ma rencontre avec ton père, ta naissance, et 1982, l'année du grand tournant. Pour le reste, tu n'auras rien.

Ta mère est donc née le 31 décembre 1935, soit cent dix ans après l'invention d'un objet très apprécié par le dey d'Alger et sa cour : le chasse-mouches. Je me suis mariée avec qui tu sais en 1955, l'été 1955. Je ne te dirai ni la fête, ni les cadeaux, ni le banquet. Seules les circonstances de ma rencontre avec ton géniteur te seront transmises. Un jour de mai 1954, un homme de quarante ans pointa son nez chez nous pour circoncire mon petit frère Wahib. Omar, mon père, connaissait visiblement bien l'homme en question. Comme la circoncision s'était bien déroulée, ton grand-père insista pour payer cet homme, mais ce dernier refusa net et répondit par ces mots : « Nous nous connaissons depuis des années, je ne toucherai pas de salaire de la main d'un ami cher, en revanche, j'aimerais bien que nos deux familles s'unissent davantage : acceptez-vous de donner à mon fils Désiré votre fille Mabrouka comme épouse ? » « Oui ! » répondit mon père. Et le mariage fut organisé au mois de juillet 1955. Et puis vint ce moment tant attendu : ta naissance. Massyre, tu es né à la belle saison, au mois le plus radieux et le plus beau du printemps de la Montagne-Blanche, le printemps de la vie, Âyâr – un nom que j'aurais pu donner à une de mes filles. Je crois même que c'était la deuxième moitié de mai 1971, le 15, ou le 17, je ne me souviens plus. Tu es sorti de mon ventre avec une facilité et une rapidité inquiétantes. Oui, mon fils, tu es né le 15, le 16 ou le 17 mai 1971. Que s'est-il passé entre décembre 1935 et mai 1971 ? Seules tes sœurs le savent. Inutile de déranger ton père. Il ne te parlera pas, car il a fini par épouser le silence et pense pouvoir rattraper le temps perdu. Il me regarde avec amour, a une peur bleue de me perdre et veille avec générosité sur tes sœurs et ses petits-enfants.

Massyre, ton désir de fuir ton père et ta famille remonte à l'été 1982. Revois la carrière professionnelle de ton père. Accepte de replonger dans cette période. Il y a eu une vraie rupture en 1982, l'été 1982. Tu avais onze ans. Pour toi, ce retour fut une révélation, un choc même. Avant cette date, tu ne connaissais pas vraiment ton père, tu l'avais peut-être aperçu une ou deux fois, mais jamais connu. Je peux te dire que tu as véritablement commencé à le connaître à onze ans. Il venait de tomber malade. Son foie l'avait trahi après des années d'alcool, de cigarettes, d'une nourriture indigeste, d'un travail misérable et d'un exil dévastateur à Tunis. Avant ce tournant de 1982, il travaillait comme convoyeur à la Société tunisienne du transport de marchandises et fréquentait assidûment sa maîtresse tunisoise. Tu étais un enfant assez débrouillard. Je dis débrouillard non pas parce que tu remplaçais le père absent, tes sœurs le faisaient mieux que toi, mais parce que tu travaillais comme un maboul pour faire entrer quelques dinars à la maison : le mercredi, tu vendais de l'eau fraîche à la criée, et au printemps, jusqu'à la mi-juin – je ne dis pas que le printemps tunisien dure jusqu'à cette date –, tu cherchais le bel escargot, l'*helix aperta*, le petit morceau tendre qui sert toujours à fabriquer du loukoum. Quant à moi, j'étais livrée à Dieu, mon beau-père, ma belle-mère, ma belle-sœur, une vraie peste, mes sept filles et mon silence, ma patience presque divine. Mon enfant, j'ai vaincu l'adversité, mon beau-père, la peste, la nécessité, le regard triste de mes sept filles, le froid, la soupe ingrate et la douleur grâce à mes prières silencieuses. Oui, j'ai tenu et vaincu parce que je maudissais dans le silence, à l'écart du bruit du monde et des hommes. Qu'ai-je vaincu ? Comment ? Quand ? Ce sont tes questions préférées qui dessinent tes pas, grâce auxquelles tu avances dans la vie et sans doute dans la biographie que tu projettes d'écrire sur ta mère. S'il y a un vainqueur, il doit y avoir un perdant, n'est-ce pas ? Ma victoire est invisible et insaisissable, elle est divinement mienne, mon salut à moi que je garde jalousement dans mon âme, cette perle précieuse située entre l'estomac et le cœur. Mon salut n'est pas regardable. Mon salut n'est pas dans la famille. Mon salut n'est pas public.

Puisque tu es un homme qui apprécie l'explicite et les détails, je reviens un instant à qui tu sais, mon mari, ton père. Il avait toujours dit à son père – jamais à moi – qu'il travaillait à Tunis comme convoyeur à la Société tunisienne du transport de marchandises. Mais personne ne l'a vu faire. Moi non plus. Peu importe que son absence eût été liée à son travail et à sa maîtresse, je te redis qu'avant ton retour il était un parfait inconnu pour toi. D'ailleurs, tu ne m'as jamais demandé où était ton père. Je ne suis pas en train de te culpabiliser, je te rappelle juste des détails importants, concrets, de ta vie passée.

Sa maladie l'a définitivement éloigné de Tunis, de son travail et de sa maîtresse. Le voir revenir m'a rendue heureuse, et sa maladie n'a rien changé à mon bonheur intériorisé. Et, surtout, ne crois pas qu'en le voyant je lui ai chuchoté ces mots : « Mon amour, je suis heureuse de te voir à la maison, parmi nous. » Que nenni. Pour moi, avoir à ma disposition un homme qu'on maudit jour et nuit était un vrai triomphe. Moi, Lala Mabrouka, la femme de la Montagne-Blanche qui mange son verbe, je n'ai jamais dit mes sentiments. Je gardais tout pour moi. J'observais avec application. Observer et regarder dans le silence absolu et la solitude est un bonheur total. Oui, j'étais vraiment heureuse de le revoir, j'aurais même pu marcher quatre kilomètres pour aller au hammam du village, le Passage, si j'avais su qu'il allait débarquer un 17 mai 1982, mais je ne l'ai pas fait, en revanche, je me suis épilée à la maison, tranquillement et avec application. Le retour d'un homme se fête comme il se doit, un hammam seul ne suffit pas, l'épilation partielle du corps, pas de tout le corps, juste la partie inférieure, autour du *zok*, vient toujours couronner une beauté féminine instantanée et retrouvée. C'est un détail qui échappera sans doute à ta future biographie. Fils, dans cette affaire d'épilation partielle, je tiens à te dire que tu avais goûté au produit de ma beauté éclatante, en te servant de ton doigt, trois ou quatre fois, dans une casserole qui refroidissait dehors. Pour toi, la casserole était tentante parce qu'elle contenait du caramel.

Fils perdu dans les nuits de Paris, tu me parles d'archives, de biographie et de l'Histoire, je te réponds « épilation partielle » parce que ça te concerne aussi. Tu avais mangé de la cire orientale à base de sucre, le produit qui épilerait même un hérisson, quatre fois. Tu t'en souviens ? Quelle idiote ! Bien sûr que non. Je suis sûre que tu as oublié ce caramel fait à base de sucre, d'eau et de citron, le tout dans une casserole qui chauffe doucement, un mélange qu'on aide à prendre forme en lui donnant un coup de main délicat grâce à une bonne cuillère en bois. Ressemblant au caramel, la pâte, évidemment tiède, est appliquée soigneusement sur la peau, en particulier là où les poils sont anti-érotiques, pour ensuite l'étirer uniquement avec la main, la droite ou la gauche. Comme je n'ai jamais aimé le tiède, j'ai toujours préféré utiliser mon caramel chaud, histoire de bien enlever mes poils éparpillés, mais, surtout, de sentir mon corps et sa capacité à réagir face à une douleur physique : l'épilation.

Tu ne vas quand même pas écrire sur l'épilation de ta mère, pas plus que sur son silence. Moi, je regardais, patientais et maudissais le malentendu : le destin. Et c'est grâce à cette philosophie d'être au monde que j'ai pu comprendre très rapidement le mépris constant, presque honteux, de ton grand-père à l'égard de ton père, mon mari, le père de tes sept sœurs. « Qu'il crève ! », c'était la seule pensée exprimée à la vue de son fils sur son lit de malade. Oui, tu as entendu cette phrase plusieurs fois. Ton grand-père n'aimait pas ton père. Et je peux te dire que le séjour de ton père à Tunis pour son travail et sa maîtresse le rendait gai et généreux : quand le « maudit » n'était pas là, ce qui arrivait souvent, ton grand-père, le *tahar*, celui qui avait circoncis tous les garçons de la Montagne-Blanche et au-delà, devenait doux, gentil, tendre, attentif et heureux d'être avec nous. Il me considérait comme sa fille, sauf que, moi, j'étais la fille de quelqu'un d'autre et tenais à garder mes parents et à préserver ma filiation. Ton grand-père, qui était un héros, un vrai sage dans tout le nord-ouest de la Tunisie, l'homme pieux aux doigts habiles qui, par un coup de lame de rasoir, faisait entrer tous les garçons dans la religion de Mohamed, a détesté son fils jusqu'à son dernier souffle. Je n'ai jamais su les raisons d'une telle haine, mais je suis sûre d'une chose : il n'a jamais cessé de prier pour la mort de ton père quand il est tombé malade. Je l'ai toujours entendu parler de mon mari, ton père, comme d'un bras cassé, d'un moins que rien, d'un ingrat qui préfère Tunis et ses filles de joie à la Montagne-Blanche, d'un pourri, de l'unique raté de la région, d'un homme sans vertu, d'un alcoolique, d'un minable quand il boit et d'un homme violent quand il ne boit pas, de quelqu'un qui trompe sa femme, d'un mauvais joueur aux cartes, d'un homme sans Allah, celui qui intégrera le premier l'enfer. Oui, ton grand-père méprisait son fils mais, moi, j'étais une femme silencieuse et solitaire, j'écoutais les insultes pour mieux les renvoyer discrètement, je maudissais. Et toi, mon doux, mon tendre, mon enfant, l'historien qui ne sait plus quoi faire de son passé mais a l'idée perverse d'écrire une biographie de sa mère, comment vas-tu rendre intelligible la haine d'un père pour son fils ? Comment vas-tu restituer la femme solitaire et silencieuse que j'étais sans parler des autres : de ton père, de ton grand-père, de ta grand-mère, même si elle brillait par son silence, et de tes sept sœurs ? Peut-être que l'historien que tu es ne s'intéresse pas aux autres. Je retire « peut-être », cette formule molle, et opte pour une certitude : les autres t'échapperont toujours, tu ne vengeras jamais les tiens. Tu veux écrire uniquement sur ta pauvre mère, alors que j'ai toujours porté l'Autre en moi. Comment vas-tu t'y prendre, alors que tu n'as jamais passé des nuits blanches à te demander : Comment fait une femme qui a traversé toute une vie en mangeant son verbe ?

Nos vies sont trop denses pour être restituées par l'historien. L'âme féminine est un sujet inaccessible pour un biographe, fût-il un fils. L'intime t'échappera toujours. Je t'échapperai toujours. Mon garçon, tu as quarante ans, c'est une certitude, mais tu as tout perdu : ta mère, le général, le particulier, l'intime et l'entre-deux. En voulant écrire sur ta mère, moi qui m'apprête à rejoindre les immortels, mes bienheureux frères et sœurs, pour avoir un dialogue horizontal, franc et sans concession avec Allah, le Créateur de l'univers en sept jours, qui apprécie par-dessus tout le verbe des femmes et leur compagnie, tu me perds définitivement. Tu renforces mon verbe sorti spontanément du fond de moi-même : je maudis les historiens, je te maudis. Mon enfant, tu as quarante ans et ce n'est pas maintenant que tu vas devenir poète. Pauvre garçon, on ne devient pas poète en demandant un entretien à sa mère. Ton effacement et ton silence m'auraient sans doute poussée à garder une haute opinion de toi. Seules tes larmes adouciront ton destin et apaiseront ma colère. Seule ta douleur me convient.

Comment as-tu vécu la maladie de ton père ? Son retour ? Est-ce que tu te souviens de la période qui va de son retour jusqu'à sa guérison ? Comment vas-tu rendre présents les sentiments et l'attitude de ta mère face à la maladie de qui tu sais ? Tu vas peut-être improviser, mais c'est un don qui t'est inaccessible. Il faut que j'arrête de te poser des questions parce que ta mémoire d'aujourd'hui, travaillée et habitée par l'Histoire, est sans doute devenue sélective et ne conserve que ce qui l'arrange. Mon enfant, tu n'as pas très bien regardé la maladie de ton père, tu étais ailleurs, tu ne comprenais pas ce qui se passait autour de toi. C'est le poète qui regarde, jamais l'historien. Tu comptes sans doute sur moi pour te restituer les choses, pour te parler de l'événement, mais je hais l'événement, je méprise cette corde sur laquelle on tire violemment pour expliquer la douleur des hommes, moi, je préfère les bouchers quand ils coupent et découpent. Ça te rappelle quelque chose, l'art de bien séparer les morceaux ? Quelle idiote ! Je m'égare, je continue de poser des questions à un historien ! Repense à la boucherie, écoute le son du couteau, accorde-toi un moment de répit, seules les voix de la Montagne-Blanche viendront t'arracher à la douleur de l'exil. Repense à la boucherie ! Tu ne vois toujours pas, eh bien, je suis encore là pour corriger ta mémoire. Tu ne pourras jamais restituer la grande année 1982 sans l'histoire de la boucherie.

Tu te vantes d'avoir exercé plusieurs métiers quand tu étais enfant et adolescent et d'avoir renoncé à ta part d'héritage au profit de mes sept filles, tes sœurs. Tu mens. Pauvre jeune homme de quarante ans, naître après sept sœurs ne t'a jamais rendu bon et spirituel. Je t'ai fait, je t'ai voulu après mes sept filles, parce que j'avais un grand besoin, celui d'une preuve vivante qui mettrait un terme à la malédiction des hommes, du mâle. J'avais une grande ambition pour toi : Je n'ai qu'à faire un garçon pour pouvoir me débarrasser de son père, me suis-je souvent dit. Tu dois véritablement la vie à mes sept filles, mais tu n'en tires aucune qualité, aucune philosophie de l'existence, aucune poésie, même pas la moindre malédiction ou un soupçon de culpabilité. Massyre, on ne peut pas devenir historien après avoir été suiveur de chèvres. Poète, oui. Tu as trahi le seul être véritable qui ait compté dans ta vie, la chèvre, et tu veux aujourd'hui commettre une autre trahison : écrire la vie de ta mère. De tout ce que tu as pu dire, raconter et répéter en ville et dans les dîners, une seule vérité jaillit : « On ne garde pas une chèvre, on la suit ! » Pour le reste, tu excelles dans l'art de te représenter les choses : « poursuivre » est devenu « suivre » dans la langue de ton exil. La chèvre, c'est comme la femme qui mange son verbe, elle pratique le seul langage universel, le silence, il faut la regarder, la suivre du coin de l'œil même, sans être trop encombrant. On doit la suivre une vie entière pour percer son mystère et sa vérité. Toi, tu l'as trahie, tu l'as même tuée deux fois. Tu l'avais poursuivie pour mieux la conduire à l'abattoir, et, aujourd'hui, tu me poursuis pour me mettre à mort, m'immobiliser dans une biographie. Je n'aime pas le regard que tu poses sur moi. Et ton éloge de la chèvre m'a tout bonnement horrifiée. Tu n'as jamais été un suiveur de chèvres jusqu'à l'abattoir, tu étais tout simplement le plus jeune et talentueux boucher de la Montagne-Blanche. Oui, mon enfant, boucher à quatorze ans. À l'âge où les autres garçons découvraient qu'ils avaient un sexe, mais ne savaient pas encore quoi en faire, toi, tu maîtrisais l'art de la coupe, l'art de séparer les morceaux d'une bête, l'agneau et le chevreau. Tu avais même acquis très tôt une connaissance inouïe de tes clients : les impatients, ceux qui achetaient à crédit, les clients de passage, les clients fidèles, nos vaillants ouvriers qui rentraient de Tunis dans leur famille, le vendredi soir ou le samedi matin, le notable, le professeur de mathématique qui achetait une fois par semaine deux cent cinquante grammes d'agneau pour faire sa soupe, ton voisin l'épicier et le marchand de fruits et légumes. Tu savais toujours qui servir le premier, histoire de ne pas perdre un client, même le plus pressé. Tu étais toujours animé par la même ambition : devenir le boucher numéro un de la région d'après le nombre de bêtes égorgées par jour. Tu avais tout fait pour accomplir ce rêve en te livrant discrètement à une observation approfondie de tous les bouchers du village : comment ils travaillaient, s'ils trichaient, quels étaient leurs clients, combien de bêtes ils égorgeaient par jour, comment ils organisaient leur échoppe, comment ils accrochaient les bêtes et les morceaux pour attirer le passant, etc. Ton grand-père t'avait toujours dit que, pour être un bon boucher, il suffisait de savoir bien séparer les morceaux et vite, mais que le plus important était de ne pas tricher sur le masculin, le féminin, le tendre et le dur. « Il faut être honnête et exemplaire », répétait-il souvent.

Après sa guérison miraculeuse que je refuse toujours de m'attribuer, ton père a repris une petite échoppe de sept mètres carrés, au mois de décembre 1982. Au bout de deux ans d'exercice, son bilan était modeste : un chevreau et demi, parfois deux, par jour, mais quand tu as repris l'affaire, en 1985, tu savais déjà couper la bête, d'abord en deux, du haut du gigot jusqu'au collier, puis en plusieurs morceaux : les deux gigots, l'épaule, la poitrine, les côtes, etc. Au bout de trois semaines d'exercice, les affaires ont bien démarré, tu as même réussi à passer de deux à trois chevreaux par jour. Tu étais à la fois motivé et excité. Tu as convaincu ton père de louer une autre échoppe plus spacieuse et d'augmenter le nombre de bêtes égorgées par jour. Comme il appréciait ton plein engagement et ton enthousiasme dans l'affaire, il a accepté d'investir dans un local plus grand.

À l'heure où tu te découvres une autre ambition, à l'heure où tu envisages d'écrire ma biographie, je peux te dire que tu avais bien fait de lui demander d'agrandir la boucherie. Ce fut sans doute l'unique fois où tu as eu raison. Ce fut ton coup de génie. Ton unique savoir-faire. Ta vérité. Grâce à toi, le nombre de bêtes égorgées par jour est passé de deux à vingt chevreaux et agneaux durant les années fastes : de 1987 à 1992. Avec toi, la Boucherie du Bonheur est devenue la plus appréciée et la plus fréquentée. Fils, tu étais conscient de la fragilité de la reconversion de ton père : on ne devient pas boucher du jour au lendemain après avoir été un convoyeur travaillant pour la Société tunisienne du transport de marchandises ; on ne devient pas boucher avec le sourire aux lèvres après avoir sillonné les routes tunisiennes pendant des années et bien niqué sa maîtresse tunisoise, la *qahba* ; on ne devient pas boucher quand on est rentré amoindri physiquement, malade, désespéré, et avec seulement quelques centaines de dinars dans sa poche. Mais on lui avait conseillé quand même de le faire, car, à la Montagne-Blanche, les métiers dans lesquels on pouvait réussir étaient très limités : boucher, forgeron, commerçant, contrebandier, paysan ou indicateur à la solde du régime policier vieillissant, et nous avions perdu nos terres depuis les années trente du siècle vingt. Comme ton père n'avait plus goût aux aventures ni à la marche, mon beau-père lui avait conseillé d'ouvrir une boucherie. On t'a désigné d'emblée comme le garçon qui, dans un premier temps, donnerait un coup de main, puis reprendrait l'affaire. Tu as commencé par la découpe et la vente, les jours où ton père allait chercher les bêtes dans différents souks du nord-ouest de la Tunisie : jeudi, vendredi, dimanche, lundi et mardi. Certes, il y avait l'école, mais je peux te dire qu'à l'époque elle ne t'intéressait pas beaucoup. Au début, tu jonglais d'une manière aléatoire entre les heures de cours, l'ouverture de l'abattoir et de la boucherie, mais, au bout d'un an d'expérience, tu as décidé de te concentrer un peu plus sur l'affaire familiale, et c'est grâce à toi, à la santé retrouvée de ton père et à son sens aigu des affaires que la Boucherie du Bonheur est devenue une affaire florissante, écoulant entre dix et vingt bêtes par jour.

Tu n'as jamais été un gardien de chèvres. Ni suiveur de chèvres jusqu'à l'abattoir. Tu as poursuivi l'animal pour mieux le sacrifier. L'homme qui garde et suit la chèvre jusqu'à son dernier souffle n'est pas encore né.

Toi, tu l'as gardée, encadrée, suivie et poursuivie pour mieux lui arracher ses petits, les chevreaux, et les conduire à l'abattoir. Parfois, ils résistaient et ne voulaient pas quitter leur mère, mais tu avais trouvé la ruse : conduire tout le troupeau à l'abattoir. Une fois arrivé sur place, tu faisais la sélection, oui, la sélection, tu arrachais les petits à leurs mères. Elles criaient parce qu'elles voyaient très bien le sort qui leur était réservé, elles sentaient l'égorgement, le sang et le dépeçage. Tu partais toujours avec ton troupeau vers cinq heures du matin, et tu revenais deux heures après, vers sept heures, tu ne prenais même pas le temps de respirer et de boire ta chorba, tu disais toujours qu'il fallait faire vite, repartir ouvrir et nettoyer la boucherie avant la concurrence, tu considérais qu'une boutique ouverte dès le petit matin ne pourrait qu'être bénie par Allah et les clients. Oui, tu repartais sans même m'embrasser ou me dire bonne journée.

Mais tu étais un bon boucher, un vrai. C'était ta vocation. Tu possédais l'art de la coupe, l'œil qui ne se trompe jamais sur un client impatient d'acheter ses trois kilos de viande. Tu étais un enfant très doué pour le commerce. Tu le dis, tu le répètes avec une certaine arrogance, qu'enfant tu as exercé plusieurs métiers : vendeur d'eau dans les rues, de boissons gazeuses, grand chercheur d'*helix aperta*, vendeur de journaux au kilo, de fruits sauvages, fripier et suiveur de chèvres jusqu'à l'abattoir. Je t'accorde tous les métiers, sauf le dernier. J'ai une mémoire totale, infaillible, que je protège, car j'ai passé ma vie à préserver mon verbe. Je peux te dire que tu te trompes sur le nombre de métiers que tu as exercés. Fils, tu as exercé plus de sept métiers avec brio.

Regarde un instant ton bras gauche, non, je me trompe, l'avant-bras, essaie encore : y demeure une cicatrice de cinq centimètres. Est-ce que ça te dit quelque chose ? Fais travailler ta mémoire même si elle est sélective. Tu avais sept ans, deux mois et quelques semaines, c'était un 8 août, tu es rentré à la maison en larmes. Tu hurlais de douleur, tu venais de rentrer du Passage, le petit village où tu vendais pour le compte d'Helel, le gros marchand de fruits et légumes, des pastèques et des melons. Ton concurrent te disait de crier moins fort et de ne pas casser les prix, tu n'entendais rien, il s'était énervé et t'avait donné un coup de couteau à l'avant-bras gauche. Tu as décidé d'arrêter, ça ne rapportait pas beaucoup. C'était le temps d'avant la Boucherie du Bonheur.

À présent, mets un doigt, pas le pouce, n'importe quel autre doigt, sur ton crâne, en haut, pas au milieu, un peu plus à gauche, là où loge une belle cicatrice, un vrai trou. Tu l'as trouvé ? Il ne te rappelle rien ? J'espère que si. Tu étais l'inventeur de ce nouveau métier, de ce commerce. Tu étais très doué. Fais un effort. Juillet et août, l'été, la saison où les mariages se succèdent à la Montagne-Blanche et aux alentours, la saison des aubaines et des affaires pour un garçon comme toi. À chaque mariage, il y avait en moyenne quatre cents personnes, des femmes, des hommes, des enfants, des jeunes, des vieilles, des vieux. Pour tout le monde, un monde qui va au-delà de notre montagne et de nos collines, un mariage est idéal pour le commerce, l'endroit où on peut trahir, mentir, séduire, colporter, apprécier la beauté des hommes et des femmes, contracter des dettes, manger un bon morceau de viande, danser, boire, oublier son âge et ses rides, recueillir les dernières nouvelles et les rumeurs les plus fraîches, mais, toi, tu y voyais un autre intérêt : tu vendais des cigarettes aux hommes et des gâteaux aux petits. Pendant les deux mois d'été, juillet et août, chaque vendredi en fin de journée, tu t'approvisionnais à l'épicerie de Bagdad, tu achetais à crédit dix cartouches de cigarettes, des 20 Mars que tu vendais à l'unité, et un carton de petits gâteaux. Et tu écoulais le tout pendant les deux jours de fête, samedi et dimanche, pour pouvoir payer notre épicier le lundi.

Un samedi du mois de juillet, je ne sais plus de quelle année, tu es parti tôt, vers quatre heures de l'après-midi, alors que la fête commençait vers sept heures chez les Ghali. À deux cents mètres de leur maison, une meute de chien t'a surpris et pourchassé sur le chemin. Tu as couru dans tous les sens et fini par tomber sur un gros rocher, mais tes pas t'ont guidé jusqu'à la maison. Tu pleurais et saignais. J'ai pris des ciseaux, coupé quelques cheveux pour bien voir ta blessure, je veux dire le trou, et j'y ai mis du café, une bonne dose de café, pour soigner ta douleur.

Regarde maintenant ton mollet gauche, soulève ton pantalon, tu es peut-être en caleçon ou carrément nu, balade ta main, gauche ou droite : à quinze centimètres du tendon d'Achille de ton pied gauche se niche la profonde morsure de chien. C'était lors du mariage somptueux organisé par la famille des Hrayer. Un de leurs fils avait réussi à épouser une fille de la Creuse, une Française. Il y avait mille personnes. Pour toi, une aubaine, mais à peine avais-tu mis les pieds dans leur *hoch*, leur domaine, que le chien t'a repéré et mordu avec toute la force de sa mâchoire. L'ingrat, nous étions ses voisins ! Ta vente avait bien commencé, mais l'animal a tout gâché. Khroufa, la mère de l'heureux élu, t'a reconnu et a ordonné de te conduire à l'hôpital du Passage. Le toubib t'a prescrit un vaccin contre la rage, une dizaine de piqûres, quinze je crois, dans le ventre. Oui, Massyre, tu as échappé à la rage parce que le toubib de l'époque connaissait son serment d'Hippocrate par cœur et ne tergiversait pas avec la santé des enfants. Tu as eu droit aux doses mesurées et prescrites dans le Dictionnaire Vidal, le Coran de tous les médecins tunisiens. Fils, historien qui ne sait plus quoi faire de son passé, de sa mère et de son commencement, je te raconte ça parce que avant-hier, ici même, un enfant de sept ans qui rentrait tranquillement chez lui après une journée d'école a été mordu par un chien enragé. Cet enfant n'a pas connu ton sort, nous l'avons enterré ce matin. Tu te rends compte, toi qui aspires à restituer la vie d'une mère dans une indigeste biographie, qu'un petit garçon meurt à la Montagne-Blanche, dans ce foutu pays révolutionnaire qui n'aime pas ses enfants, parce que le vaccin contre la rage n'est pas disponible en quantité suffisante à l'hôpital du Salut, là où on t'avait soigné, trente-deux ans plus tôt. Pas d'argent, pas de médicaments, pas de vaccins, disent les toubibs et le ministre de la Santé d'aujourd'hui. Oui, mon enfant, toi qui as fui la Montagne-Blanche, toi qui penses que je vais te pardonner parce que tu es sur le point d'écrire ma vie, toi qui es resté silencieux pendant quinze ans, nos chiens sont enragés, nos enfants meurent de la rage et quittent l'école parce qu'elle ne leur apprend rien.

Massyre, nos enfants ne commercent plus
La contrebande a tout emporté sur son passage
Nous sommes lancés dans une course folle derrière l'argent, la piété et l'empire
Nous ne savons plus faire la guerre depuis Hannibal
Notre joli petit pays suffoque
Écris sur l'enfant qui vient de mourir
Écris sur le pays perdu
Repense au Nord, le nôtre
Il n'y a plus d'eau dans nos rivières
Nos mosquées sont pleines de contrebandiers de la parole divine
Pense à ton commencement
À ta vérité
Ne me découpe pas en morceaux
Ne deviens pas un traître absolu
Ni un menteur total
Tais-toi

Mon enfant, je suis une femme qui mange son verbe, je transmets dans le silence, je parle au ciel, à la foudre, à la poussière, à l'enfant de sept ans qui vient de mourir chez nous, au destin, aux esprits, bons et mauvais, aux anges, vigilants gardiens de la parole divine, à Allah, à la seule femme vertueuse de notre digne montagne, Lala Khmissa, aux corbeaux, à mon arrière-grand-mère et à son chasse-mouches, à Constantine, à Souk-Ahras, aux escargots, au consul de France, Pierre Deval, aux fourmis, à l'aube, au bon Dieu qui n'intervient pas tout de suite pour nous sauver, à la première rencontre avec l'homme qui allait devenir mon mari, ton père, à la Source-de-l'Aube, à la vieille fille qui transmettait ses savoirs aux femmes, au ciel qui gronde, à mes accouchements, aux serpents, aux scorpions que tu chassais quand tu étais jeune enfant, à la mort, à mon âme et à ma première prière dite à voix haute dans mon sommeil : « Je vaincrai la vie et les hommes, je réussirai ma mort. »

Tu enlevais aux chèvres l'essentiel : leurs petits. Six jours sur sept : mardi, mercredi, jeudi, vendredi, samedi et dimanche, tu conduisais toute la communauté, je veux dire les chèvres, leurs maîtres, les boucs, et leurs petits, à l'abattoir. Et tu le faisais très bien, tu étais un vrai professionnel de l'acheminement des bêtes à l'abattoir. As-tu oublié ? Est-ce que la honte te travaille au plus profond de toi-même ? Pourquoi effaces-tu de ta mémoire ton seul grand métier ? Tu ne veux plus te souvenir de la boucherie ni de ses détails, je dirais même son art ? Eh bien, ta mère est là pour te rafraîchir la mémoire, mais tu vas attendre un peu. Tu attendras. Tu ne peux pas faire autrement.

Je dois te dire que la liste de tes oublis est longue. Dis-moi juste pourquoi effaces-tu de ton passé le métier le plus douloureux. À cause de l'humiliation ? Je te l'accorde. Ça te revient ? Essaie encore. Fais un effort, sacrifie ta mémoire. C'était avant les années glorieuses de la boucherie. Toujours pas ? Si je te dis Café de l'Euphrate, tu penses à quoi ? Inutile de te rappeler que tu n'as jamais été serveur dans un café. Je sais que c'était un café que tu fréquentais souvent. Un début de souvenir ? Tu le connaissais très bien, car tu y allais au moins une ou deux fois par semaine pour rencontrer un homme, un vieil homme d'une beauté divine. Café de l'Euphrate ! Le plus vieux café du coin, un café où les hommes ne touchaient jamais aux cartes, un café où les hommes jouaient souvent, quotidiennement, à autre chose : penser dans le silence. Attendre, aussi. Un café situé entre la mosquée et le pont du Nord, celui qui permet la traversée vers la Cité heureuse, la Rivière-Jaune, Tamra, Sejnane, Mateur et Bizerte. Le Café de l'Euphrate où un homme, un vieil homme beau et silencieux, prenait un café entre neuf et dix heures du matin et un thé entre quinze et seize heures. Tu allais le voir, une à deux fois par semaine. Cet homme s'appelait Haj Omar : veuf, seul au monde, silencieux, il aimait te voir souvent, je crois même que tu étais son favori. Est-ce qu'il t'aimait vraiment ? Aucune idée. Mais j'avais une seule certitude : c'était mon compagnon, mon complice, le seul homme de la Montagne-Blanche qui mangeait son verbe. Il avait huit enfants : sept garçons et une fille.

Un grand homme noir et beau qui ne quittait jamais son burnous, assis toujours à la même table et regardant l'horizon avec l'espoir de revoir le beau garçon, Massyre. Au début de vos retrouvailles, tu allais lui dire bonjour et l'embrasser. La première fois, il a sorti une pièce de cent millimes de sa poche pour te la donner. C'était une somme. Avec cent millimes, on pouvait casser la croûte et boire un Fanta. Cette pièce de monnaie jaune t'a encouragé à le revoir souvent, une fois par semaine, surtout le vendredi, jour sacré, jour de la prière, moment où les hommes lavent leurs péchés en se montrant généreux avec les plus démunis. Tu allais le voir, tu lui donnais le bonjour et tu l'embrassais sur le front. Le grand homme noir et beau était mon père. Le grand homme noir et beau était ton grand-père. Il mettait sa main dans sa poche, sortait la pièce de monnaie jaune et te la tendait sans te parler, en te maintenant à l'écart. Il n'aimait pas parler. Il ne voulait pas te parler. Cet épisode t'a marqué à jamais. Dis-moi pourquoi l'as-tu omis. C'était sans doute douloureux et humiliant pour toi. Massyre, tu n'as jamais vu ton grand-père en dehors du Café de l'Euphrate. Je reconnais qu'aller embrasser son grand-père sur le front pour avoir cent millimes est une idée qui ne vient pas à l'esprit de tout le monde. Mais, à un moment, les baisers se sont arrêtés brusquement. Et je ne sais d'ailleurs plus pourquoi.

Ai-je honte d'être pauvre ? Ai-je honte d'avoir été pauvre ? Jamais. Que t'ai-je légué ? Rien. Même pas le souvenir d'une mère aimante. En plus, je te prive de mon verbe et de mes archives. J'aime ma pauvreté, je suis attachée à elle, je suis définitivement liée à elle, non pas parce qu'elle m'offre un tas d'arguments à faire valoir auprès du Tout-Puissant pour qu'Il me pardonne mes péchés, mon égarement et ma trahison de la voie divine. Je l'aime, parce qu'elle me donne à maudire. Je l'aime, parce qu'elle affûte mon verbe, le rend tranchant. Je l'aime, parce qu'elle me tient en vie. Et puis, je suis une mortelle comme toutes les autres femmes de mon espèce, je l'aime à cause de ce fils de rien, l'espoir. Mais toi, tu n'aimes pas les pauvres, moi, si, ça me rapproche d'Allah, je crois même que toutes les femmes qui mangent leur verbe sont pauvres, mystérieuses et détentrices d'une bonté divine, ce qui les rend toujours inaccessibles au monde qui parle. J'aime ma pauvreté, j'aime la taire en la mangeant, parce qu'elle me nourrit. Massyre, notre pauvreté t'a fait fuir. Mais qu'as-tu fait de ton exil ? Qu'as-tu fait de tes jours parisiens ? Qu'as-tu fait de tes nuits aussi ? Fils, tu ne sais plus d'où tu viens. Avant de nous quitter, tu étais pour nous le garçon doué, surdoué même, l'enfant aux multiples métiers, mais je te le redis encore une fois pour remettre les choses à l'endroit : tu n'as jamais gardé de chèvres, tu les as juste poursuivies pour mieux les tuer à l'abattoir. Tu étais un jeune boucher très doué, tu maîtrisais à merveille l'art de séparer les morceaux. Je sais que tu n'aimes pas parler de la boucherie, c'est évident, mais j'espère quand même que ta connaissance précise de la viande te permet aujourd'hui de choisir de bons morceaux chez ton boucher parisien. J'espère que tu as préservé le don de détecter et de sentir une viande avariée même si on la fait passer sur les braises ou dans une marmite qui mijote des heures entières. À ta place, je serais fière de ce savoir accumulé grâce à la boucherie.

Qu'as-tu fait entre quatorze et vingt-trois ans ? On n'oublie pas dix ans de sa vie comme ça, on ne tait pas l'honorable métier de boucher. On n'oublie pas les vingt-cinq mille deux cents bêtes, des chevreaux et des agneaux servis aux amateurs de viande de la Montagne-Blanche. Fils, tu coupais ta bête avec élégance : d'abord en deux, du haut en bas, en écartant bien les deux pattes arrière, jusqu'au cou, tu obtenais deux parties égales, chacune constituée d'un gigot, de la selle de gigot, de la selle anglaise, des côtes, de la poitrine, de l'épaule et du collier – et je ne te parle même pas de la partie haute des côtelettes et de la poitrine. Ensuite, toujours grâce au même grand couteau bien aiguisé et tranchant, tu commençais à séparer les morceaux de chaque moitié à ta manière, oui, à ta manière, légèrement différente de celle des autres bouchers : le gigot, la selle de gigot, les côtes – pour toi, les côtes vont de la selle anglaise jusqu'au cou de la bête –, la poitrine, l'épaule, que tu vendais toujours en deux morceaux, et le collier. Donc, si mes calculs sont bons, après avoir utilisé ton grand couteau pour couper en deux les vingt-cinq mille deux cents bêtes, ce qui faisait cinquante mille quatre cents moitiés égales, tu reprenais l'instrument tranchant sept fois (je compte sept morceaux parce que tu as toujours coupé l'épaule en deux). As-tu oublié que tu as fait usage de ton grand couteau trois cent cinquante-deux mille huit cents fois ? As-tu oublié que tu as vendu cinquante mille quatre cents gigots ? As-tu oublié que tu as vendu cent mille huit cents moitiés d'épaules ? Bien sûr que non. Fils, il ne faut pas avoir honte d'avoir été un jeune boucher très doué. La boucherie est un noble métier qui requiert beaucoup de précision et de doigté, qualités que tu maîtrisais parfaitement. Comme les clients appréciaient les morceaux bien coupés, et si on considère qu'un gigot et une épaule devaient se couper en huit ou dix morceaux (que veux-tu, les familles étaient nombreuses !), tu faisais usage de l'autre instrument, la feuille, deux millions huit cent vingt-deux mille quatre cents fois ou trois millions cinq cent vingt-huit mille fois. Massyre, mes chiffres sont justes mais incomplets, ils ne prennent pas en compte l'usage de la feuille pour séparer les côtes, je te laisse le soin de refaire les comptes et d'honorer l'instrument.

Savoir séparer les morceaux forge un caractère et vous endurcit pour toute la vie. Je t'en supplie, retrouve ce geste, ce mouvement, cette application, tiens dans ta main droite un couteau tranchant et retrouve tes sensations, ta transpiration et ton souffle. Je t'en supplie, retrouve ta cadence perdue et le bruit de la feuille. Ton départ a tout emporté, à commencer par l'admiration que j'avais pour toi. Massyre, on ne devient pas historien après avoir été un boucher talentueux, on ne recolle jamais parfaitement les morceaux après les avoir bien séparés et coupés. Historien de quoi, exactement ? Mon fils, je t'aimais, je t'admirais même jusqu'à tes vingt ans, tu étais bon à l'école et à la boucherie, tes journées étaient bien ordonnées, tu emmenais ton troupeau à cinq heures du matin, puis tu partais à sept heures nettoyer la boutique, tu révisais un peu tes cours, tu réceptionnais la viande, tu coupais, pesais et vendais jusqu'à sept heures du soir, heure à laquelle tu renettoyais la boutique. Tu rentrais à la maison entre vingt heures et vingt heures trente, tu prenais une douche rapide, tu te changeais et repartais en emportant deux repas, le tien et celui de Belaïd, le gardien des boutiques du Passage. Tu mangeais et prenais le thé avec lui, ensuite tu révisais encore une fois tes cours. Je sais que tu appréciais beaucoup ces moments nocturnes passés en compagnie de Belaïd, car il te racontait de longues histoires, de vraies tranches de sa vie. Il avait des choses à raconter, notre vieux gardien boiteux, l'homme trahi, humilié et contraint de veiller pour presque rien sur des échoppes que personne au Passage n'aurait osé voler. Il aurait pu avoir une retraite paisible, s'occuper de ses petits-enfants et aider les siens, mais la plus célèbre escroquerie de la Montagne-Blanche en avait décidé autrement, une escroquerie orchestrée par Saquet, un faux investisseur dans l'immobilier, un homme qui détestait les pierres et la terre, mais s'intéressait par-dessus tout, et ça personne ne le savait, aux merveilles archéologiques sur lesquelles on avait bâti des maisons, des sites qu'il avait repérés, pointés et identifiés.

Construite au milieu d'arbres fruitiers, la demeure de notre gardien de nuit, le vieux Belaïd, était modeste, mais jolie. Les circonstances le contraignirent à la vendre pour payer les dettes de son fils. Saquet sauta sur l'occasion. Aussi, il réussit à négocier et à lui faire baisser son prix en lui disant que l'État allait construire une route qui passerait par la maison et les oliviers, les deux pommiers et le poirier. Quelques semaines après la transaction, tout le monde était au courant du trésor que cachait la maison de Belaïd : des monnaies anciennes et médiévales, trois épées gravées d'une belle écriture arabe, un miroir médiéval, une mosaïque représentant Dionysos prenant son bain parmi les oliviers et des jeunes femmes indigènes, un Coran du siècle douze, et bien d'autres choses encore.

Est-ce que tu te rappelles les mots de Belaïd, sa plainte et sa douleur ? « Oui, Massyre, je garde les boutiques du Passage, on m'a volé, dépouillé, je suis maudit, je ne connaissais pas la valeur de ma demeure, j'ignorais la richesse de ma terre, j'étais assis, je dormais sur un trésor que j'ignorais. Je ne suis pas instruit. Comment veux-tu que je sache qu'une pièce de monnaie romaine a de la valeur ? Comment veux-tu que je sache qu'un dieu grec, un maboul, un possédé, qui prend son bain au milieu des oliviers et des filles, se vend très cher ? Mais toi, tu es un garçon éclairé, tu connais ces choses-là. Aujourd'hui, je garde toute la nuit les boutiques du Passage. C'est une vraie malédiction. Mon petit, ta mère est une femme d'une grande vertu, elle connaît l'injustice faite aux hommes et aux femmes. Ta mère est une grande dame généreuse, veille bien sur elle. » Massyre, est-ce que ces mots te reviennent ? Est-ce que tu te souviens des confidences et de la déchirure du vieil homme qui gardait les échoppes du Passage ?

Tu passais des nuits entières avec Belaïd à discuter de ses mésaventures. N'est-ce pas lui qui fut à l'origine de ton départ et de ta vocation d'historien ? N'est-ce pas l'injustice faite à notre veilleur de nuit qui t'a poussé à mieux connaître le passé dans toutes ses dimensions, ses recoins et sa splendeur ? Je peux admettre que tu voulais réparer cette arnaque, rendre justice à Belaïd, que tu es parti pour mieux revenir et dévoiler au monde entier la richesse de notre patrie universelle, ce pays où l'oiseau, le corbeau, la sorcière, le boucher qui triche, la femme souveraine, le scorpion qui vient nous embêter au mois de septembre, les arbres qui poussent, le mendiant, le voisin, l'orphelin, la veuve et la mère qui accouche ont droit de cité. Où es-tu aujourd'hui ? Cheikh Belaïd n'est plus, mais la Montagne-Blanche est toujours splendide et verticale. Où es-tu ? Car le monstrueux barrage emporte tout : statues, tombes, monnaies, rivières, décrets et notre passé. Où es-tu ? La Montagne-Blanche perd sa mémoire et ses hommes valeureux. Reviens, car nos enfants ne savent plus d'où ils viennent. Reviens, au lieu d'écrire ma biographie. Qu'as-tu fait de la douleur de Belaïd ? Qu'as-tu fait du commencement ? Qu'as-tu fait de tes nuits passées à faire parler Belaïd ? Qu'as-tu fait de ta vocation première, ton unique vocation, ton art de bien séparer les morceaux ?

La boucherie est ton œuvre. Tout ce que tu as pu faire et défaire entre vingt et quarante ans m'est complètement indifférent, étranger aussi. Massyre, on ne devient pas historien après avoir été boucher, j'aurais pu faire autrement si tu n'avais pas choisi de devenir historien, j'aurais pu te donner tout, vraiment tout, mon verbe, mes archives et mon souffle, si tu étais devenu poète, oui, poète. Tu ne vois pas le lien qu'il peut y avoir entre un poète et un boucher, fais un effort, repense au geste, à la coupe, au son de la feuille, à la cadence, tu ne vois toujours pas la moindre ressemblance ou la discrète complicité. Tu vas peut-être me dire que le poète et le boucher nous régalent souvent. Je te l'accorde, mais la complicité et la filiation ne s'arrêtent pas là. Pense à la cadence, au rythme, au son de la feuille et du couteau qui tranchent sans abîmer les morceaux, pense au verbe du poète qui ne vacille pas, ne tergiverse pas, pense au mot qui cogne, nous réveille et nous dit que nous sommes des enfants saisissables. Tu le sais mieux que quiconque, le boucher ne s'encombre jamais d'outils divers et variés, il dispose de sa feuille et de son couteau. Le poète possède la feuille et la plume. Le boucher ne s'exile jamais, le poète ne quitte jamais sa terre natale, sa Montagne-Blanche, il n'a pas besoin d'intermédiaires ni de concepts venus de je ne sais où pour identifier son âme et dire le salut. As-tu vu jamais un boucher demander à un autre boucher de l'aider à séparer la selle du gigot ou à couper l'épaule en deux ? As-tu jamais vu un boucher de notre digne Montagne-Blanche parfaire sa formation auprès d'un confrère de Salers ?

J'avais de l'estime et de l'admiration pour toi. Quand tu nous as dit que tu allais te consacrer aux études, j'ai prié : « Pourvu qu'il devienne poète, pourvu qu'il reste ici, pourvu que le fils de Lala Mabrouka, la femme qui mange son verbe, devienne poète ! » Sublime prière restée sans écoute. Sublime prière perdue dans les nuits de la Montagne-Blanche. Sublime prière emportée par l'exil. Est-ce que tu l'entends ? Est-ce qu'elle vient parfois te chatouiller les oreilles dans tes nuits et tes jours parisiens ? Un poète ne quitte pas les siens. Massyre, un poète ne quitte jamais sa patrie. Un boucher non plus.

Fils, nous n'avons pas vécu l'année 1982 de la même manière : tu l'interprètes, je l'ai portée.

Pour moi, ce fut une année salutaire pour ton père, tes sœurs et toi. Sa maladie l'avait contraint de revenir auprès des siens pour guérir à la Montagne-Blanche, mais cet espoir fut rapidement gâché par le réveil d'une grande blessure, un mal qui ne s'adoucit jamais : le mépris d'un père pour son fils, mon mari. « Le bon à rien qui nous revient avec son ingratitude et une maladie en plus ! » disait-il en le voyant sur son lit de malade, quelques semaines après son retour. Je sais que tu aimes toujours ton grand-père, il faut que tu saches que le grand *circonciseur*, celui qui faisait entrer tous les garçons de notre pays dans la religion de Mohamed, a tout fait pour pourrir la vie de ton propre géniteur.

Pour ton père, l'année 1982 fut l'année de son salut et de sa renaissance. Sa maladie l'a arraché à une vie honteuse. Elle l'a éloigné de sa *qahba*, sa maîtresse, la fausse blonde tunisoise. Tu penses peut-être que je tenais un journal dans lequel tout était consigné, transcrit et prêt à devenir public à un moment ou à un autre, un document à transmettre à mon unique héritier qui travaille beaucoup sur le texte, la source écrite, eh bien, non, j'avais mieux à faire, j'étais une femme très attachée à la réalité et aux malheurs, une femme préoccupée davantage par le faire, le concret, la guérison de qui tu sais. Mon enfant, j'ai enterré très tôt le *je*, mon *je*, pour faire vivre l'Autre, les autres, ton père, tes sept sœurs et un garçon, toi, devenu malheureusement un historien qui veut commettre une grande trahison : la biographie de sa mère. Débrouille-toi, avance des hypothèses soutenues par des béquilles vacillantes, le conditionnel. Et puisque je te connais mieux que quiconque, j'anticipe – l'historien est très prévisible – ta meilleure future hypothèse : « Au printemps 1982, j'avais onze ans, mon père est tombé malade, ma mère aurait souhaité sa mort parce qu'elle avait souffert tour à tour de son absence et de sa violence. » Dois-je te gratifier d'un « Bravo » ? Je suis réellement désolée, je ne serai plus là le jour de la naissance de ton hypothèse, je serai en bonne compagnie, en pleine conversation avec Allah, mais toi, tu auras le loisir de débattre avec les historiens de ton espèce sur ton hypothèse, audacieuse ou pas.

Permets-moi de revenir à l'essentiel, l'objet de la discorde, ton père qui te fait toujours peur : je crois que sa grande chance, ça a été d'être tombé gravement malade à quarante-cinq ans. Sa maladie l'a fait revenir et sa guérison fut un vrai affranchissement. Non, je n'ai jamais souhaité la mort ou la disparition de ton père, et les coups, petits ou grands, qu'il me donnait de temps en temps n'auraient rien changé. J'avais décidé de le maintenir en vie. Mieux encore, j'ai tout fait pour lui redonner une jeunesse. Vois-tu, le combat entre deux êtres, un homme et une femme, doit être à armes égales : je lui ai redonné la vie pour mieux le maudire. En lui sauvant la vie, je l'ai en quelque sorte aveuglé davantage, car je savais qu'il allait devenir plus ingrat encore, plus cruel et plus injuste. Oui, je l'ai aveuglé parce qu'il ne voyait plus sa cruauté. Un homme qui ne voit pas sa cruauté et son injustice est un homme maudit. Pourquoi ai-je fait ça ? Parce que j'avais mis à mort mon *moi*. Depuis que j'avais connu ton père, j'étais devenue une femme qui mangeait son verbe, donnait la vie et maudissait. Et je garde toujours la même ambition intacte, têtue, insolente même : une explication sans concession avec Allah sur le renoncement, le silence et le sacrifice.

Non, en 1982, je ne tenais pas ma revanche, j'étais à ses côtés pour le sauver et lui rendre tout son être, toute sa violence. J'ai maudit mon mari en étant solidaire avec lui, attachée à lui. 1982 est sans doute une date qui hante tes nuits parisiennes et alourdit tes peines et ton exil. Pour parler comme toi, ce fut une année très importante, décisive, une année où les petits détails ont pesé leur poids sur le cours de l'histoire familiale : quand il est revenu, au printemps 1982, ton père n'était pas encore malade, même si j'ai remarqué tout de suite qu'il avait perdu du poids. Sa maladie l'a cloué au lit quelques semaines après cette journée de mai 1982. Comme je viens de te le dire, avant cette date il brillait par son absence, il était à son travail, sur la route, dans un gros camion, accompagnant un chauffeur pour le garder éveiller. Ton père était convoyeur avant de devenir boucher à la Montagne-Blanche. Il avait également, je me répète, sa maîtresse, la fausse blonde de Tunis. Je vivais avec vous : tes sept sœurs, toi, mon beau-père, ma belle-mère, ma belle-sœur et son mari. J'avais attendu son retour avec impatience, mais, le pauvre, il est revenu chez lui pour retrouver le mépris de son père.

Je me souviens très bien de son retour à la maison. Ce genre de circonstance et d'événement ne s'oublie jamais. Il était trop chargé : de vêtements pour toi et tes sept sœurs et de plein d'autres provisions. Malheureusement pour vous, cette friperie récupérée je ne sais où était immettable. Il avait oublié ses enfants. Armée de ciseaux, d'aiguilles et d'un grand fil noir, je coupai, ajustai, recollai et recousis dans la perspective de vous confectionner des habits convenables, et le tout fut fini deux semaines après son retour. Si les vêtements qu'il avait apportés étaient immettables en l'état, ton père avait pris soin, comme tous les hommes de la Montagne-Blanche travaillant à Tunis, de faire aussi le souk pour acheter les provisions du mois : vingt kilos de pâtes de différentes formes, quinze boîtes de concentré de tomate, de l'huile, des petits pois, des haricots blancs, des savons, du shampoing, de la lessive, des fruits, des légumes et une bonne moitié d'un agneau. Du Passage, le village, le centre urbain et mercantile, à la Montagne-Blanche, il avait emprunté le seul moyen de transport rural existant : la 404 bâchée de Naquel. En arrivant à la maison vers dix-sept heures, il exprima le souhait – non, je divague –, il m'ordonna de faire un couscous, ensuite, il dormit de dix-sept heures dix à dix-neuf heures trente, sans doute pour récupérer de son voyage éprouvant. Il alla se coucher sans saluer son père, mais il eut droit à ses insultes : « Le raté est arrivé, ne lui souhaitons pas la bienvenue ! » Ta grand-mère, Safia, le consola en l'embrassant avec application et des larmes dans les yeux.

« Va dormir, dis-je à voix basse, va te coucher et taire ta fatigue et ta colère, je préparerai ton couscous préféré qui t'enlèvera les impuretés de Tunis et te remettra parmi les tiens. » Et pour retrouver mes esprits et ma concentration, je demandai à tes sœurs de s'éclipser et de me laisser seule face à la marmite et aux événements qui allaient nous rendre visite. Une fois tout le monde dehors, je lavai légèrement la viande avant de la faire dorer dans l'huile, une bonne huile, épluchai quinze oignons, histoire de contraindre mes dernières larmes à faire surface et à couler sur mon visage terrifié, et vingt-huit pommes de terre. Mon enfant, tu te demandes pourquoi toutes ces patates ? Parce que nous sommes une famille nombreuse qui apprécie beaucoup ce légume bizarre.

Fils, un couscous réussi doit respecter certaines étapes, une cadence, un rythme qui s'aligne sur la sensibilité de chaque légume et de chaque ingrédient. Moi, j'ai toujours procédé comme ça : viande dorée, suivie d'un bon coulis de tomates cueillies dans le jardin, épices… Non, je ne te donnerai pas la recette, ça nous éloigne trop de notre histoire et du malentendu. Et de toute façon, tu n'as plus besoin des lumières culinaires de ta mère parce que le couscous vient de triompher de l'autre côté de la Mer-Bleue pour devenir le plat préféré des Français, ce grand peuple qui apprécie tant les gens qui viennent d'ailleurs. Dis-moi juste si tu manges bien là-bas. Qu'est-ce que tu manges ?

Vis-tu avec une bonne cuisinière, brune de préférence, qui mange son verbe ? Es-tu un célibataire qui se nourrit de sandwichs et de plats surgelés ? Je n'ai pas de nouvelles de toi depuis quinze ans, dis-moi, comment vis-tu ? Je ne sais pas si tu préfères la blanquette de veau plutôt que notre *mermez* fait de pois chiches et de viande de chevreau, les paupiettes de veau plutôt que notre couscous au poisson, les sardines plutôt que le maquereau, la lotte plutôt que le rouget, le rôti de veau plutôt que le gigot d'agneau, les petits pois plutôt que les haricots verts, le curry d'agneau plutôt que notre jardinière de légumes, les lasagnes aux épinards plutôt que les bons macaronis de ta mère, les huîtres plates plutôt qu'un bon homard, le tagine marocain plutôt que le tagine tunisien, la bonne baguette bien blanche plutôt que le pain complet, le poulet au four plutôt qu'une bonne salade tunisienne, le cuit plutôt que le cru, la raclette plutôt que la joue de bœuf, les lentilles plutôt qu'une bonne chorba, les champignons plutôt que notre digne et délicieux *helix aperta*, l'escargot souterrain, manger seul plutôt qu'en famille, le sandwich camembert-beurre plutôt que notre baguette-nationale-thon-harissa-œuf-dur-huile-d'olive.

Tout en faisant mijoter mon couscous, je n'arrêtai pas de prier : « Pourvu qu'il soit gentil avec nous. Pourvu qu'il soit aimable ! Pourvu qu'il mange sa semoule sans m'adresser la parole ! Pourvu qu'il gagne aux cartes ! Pourvu qu'il reste silencieux ! Pourvu qu'il parte jouer aux cartes et nous laisse quelques minutes en paix ! » Et le couscous fut prêt à vingt heures trente. Pour une famille de la Montagne-Blanche qui se respecte, c'est-à-dire qui se lève à cinq heures du matin pour labourer et guetter la première lumière, ce fut une heure tardive, même pour partager un bon couscous. Mais le retour de ton père avait tout bousculé.

Toi et tes sept sœurs, vous étiez intrigués et terrifiés. Moi aussi, mais moi, j'avais peur pour vous. Nous ne savions pas à quoi nous attendre pendant le repas, quels seraient les premiers mots qu'il allait prononcer, lui, le père absent et mystérieux. Au réveil, il s'est lavé le visage et les pieds dans la grande bassine installée dans la cour de la maison. Est-ce que tu te souviens de notre logis ? Non. Eh bien, je suis là pour te décrire la demeure de ton enfance, notre toit constitué de trois pièces : une cuisine-chambre à coucher pour vous huit, qui servait de dépôt de nourritures diverses, la chambre des parents, je veux dire moi et qui tu sais, et la grande pièce de vos grands-parents ; une maison en forme de L, entourée d'un mur de deux mètres de haut. Une fois lavé, ton père a mis ses chaussures et il est parti vers la seule échoppe qu'on appelait *quintila*, épicerie faisant office de salon de jeu, qui se trouvait à trois kilomètres de la maison, sur la Colline-Noire. Il a pris soin de mettre beaucoup de dinars, plusieurs billets, dans une serviette, et il s'en est allé à la recherche d'un gain, d'une consolation, d'une bouffée d'adrénaline, de quelques retrouvailles, de sa perte ou de je ne sais quoi d'autre. Je savais qu'il allait jouer aux cartes, pas à n'importe quel jeu, au *noufi* – rien à voir avec la *chkoba*, ce jeu appelé *scopa* et apporté en Tunisie par nos amis, voisins et migrants italiens. Dans la *chkoba*, le plus gros mange le plus petit, en revanche, dans le *noufi*, le *kawal*, le neuf, emporte tout.

Avant de partir, vers vingt heures du soir, il m'a dit qu'il rentrerait dans deux ou trois heures et qu'il souhaiterait avoir son couscous chaud à son retour, ce qui m'a obligée à composer avec une grande incertitude d'horaire pour garder la semoule à température voulue. Après son départ, l'inquiétude et la tension furent chassées pendant un moment. Nous avons retrouvé alors notre vie d'avant, celle où son absence arrangeait bien nos affaires, notre quotidien fait de petits plaisirs et de certaines contrariétés sans grandes conséquences.

Ce soir-là, il a joué, beaucoup joué, et perdu. Je n'y étais pas, à leur partie de *noufi*, mais Jamila, la femme d'Alala, le plus grand contrebandier de tout le nord-ouest de la Tunisie, l'homme connu pour avoir exercé un commerce lucratif entre la Tunisie et l'Algérie, celui qui échangeait des vaches contre des moutons et apportait de l'essence dans des bidons, m'a tout raconté quelques jours après, un dimanche après-midi, au hammam, l'endroit où les femmes enlevaient la mauvaise peau et se faisaient belles pour des maris qui les pénétreraient, l'air joyeux et satisfait, durant dix à cinquante secondes. Jamila vint se coller à moi pour me conter sa soirée mouvementée, le triomphe de son mari et la débâcle du mien. Je ne lui avais rien demandé, mais, en m'apercevant avant d'aller se faire gommer, elle m'a fait un clin d'œil pour me signifier qu'elle avait des choses importantes à me raconter. « Après le rinçage », lui ai-je dit. Selon sa version quelque peu exagérée, son mari était parti dans sa belle voiture toute neuve, une Peugeot 504 bâchée, avec un bon paquet de dinars. En jouant, il avait tout misé et perdu très vite : l'argent, sa voiture, les clés de sa voiture et sa réputation.

Et comme il voulait continuer de jouer, il avait demandé à Balwa, propriétaire de l'épicerie et grand organisateur de ces parties de cartes nocturnes, de lui prêter son cheval, histoire de faire un aller-retour chez lui pour s'approvisionner en dinars, embrasser son fils âgé tout juste d'un an et repartir jouer. À son arrivée, tout essoufflé, il avait attaché le cheval, fait l'amour à sa femme debout en lui ordonnant de mettre ses bijoux dans un petit sac en plastique, le tout en quinze minutes.

Après le retour d'Alala chez Balwa, ton père a fini par tout perdre à son tour. Ne me demande pas combien, car, de son argent, je ne connaissais même pas la couleur. Je n'aimais pas toucher au flous de ton père. Je vais donc te parler de cendres, de malédiction et du commerce des hommes. Donc, ton père a tout perdu. Quant à Alala, non seulement il a récupéré sa voiture, ses dinars, les bijoux de sa femme, mais il a tout raflé. Et Jamila fut renvoyée au septième ciel. Décidément, quand on gagne au *noufi*, on est aussi mieux armé pour faire jouir sa femme.

Ce soir-là, nous ne l'avons pas attendu, il était trop tard et nous n'avions pas l'habitude de traîner la nuit à table. Nous avons alors englouti mon bon couscous en dix minutes dans un silence inquiétant. Nous avions tous peur de son retour. Seule ta sœur aînée a osé parler pour remarquer que son père avait bel et bien maigri, beaucoup maigri. Tout le monde était d'accord là-dessus. Une fois le couscous avalé en un clin d'œil, ta sœur aînée a rangé la table, une planche en bois déposée délicatement sur quatre briques, dans la cour, à côté de la bassine dans laquelle ton père s'était lavé avant de partir jouer aux cartes. Quant à ta sœur cadette, elle s'est chargée de laver le grand plat en terre où nous tous, toi, moi et tes sœurs, avions pioché notre nourriture. Ensuite, j'ai installé les trois matelas usés par terre pour que vous dormiez en attendant le retour du père. Oui, mon fils, historien qui ne sait plus quoi faire de son passé, tu dormais avec tes sœurs dans cette misérable cuisine-chambre à coucher, couverte d'un plafond fragile fait de zinc, un plafond qui laissait les gouttes d'eau passer tranquillement en hiver. Oui, c'était comme ça, dur et froid l'hiver. Ingrat, je te le rappelle parce que tu veux sans doute l'oublier, tu essaies, tu n'y arrives pas, mais si je peux te rassurer, tu n'oublieras jamais, on n'efface pas facilement les traces de l'enfance, le commencement qui se fige éternellement dans la mémoire. Tu es parti, tu as pris la fuite en espérant tout balayer d'un coup de mémoire, eh bien, non, car l'enfance te rattrape, te cogne même dessus et te met face à l'ordre des choses : la douleur de l'exil et la trahison des tiens.

Après avoir mangé notre couscous dans un silence de mauvais présage, vous avez dormi sur place, dans la cuisine-chambre à coucher. Quant à moi, je suis allée me coucher vers vingt-deux heures. J'avoue que ce soir-là je n'ai pas fait l'effort de rester éveillée jusqu'au retour de qui tu sais, mais il est arrivé vers une heure trente du matin, suivi d'une déflagration, oui, une déflagration qui a réveillé tout le monde. Vous avez été des témoins terrorisés. Au fond, tu ne connais pas ton père. Toi, l'historien parti à la recherche de je ne sais quelle problématique quant aux perspectives universelles de la démocratie et de la liberté individuelle et collective, tu ne te souviens pas de la grande explosion dans la seule fragile demeure de la Montagne-Blanche. Ton père avait perdu aux cartes et était rentré tard chez lui. Il avait faim et soif de vengeance. Sans le moindre bonsoir, je lui ai préparé de l'eau chaude et du savon, savon acheté la veille au souk. Pendant qu'il se lavait, je suis allée dans la cuisine pour lui réchauffer une bonne assiette de couscous. Et qu'ai-je découvert ? Vous ne dormiez pas encore. « Il est rentré, soyez discrets, les enfants », vous ai-je dit.

Je l'ai servi comme à mon habitude, avec un respect de circonstance et une bonne humeur forcée. C'était tellement parfait que ça l'a mis hors de lui.

– Elle est très épicée, cette semoule de merde, m'a-t-il dit.

– La semoule n'est jamais épicée, c'est sans doute la sauce.

– Tu as retrouvé ta langue pour me contredire, toi qui n'alignes jamais deux mots à la suite. D'habitude, tu réponds par oui ou par non, et là, tu me contredis, fille de rien !

– Ne m'insulte pas, je suis la fille de tout, je suis le tout. Qu'Allah te pardonne.

– Laisse notre Dieu là où Il est, je te dis que ta semoule de merde est épicée, très épicée, et je te soupçonne de l'avoir fait exprès pour m'achever. Tu connais mes problèmes d'estomac ?

– Tes problèmes d'estomac ?

– Ne me coupe pas la parole, sinon je t'envoie pleurer chez tes parents qui ne demandent plus de tes nouvelles depuis ton mariage.

– Un : tu arrêtes de m'insulter ; deux : retourne à Tunis,

chez ta *qahba*, c'est elle qui finira par flinguer complètement ton estomac.

– Donne-moi à manger ta semoule épicée, on verra après qui va quitter la maison.

– Ma semoule n'est pas épicée. As-tu perdu, ce soir ?

– Perdu ?

– Aux cartes ?

– Laisse-moi manger, ta semoule fera exploser mon estomac et me tuera.

– Ma semoule n'est pas épicée. Je le jure, je le jure sur la tête de mes sept filles et de mon unique garçon.

– D'accord, on va les réveiller, ils vont nous dire si ta semoule est épicée ou pas.

Et il se leva pour vous réveiller et vous contraindre à témoigner. Il vous arracha à votre sommeil fuyant et vous aligna, du plus jeune jusqu'à ta grande sœur. Il commença par le témoignage de tes sept sœurs. Toutes, en chœur, répondirent : « Le couscous de notre digne mère n'est pas épicé. Le travail et le voyage fatigants de notre glorieux père rendent sans doute le couscous de notre mère épicé. Si notre père chéri accepte de le goûter tranquillement demain, il changera d'avis. » Après, ce fut ton tour : « Je reconnais que le couscous de ma mère est un peu épicé », dis-tu sans sourciller. Et ton père de rebondir sur ta parole et dire fièrement : « Mon fils, mon garçon, ma réussite, mon cœur, ne ment jamais. Vous voulez me tuer, tu veux me tuer ! » Je me rappelle encore le chuchotement de tes sœurs : « Le salaud, notre frère est un salaud », dirent-elles. Oui, un salaud, un témoin qui ne sait pas goûter ni sentir. Et je ne sais toujours pas comment tu peux restituer la mémoire d'un peuple, d'un pays ou d'une société. Non, je ne sais pas comment tu fais, car je considère que tu as commencé ta carrière par un mensonge. Et aujourd'hui, tu viens me demander mes archives, ma parole et mon témoignage pour pouvoir écrire ma biographie. Fils, on ne devient pas gardien total de la mémoire à quarante ans.

Ton témoignage et ta parole rendirent ton père furieux et accentuèrent son délire. Après avoir fait témoigner tout le monde, sauf ton grand-père et ta grand-mère, il eut une réaction bizarre : « Qu'on me sorte toutes les provisions apportées par mes soins aujourd'hui ! » ordonna-t-il, puis il demanda à ta sœur aînée d'aller chercher la grande bassine, de la remplir d'eau et d'y mettre toutes les provisions. Elle commença à sortir la nourriture, à ouvrir les paquets de pâtes et les boîtes de concentré de tomate, tout en suppliant ton père d'arrêter ce gâchis. Elle tenta même de le raisonner :

– D'accord pour la punition, on peut passer le reste de la nuit dehors, mais épargne au moins notre nourriture, c'est injuste. Et puis, c'est ton argent que tu gâches, l'argent de tes jours et de tes nuits passés sur les routes tunisiennes. Je peux te faire autre chose à manger, la chorba que tu aimes tant, je peux même te préparer un autre couscous.

– À cette heure-ci, non, répondit ton père.

– Je peux même te rembourser les courses, j'ai vendu tous mes tapis. Je me débrouille bien, tu sais, essaya encore ta sœur.

– Tu te tais, fais ce que je te dis, rétorqua-t-il.

Désespérée, ta sœur finit par rendre les armes : « À ta guise », lui dit-elle. Comme il ne voulait rien entendre, elle hurla et appela au secours ton grand-père, lequel sauta de son lit et vint voir le triste spectacle. Aussitôt, il comprit que ton père venait de perdre aux cartes et voulait se venger, et il l'empêcha de commettre le grand gâchis : « Qu'Allah cause ta perte définitive. Je n'ai jamais honte de ma vie, mais quand je te vois, je me demande comment j'ai pu enfanter un monstre pareil ! », lui dit-il. En larmes, ta grand-mère supplia ton grand-père d'arrêter avec ses insultes et prit ton père dans ses bras en tentant de le raisonner à son tour.

– Mon fils, qu'Allah te pardonne. Moi, je te pardonne tout, mais ne jette surtout pas la nourriture de tes enfants, lui dit ta grand-mère.

– Quels enfants ? Tu parles de ces ventres à nourrir, huit enfants qui ne sont bons à rien, ni à l'école ni au commerce ? Je reconnais qu'il y a mon fils, lui, au moins, il se débrouille à l'école et travaille au souk pour rapporter quelques dinars. Et il a reconnu que le couscous était bel et bien épicé.

– Ne parle pas comme ça de tes filles, leur détresse, leur colère et leur peur provoquent souvent la colère d'Allah et le mécontentement de son Prophète Mohamed. Ne perds jamais de vue ceci : bien s'occuper de ses filles, les éduquer et les faire grandir sont des choix de vie qui t'ouvriront les portes du paradis.

– Mais on me fait vivre un enfer, même si mon fils a le mérite de l'adoucir.

– Je suis d'accord avec toi : Massyre est un bon garçon. Qu'Allah l'aide à réussir ses études et son commerce.

– Oui, mère, je prie avec toi pour lui.

Ta plus petite sœur eut le malheur d'interrompre ces

prières et ces louanges : « Massyre est un vrai menteur et un grand hypocrite, il a toujours cherché à gagner les faveurs de mon père, de ma mère, de toi, grand-mère, et de toi aussi, grand-père, c'est un vrai lâche, il a toujours peur de la vérité et de lui-même », dit-elle. Ton père l'entendit, et la gifle partit, mais elle n'apaisa pas sa colère. Et tu sais pourquoi ? Non, tu ne sais pas : quand on gifle la fille et pas la mère, on ne met pas fin à l'insolence féminine, à cette descendance têtue : les femmes. Et au moment où il s'apprêtait à me corriger d'un revers de main, ta grand-mère, la sublime et défunte Safia, s'interposa, prit sa main et lui souffla : « Ne frappe pas Lala Mabrouka. Si tu la frappes, tu me frappes, moi, ta mère. »

Toi qui confonds le doux et l'épicé, tu oublies la réaction de ton père quand ta grand-mère l'a pris dans ses bras, essaie de te rappeler, corrige ta mémoire, réconcilie-toi avec elle, fais un effort, on te pardonnera ton révisionnisme, ton nationalisme débile, ton égocentrisme, ta trahison du passé aussi, on dira que, *in fine*, ton amateurisme et ta légèreté s'expliquent par une formation intellectuelle très faible et une enfance difficile. Sois courageux ! Il était en larmes. Oui, ton père qui te fait toujours peur était en larmes, il pleurait en débitant des phrases claires et cohérentes : « Je ne sais pas ce qui m'arrive. Mère, je te demande pardon. Pourquoi j'en suis arrivé là ? S'il te plaît, prie pour moi. Je suis fatigué. J'ai envie de m'allonger. Il faut que je me repose. J'ai faim. Je n'ai rien mangé. Ce soir, j'ai perdu aux cartes. Je ne me reconnais plus », gémit-il. L'homme que tu considères toujours comme un tyran était en larmes. Et là, je tenais ma revanche, le voir pleurer me réjouissait, me comblait, m'envoyait même au septième ciel, je tenais mon plaisir inouï et ma malédiction. Mais ses larmes séchèrent et sa violence se réveilla :

– Oui, je suis d'accord avec toi, maman, j'arrête de frapper mes filles et ma femme, mais Mabrouka ne dormira pas ici, elle doit quitter la maison, ma maison, notre maison.

– Elle ira où ? demanda ta grand-mère.

– Chez son père, ses frères, au diable, au cimetière, chez sa sœur, son amant, si elle en a un, je ne sais pas, elle ne dormira pas ici, c'est ma seule condition, répondit-il.

Mais mes frères ne se souvenaient plus de moi, mon père, non plus, je n'avais aucune envie de m'enterrer ou d'aller chez le diable. En revanche, j'attendais que ses larmes reviennent et coulent sur son visage dur. Je guettais aussi la réaction de son père, le *circonciseur*.

L'intervention de ton grand-père, le grand paternel qui t'avait appris à faire du cheval, m'épargna un exil nocturne et un enterrement précoce en disant à son fils, mon mari, la vérité en face : « Ce soir, s'il y en a un de trop à la maison, c'est toi, mon fils, ma perte, ma honte, l'unique. N'oublie pas que tu vis depuis ta naissance ici, chez moi, dans ma maison. Ici, je suis le maître, l'homme qui possède la maison et les terres, le mâle qui ne bouscule jamais la femelle, l'homme qui ne fait pas violence à sa femme, ni au lit ni devant ses enfants. J'admets que tu sois en colère parce que tu as perdu aux cartes, mais je n'ai jamais accepté ton exil à Tunis. Maintenant que tu es là, dans ma maison, ma belle demeure de la Montagne-Blanche, tu ne mettras pas dehors mes petits-enfants ni leur mère. Lala

Mabrouka restera ici. Elle est chez elle. Tes enfants aussi. Ils ne bougeront pas. L'intrus, c'est toi, oui, toi, l'égaré de la famille, l'enfant porté pendant neuf mois dans le ventre de ma belle Safia, né, nourri et éduqué pour devenir rien, le rien, la honte de sa famille. Chez nous, tout homme qui se respecte ne quitte jamais les siens même pour aller chercher quelques dinars en plus dans la grande capitale ou sur la côte, la zone laide remplie de trafiquants, de touristes, d'hommes sans vertus, de combines et d'êtres qui ne savent plus d'où ils viennent. Ici, à la Montagne-Blanche, on voit le jour, grandit, travaille, fonde une famille et meurt. La terre et le ciel sont généreux pour faire vivre tout le monde. On ne quitte pas son chez-soi et, quand on le fait, on n'y revient jamais indemne, on est maudit à jamais, tu m'entends ? Et je peux même te donner la liste de tous les hommes qui ont quitté cette terre en quête de fortune et de je ne sais quelle autre satisfaction, ils se sont tous cassé les dents. Les hommes, les vrais, ceux qui sont confrontés depuis leur naissance à la montagne, à sa verticalité, à sa métaphysique et à sa douleur aussi, n'osent pas la trahir, ne quittent jamais le lieu de leur commencement. C'est comme ça. Moi, l'homme qui circoncit tous les garçons de la patrie pour les faire entrer dans la religion musulmane, je te parle de ce que je vois depuis toujours. Maintenant que tu es rentré chez moi, oui, chez moi, pour retrouver ta femme et tes enfants, tu vas pouvoir observer tous ces hommes dont je te parle, tous ces hommes restés fidèles à leur terre natale, tu vas pouvoir regarder de tes propres yeux ce qu'ils ont construit, semé et bâti en ton absence et ton exil. Tu sais, je connais tous les coins et recoins de cette montagne, cette terre généreuse classée au siècle dix-neuf comme "priorité nationale française dans la perspective d'une ambition hégémonique au cœur du continent barbaresque", tous les hommes, je veux dire les garçons de ton âge, qui sont restés sont aujourd'hui récompensés pour leur obstination à regarder la digne Montagne-Blanche et leur destin en face. Et je peux te dire que pendant que tu étais à Tunis, la ville où on perd facilement son âme et sa raison, tous les autres garçons me rendaient fiers, moi, le *circonciseur* de tout le nord-ouest de la Tunisie. Ici, dans cette maison modeste et horizontale, tu es chez moi. Ta femme, Lala Mabrouka, et tes enfants dormiront chez moi. Si l'ambiance, les retrouvailles, tes enfants, ta femme, tes parents te sont insupportables, tu n'as qu'à partir d'ici. Casse-toi. Je te hais, je te renie, tu n'es plus mien. Barre-toi ! »

En entendant ces mots, j'eus l'impression d'avoir soufflé à ton grand-père tous les mots et toute cette vérité dressés devant ton père. J'étais même persuadée que ton grand-père était entré en moi pour s'emparer de mon verbe caché au fond de moi-même, le saisir et le jeter à la figure de mon mari. J'avais rarement vu mon beau-père dans une telle colère, une colère noire qui a fini par éteindre celle de ton père. Je savais que le *circonciseur* avait passé une journée noire et que le retour annoncé de son fils serait l'occasion espérée pour se venger de tout. Fils, historien, métèque perdu dans les rues de Paris et le regard de l'autre, une colère peut en chasser une autre et prendre la forme du salut, eh bien, ce soir-là, la colère de ton grand-père a eu raison de celle de ton père. Ce soir-là, il était clair, précis et méprisant à l'égard de ton père. Je connaissais les raisons de cette colère, de cette mise au point irrévocable, de cette parole tranchante. Ton grand-père venait de passer sa journée la plus sombre depuis très longtemps.

Ce jour-là, en effet, ton grand-père avait perdu un être cher, son compagnon, son fidèle compagnon, celui qui le suivait dans tous ses déplacements et, visiblement, le retour de son propre fils ne l'avait pas consolé de cette mort. Je me rappelle comment sa journée avait commencé : il s'était réveillé à quatre heures du matin, avait pris son bain – ta grand-mère lui avait préparé la grande bassine remplie d'eau chaude, elle lui avait même frotté le dos. Après le bain, il avait avalé son petit déjeuner : du pain frais cuit à l'aube par mes soins, une bonne assiette d'huile d'olive, du fromage de chèvre frais et de la confiture de figues. Son repas du matin englouti, il avait fait sa prière de l'aube, celle qui met une frontière infranchissable entre les fainéants et les autres. Une fois son devoir sacré accompli, il avait préparé son cheval et s'était apprêté à partir remplir sa mission : circoncire dix garçons. Comme il était particulièrement fatigué, ta grand-mère avait essayé de le raisonner.

– Ya Haj, tu es fatigué, tu ne peux pas annuler ou faire cinq circoncisions au lieu de dix ? lui avait-elle dit.

– Ne t'inquiète pas, c'est une petite fièvre de rien du tout.

– Mais ta santé passe avant tout.

– Je ne te laisserai pas dire ça, ma santé ne passe pas avant ma mission première : circoncire et faire entrer nos garçons dans la religion de Mohamed. Ces dix-là ne sont pas si loin : le premier à qui je vais couper le petit bout est à la sortie de la Montagne-Blanche, au Passage-Tiède, son père est un pauvre paysan, un honnête homme, je ne le laisserai pas tomber ; le deuxième est à deux kilomètres, sur le versant est de la montagne des Phéniciens ; le troisième est sur la colline de Lala Aïcha ; le quatrième est juste à l'entrée de la Rivière-Sèche, à huit ou dix kilomètres d'ici ; et les six derniers sont à Béja. Et tu sais que je ne reste jamais pour me restaurer, même si les parents me le demandent, je coupe et m'en vais poursuivre ma mission.

– À Béja ? avait demandé ta grand-mère.

– Oui.

– Comment ça ?

– Ma réputation va au-delà de la Montagne-Blanche.

– À quarante-quatre kilomètres d'ici ? Tu feras quarante-quatre kilomètres à l'aller et quarante-quatre kilomètres au retour ?

– Oui.

– Et le cheval, dois-je m'inquiéter pour lui ?

– Ne t'inquiète pas, Safia, ma bien-aimée.

– Tu as soixante-quinze ans, tu vas faire quatre-vingt-huit kilomètres à cheval et tu me demandes de ne pas m'inquiéter ? Et s'il t'arrive quelque chose ? La maison sera sans homme.

– Sans homme, je ne te laisserai pas dire ça, il y a Massyre… et l'autre raté, mon fils à moi. Ne t'en fais pas, je serai de retour en fin de journée.

Et il fut effectivement de retour en fin de journée, mais sans le cheval ni le chien, son Bla chéri, son bon compagnon. « Safia mon amour, tu vois bien que je suis revenu », lança-t-il à l'intention de ta grand-mère. Il s'assit, prit sa tête entre ses mains et annonça gravement :

– J'ai perdu mon Bla.

– Comment ? lui demanda Lala Safia.

– Au dixième garçon, dont la circoncision s'est bien déroulée, comme toutes les autres, le maître de maison a remarqué une petite blessure au genou droit de mon cheval, il m'a conseillé alors de lui laisser ma Mohra pour la soigner et de prendre le car jusqu'à la Montagne-Blanche.

Comme ton grand-père tenait beaucoup à son cheval, il avait fini par accepter de prendre le car en compagnie de son chien. Ce qu'il avait reçu comme récompense de son geste, la circoncision de l'enfant de l'aristocrate Maydani de Béja, un beau manuscrit de notre grand historien Ibn Khaldûn, qu'il t'a légué – qu'as-tu fait de cette merveille ? –, l'avait un peu stimulé et poussé à abandonner quelques jours son cheval et à rentrer chez lui par le transport public. Oui, ton grand-père savait apprécier le don et les offrandes, parce qu'il ne demandait jamais rien. Il disait que la seule vertu de son coup de lame de rasoir, une lame toujours renouvelée et propre, un coup de lame qui pouvait durer de une à deux minutes, entre l'installation du garçon et la coupe, c'était de faire entrer tous les garçons de la Montagne-Blanche et de ses alentours dans la religion de Mohamed, par conséquent il ne demandait jamais son salaire et acceptait tout ce qu'on lui donnait : argent, poules, coqs, le grand chokran, « Allah te garde pour nous », œufs, figues, tapis, manuscrits et « On se retrouvera au paradis ». Il avait débuté sa carrière de grand *circonciseur* de la région à l'âge de trente ans et décida d'arrêter à quatre-vingt-un ans, un âge où ses mains commencèrent à trembler sérieusement. Cinquante ans à circoncire des garçons. Cinq mois par an à faire le même geste : avril, mai, juin, juillet et août, généralement le dimanche, à couper le petit bout mou. Si je calcule sur la base de dix garçons par semaine, ça nous donne quarante par mois, deux cents par an et dix mille garçons circoncis pendant toute sa carrière professionnelle. Mon fils, tu faisais bien évidemment partie de ces dix mille garçons circoncis, coupés par ton grand-père, et entrés dans la religion d'Allah.

Dix mille garçons, dix mille futurs hommes et zobs de la Montagne-Blanche ! Ton grand-père était un notable doté d'un pouvoir certain. Le fait de connaître l'intime, le sexe du garçon qui allait grandir, lui conférait un réel pouvoir de marier, démarier, nouer des alliances, casser la reproduction sociale, déshériter les héritiers sans qualités, dénouer des relations de pouvoir, défaire des couples et des familles malhonnêtes, convaincre un père de ne pas marier sa fille à Untel. Pour ça, ton grand-père avait le secret : la taille de la chose qui pénètre et son potentiel dans les années à venir. Je reconnais toujours, même là, en cet instant où je m'apprête à rejoindre les bienheureux pour avoir une conversation horizontale et sans concession avec mon Dieu, que ton grand-père considérait que l'unique vertu de son travail, c'était : faire entrer tous les garçons de la Montagne-Blanche et de ses alentours – il voulait dire le nord-ouest et l'ouest de la Tunisie, il n'aimait pas la côte est, l'est, car on y vénérait beaucoup le commerce, l'argent, le pouvoir et tous ceux qui venaient d'ailleurs par la mer – dans la religion musulmane, la dernière, celle qui fait toujours la synthèse et la contestation, embrasse et n'exclut jamais. Il en était fier, mais oubliait souvent de nous dire, de l'avouer même devant sa bien-aimée Safia – qu'est-ce qu'elle était belle ! –, le pouvoir que lui conférait son art de couper le petit-bout-qui-dépasse. Il avait circoncis dix mille garçons, dix mille zobs, dix mille hommes à marier, à caser, à aider à perpétuer une certaine tradition familiale, une certaine vertu, un certain attachement à notre digne montagne et une philosophie de vie, et à bien préserver la terre et les valeurs de chez nous. Il savait user, avec un grand art de la discrétion, de cet atout, je dirais de cette avance sur les autres, tous les autres, même ceux qui incarnaient le pouvoir formel, de connaître dix mille zobs et leur futur potentiel dans la société. Et le grand artiste *circonciseur* les classait en trois catégories : les beaux et fermes appelés à combler de belles et vertueuses femmes et à garantir le peuplement de la Montagne-Blanche ; les moyens en tout qui s'acquitteront de ces deux missions sans excès ni réjouissances ; et les petits, pour lesquels il fallait trouver des solutions. Cette profonde et intime connaissance du sexe des hommes lui permettait d'user discrètement, mais efficacement, d'un pouvoir inouï : marier, démarier, faire hériter et déshériter, nouer des alliances, faire éclater des rapports de pouvoir sans jamais défaire des couples ni des familles honnêtes, chasser l'étranger hostile, repousser l'intrus, le vulgaire, le commerçant et tous ceux qui étaient susceptibles de corrompre les âmes à la Montagne-Blanche. Il était comme un gardien jaloux de notre espèce. On le craignait beaucoup, même s'il était toujours bon. Il était contre les mariages mixtes.

Ton grand-père avait la mission de défaire le pouvoir de certaines familles jugé très excessif. C'est lui qui, en 1987, empêcha l'alliance entre les deux familles les plus puissantes de la région : les Gharbi, qui possédaient plus des deux tiers des terres et la totalité du commerce de céréales, de fruits et de légumes, et les Charki, des commerçants ayant fait fortune pendant la Seconde Guerre mondiale grâce au trafic d'antiquités dans tout le Nord-Ouest, et devenus très puissants économiquement, parce qu'ils tenaient l'immobilier, le tourisme et les finances islamiques. Les Gharbi avaient cinq filles, les plus belles du coin – je peux en témoigner, je les ai toujours vues au hammam. L'aînée avait vingt-trois ans, elle allait épouser le fils unique des Charki : Baydar, un jeune homme de vingt-sept ans, circoncis par mon beau-père en 1960. Il redoutait que cette alliance ne mette toute la richesse de la Montagne entre les mains des deux familles, il n'aimait pas non plus la rencontre entre une richesse digne, issue de l'agriculture, et une fortune usurpée, faite de trafic et de contrebande. Il essaya de dire aux Gharbi de fouiller un peu plus dans le passé des Charki, une période mêlée de pillages et de collaboration avec les colons qui avaient la mainmise sur toutes les terres fertiles du nord-ouest de la Tunisie, et comme ces arguments n'étaient pas assez convaincants aux yeux des Charki, il sortit sa lame de rasoir : « Votre fille ne pourra jamais vous donner une descendance, de petits-enfants, car Baydar, que j'ai circoncis moi-même, est infertile, je crois que son zob est insuffisant pour faire des enfants, voilà pourquoi je m'entête à vous expliquer l'impasse dans laquelle votre famille va se trouver », leur dit-il.

Ton grand-père empêchait des alliances néfastes. Il était surtout très doué pour en favoriser, un vrai bâtisseur, un créateur de la rencontre des contraires : il considérait qu'un homme pauvre, honnête et spirituel, mais surtout gâté par Allah d'une respectable chose, un beau zob, méritait un meilleur destin social, il lui donnait alors le coup de main nécessaire pour épouser une belle fille issue d'une famille riche. Pour lui, c'était la meilleure philosophie sociale et humaine, une éthique qui consistait à rétablir l'ordre des choses en redistribuant plus équitablement les richesses et les merveilles de la nature. C'est ainsi qu'Ibrahim, fils d'un pauvre paysan, circoncis en 1970, devenu sublime poète et employé à la municipalité du Passage, épousa en 1998 Lala Salma, la fille d'Issa, un chercheur d'or très apprécié dans la région pour sa richesse et sa spiritualité.

Ton grand-père était donc un notable très apprécié et très discret, mais il a fini par perdre son compagnon, son chien fidèle, son allié, je dirais même l'animal précieux, Bla, le jour du retour de ton père. Ne pouvant pas remonter sur son cheval blessé, il a pris le car. Massyre, je me mets en retrait, je m'écarte et laisse ton grand-père raconter la suite :

Arrivé à la station du transport terrestre et rural de la région du Grand Nord-Ouest, Béja, j'ai attendu un long moment le car qui allait me ramener à la Montagne-Blanche. En me voyant, le conducteur m'a signifié qu'il allait changer une roue et regarder attentivement les freins avant de démarrer. J'ai patienté vingt minutes de plus. Ensuite, il m'a invité à monter sans le chien, mon Bla.

– Haj, le chien ne peut pas monter avec toi dans le car, c'est interdit par la loi tunisienne. Et puis, moi, je n'aime pas cette espèce, me dit le conducteur.

– Quel chien ?

– Le chien blanc qui te suit toujours.

– Ce n'est pas un chien, c'est Bla, l'animal qui veille sur moi et rythme mes pas, tu ne le reconnais pas ? C'est l'être qui m'accompagne toujours dans mes déplacements, à cheval, à pied ou en car.

– Il ne peut pas monter, pas dans mon car. Si tu veux rentrer tout de suite, ton chien n'a qu'à faire le voyage à pied.

– Quarante-quatre kilomètres à pied, il va souffrir, le pauvre ! Laisse-le monter, il sera très discret, se couchera par terre et ne touchera pas aux freins. Personne ne le verra, et puis, il n'y a que toi et moi dans le car, s'il te plaît, laisse monter mon Bla.

– Il y a toi, moi, et Dieu qui nous surveille.

– Bla est un chien doux.

– C'est le règlement, je ne fais qu'appliquer le règlement, et puis, je ne suis pas ton fils, mon père est mort depuis longtemps, et je n'ai plus de filiation, plus de famille, depuis la grande blessure causée par la perte de mon fils.

– Mais ton fils est toujours vivant, qu'est-ce qui se passe ? Dis-moi. Tu laisses mon chien monter et on discutera de tout ça après.

– C'est non, j'ai déjà démarré, il fera le chemin à pied.

– Dieu te pardonnera.

– Et pourquoi il me pardonnera, je n'ai rien fait de mal. Dieu te pardonnera, Ya Haj.

– Et pourquoi ? À cause de mon chien, peut-être !

– Non, à cause de mon fils.

– Oui, ton fils, Ramzi, il y a vingt ans jour pour jour, je me souviens très bien : je suis arrivé vers huit heures du matin, comme tu me l'avais demandé. Ce jour-là, j'avais six garçons à circoncire, mais j'ai commencé ma journée par Ramzi, ton fils. C'était un garçon souriant et très gentil. Tu n'arrêtais pas de dire que tu étais pressé et qu'il fallait faire vite. En arrivant chez vous, j'ai demandé à ton épouse d'enlever sa couche. Tu lui as tenu les deux mains derrière le dos, et ton frère lui a maintenu les jambes écartées. Nous avons découvert à cet instant précis où trois adultes essayaient de le maîtriser qu'il était né circoncis, par conséquent, je n'ai pas eu besoin de sortir ma lame de rasoir et de couper. "Votre enfant est né circoncis, les anges l'ont circoncis", vous ai-je dit. Et la nouvelle semblait vous réjouir, vous étiez heureux d'apprendre qu'ayant été circoncis par les anges, non seulement il aurait une vie heureuse et réussie, mais qu'il irait directement au paradis sans avoir le moindre entretien ou une quelconque explication avec Allah. Tous ceux qui naissent circoncis vont directement au paradis, c'est comme ça !

– Ya Haj, tu as fait un faux pronostic, tu nous as menti, le petit, qui a aujourd'hui vingt-deux ans, a déjà fait cinq séjours en prison : vols, violences sur personnes âgées, ivresse sur la voie publique, trafic, insultes aux agents de l'ordre public, consommation de drogues, conduite sans permis, bref, il est devenu le diable en personne ;

mon fils n'est pas un ange, il est devenu un fardeau, un supplice et une douleur pour nous tous. Sa mère pleure toute la journée.

– Ce n'est pas mon problème, dire qu'un enfant d'un an ou deux va être heureux dans la vie et entrer sans doute au paradis ne dédouane pas les parents, ne vous exempte pas de votre devoir : l'éduquer et lui apprendre à vivre comme il faut. Attends un peu, comment veux-tu qu'il choisisse la voie droite avec un père toujours absent, un père qui court derrière les veuves et les jeunes filles de la Montagne-Blanche, un père qui boit dès qu'il quitte le siège de son car ?

– Je t'interdis de parler de ma vie privée, ça ne te regarde pas.

– D'accord, mais tu es lamentable, tu refuses que mon chien – le pauvre, il court toujours – monte dans le car à cause d'une vieille rancune infondée. Moi, je ne fais que mon devoir, je ne vais quand même pas les éduquer en plus, leur apprendre la vie et la manière de devenir de bons musulmans. C'est aux parents de le faire. Donc, je suis sans doute le dernier responsable de la pauvre vie de ton fils : quand on naît circoncis, il faut être irréprochable tout au long de sa vie. Et mon Bla n'y est pour rien.

– Arrête de me parler de ton chien.

– Tu le vois ? Regarde bien dans le rétroviseur.

– Il est toujours là, il court.

– Cette petite merveille animale sait toujours où elle va, elle me suit, non, elle rentre chez elle.

– Je suis complètement désorienté, mon fils, l'ange né circoncis, est devenu un vrai petit diable.

– Et il fait quoi, aujourd'hui ?

– Il vient de sortir de prison, sa dernière condamnation : vingt mois ferme pour avoir insulté la fille du commissaire de police.

– Le salaud, le voleur, l'étranger.

– Mon fils ?

– Non, je parle de ce commissaire de malheur, il terrorise tout le monde. Et ton fils, il ne veut pas travailler un peu ?

– Dans quoi ?

– Tu ne veux pas que je lui apprenne le métier. Mon propre fils ne veut pas reprendre le flambeau.

– Je ne vois plus ton chien.

– Ralentis un peu.

– Je le vois, il est toujours là, bien essoufflé. Continuons la route alors.

– Il reste deux kilomètres, tu ne veux pas qu'il monte avec nous, afin de le laisser se reposer un peu.

– Non. Quant à mon fils, le garçon né circoncis, l'ange devenu voyou, il ne fera pas ton métier, je lui apprendrai à conduire un car.

– S'il se calme… Avant que j'oublie, je peux peut-être rattraper le coup : que dirais-tu d'une légère circoncision symbolique, histoire de faire couler quelques gouttes rouges, même un petit bout, ça va peut-être le sauver, le faire revenir en arrière pour recommencer une nouvelle vie et entrer pleinement dans le droit chemin ?

– Je ne recommencerai pas. Nous sommes arrivés, tu peux descendre, va retrouver ton chien.

– Qu'Allah guide ton fils sur le bon chemin.

– On verra. J'espère que ton chien est arrivé.

– Il est toujours là ?

– Oui.

En descendant du car, mon Bla est venu se coller à moi, m'a regardé tristement et s'est effondré par terre. J'ai compris qu'il venait de mourir. Cachant mes émotions et mes larmes, j'ai loué le premier transport rural qui se présentait à moi pour nous conduire jusqu'ici.

Bla fut enterré à quatre heures quarante de l'après-midi, quelques instants avant le retour de ton père. Tu connais la suite : le couscous épicé, la déflagration, les insultes, l'intervention tranchante de ton grand-père et votre nuit courte. Tu veux sans doute savoir ce qui s'est passé après, entre moi, ta mère, et lui, ton père, eh bien, je me suis laissé faire, je me suis laissé pénétrer par qui tu sais, je n'eus qu'à écarter les jambes, serrer les dents, regarder le plafond et manger mon verbe pour mieux le maudire, en répétant dans le silence absolu ma pensée secrète : Je parie qu'il va expulser son liquide et soulager ses testicules dans cinq, dix, quinze, vingt, trente secondes. Je vaincrai la vie et les hommes, je réussirai ma mort.

Fils, dis-moi, comment vas-tu restituer ton faux témoignage au sujet de mon couscous condamné parce qu'il aurait été épicé ? Tu envisages certainement, j'en suis sûre, d'écrire ceci : « Avec le temps et le recul nécessaires à tout travail historique digne de ce nom, je ne sais toujours pas pourquoi j'ai dit que le couscous de ma mère était épicé, alors que je venais juste d'en manger deux assiettes. En réfléchissant, en acceptant de regarder mon passé en face, je me dis que j'ai eu sans doute peur d'un père que je ne connaissais pas vraiment, mais l'explication ne me paraît pas convaincante, ce qui me pousse à chercher encore et encore dans les zones cachées de mon enfance. » Je t'en supplie, cesse d'expliquer un passé qui t'échappe. Ton verbe est indigne de moi. Ton *je* aussi. Ton *je* ne maudit pas, ne porte pas et ne s'oublie jamais. Mon enfant, ton *je* est immédiat, actuel – je sais que tu tiens particulièrement à ce terme –, il n'est pas affranchi, il faut que tu le libères en prononçant la première prière, la mère de toutes les prières : « Je vaincrai la vie et les hommes, je réussirai ma mort. » Arrête donc de le culpabiliser, continue plutôt de noyer son chagrin dans la restitution de l'histoire des peuples, des batailles, des échanges entre les cultures, de la guerre, de la paix, de la tolérance et des civilisations. Et surtout, laisse-moi tranquille. L'intime t'échappe. Ne gâche pas mon plaisir de converser prochainement avec Allah, oublie la biographie de ta mère, je suis une femme heureuse d'avoir traversé la vie dans le silence et la malédiction, une femme qui aime dire *je* pour mieux s'effacer, se mettre à l'écart et se faire oublier. Oui, je suis une femme qui a sacrifié très tôt son moi, sacrifice précoce récompensé très vite par le bon Dieu, Allah le Grand, l'Être suprême qui m'a conseillé d'habiter le silence et de maudire les autres, non pas tous les autres, mais surtout les autres qui, dans leur petit coin, ont décidé d'être hostiles.

On ne devient pas poète radical de la totalité, de la vie, à quarante ans. Ne gâche pas mon bonheur de partir, abandonne ta biographie, la biographie. Je te conseille de poursuivre ta restitution historique loin de moi et de la Montagne-Blanche, là où tu es, à Paris, apprends plutôt à mieux habiter ton exil, reste loin de moi, flatte tes hôtes, continue de réfléchir, laisse-toi emporter par les joies de la comparaison. Ne me dérange plus. Occupe-toi de ta déchéance. Poursuis ton chemin sans regarder à gauche, à droite et derrière, n'essaie pas de faire parler ta mère, la femme qui n'a commis aucune trace écrite, aucun document, aucune source, aucune phrase, courte, moyenne ou longue, mais qui a enfanté huit êtres, sept filles toutes sublimes, et un garçon devenu historien à la recherche d'un repère, d'un passé et d'une consolation.

Au lieu de noircir des pages entières sur une femme qui n'a rien écrit, contente-toi de m'honorer, d'honorer ma mémoire, de me célébrer, si tu le souhaites toujours, par une épitaphe, une phrase courte, une pensée solide et économe, à taire à jamais dans ton cœur : « Mabrouka, la femme vertueuse de la Montagne-Blanche, celle qui se nourrissait de son silence, ma mère », sinon je t'abandonne à ta tristesse et tes petites histoires, celles qui te font vivre parce qu'on daigne te donner quelques oboles, des droits d'auteur minables, des lecteurs charmés, intrigués et solidaires, et à toutes les autres blessures que tu t'entêtes à leur cacher, celles qui te font véritablement mal : ton ventre, ton passé, ton enfance, ton exil et tes regrets, non, ton unique regret : avoir quitté la Montagne-Blanche. Et mal compris la maladie de ton père et sa grandeur.

Ton père était un homme épatant. A-t-il vraiment méprisé sa femme, ta mère, moi ? Comme je m'apprête à partir, je te dois la vérité, je te dis que ton père ne sort pas vainqueur de sa vie commune avec moi : toujours méprisé par son père, maudit par moi, dans le secret, au fin fond de mon âme, il n'a jamais pris le temps de nous regarder dans les yeux ou de réfléchir un instant sur la vie qui passe. D'un exil raté à Tunis, où il avait tué le temps en sillonnant les routes du pays et noyé son chagrin et son zob dans le sexe de sa *qahba*, il était revenu à la Montagne-Blanche pour voir et entendre en face la haine de son père et subir ma malédiction secrète. Et pour ne rien arranger à ce destin malheureux, la maladie avait fini par le rattraper à l'été 1982. Tu avais onze ans. La maladie de ton père – un être détruit à cause d'interminables nuits tunisoises alcoolisées et quarante-cinq cigarettes par jour – l'a privé des beaux jours de l'été 1982, mais lui a fait oublier pour un petit moment cette période de sa vie emplie de besoin, de colère et de la haine de ton grand-père. Au début de sa crise de foie, le seul médecin, un toubib de Tunis installé à la Montagne-Blanche depuis 1971, a diagnostiqué un ulcère et l'a gavé de comprimés censés faire disparaître le mal naissant, mais son état s'est aggravé et a contribué à noircir un peu plus la réputation de notre toubib.

Comme le toubib s'était trompé, nous fûmes contraints de l'hospitaliser à Béja, à quarante-quatre kilomètres de chez nous. L'hôpital public y était bien équipé et bien loti par l'État, il était situé dans une région classée « Zone de l'ombre, de la solidarité nationale active, du développement durable, de la fraternité positive, du respect d'une terre qui nous fournit eau, pluie, fruits, légumes, blé, verdure, poussière, hommes, colère et accès direct au pays frère et voisin : l'Algérie ». Les tarifs d'hospitalisation y étaient accessibles pour les habitants de la Montagne-Blanche et ses alentours. Mon enfant, tu l'as sans doute remarqué, l'État et la géographie servent toujours à quelque chose, mais, dans le cas de ton père et de sa maladie, ils ne montrèrent aucune utilité, aucun salut, aucune solidarité, car, malgré le tarif « abordable » pratiqué par l'hôpital, nous ne réunîmes pas la somme demandée, nous fûmes obligés de faire l'inventaire des biens de notre demeure : ta grand-mère proposa de vendre ses bijoux, de petites merveilles héritées de son arrière-grand-mère, de vrais objets d'art du siècle dix-huit, mais ton grand-père, conscient de la valeur de ce trésor, dit « Niet ». Quant à moi, je n'avais rien à proposer. Tes sœurs, non plus. Nous pensâmes alors au troupeau de chèvres, ton troupeau : cinq chèvres, trois boucs et treize chevreaux. D'où venait-il ? Je ne sais pas si tu te souviens du 18 juin 1977, jour de ta circoncision, une journée confidentielle comme le furent souvent les journées de la Montagne-Blanche, quelques invités généreux t'avaient donné des billets, des dinars, pour célébrer ta pleine et formelle entrée dans la religion musulmane. Ton grand-père t'avait alors suggéré d'acheter une chèvre et un bouc jeunes afin de garantir la reproduction de l'espèce. Et ce couple avait fini par donner des petits qui, devenus grands, se reproduisaient à leur tour. En ce printemps de 1982, il y eut un consensus autour de la vente du troupeau. Tu étais même d'accord : « Tant mieux si ça permet à mon cher père de recouvrer la santé », dis-tu fièrement. Le seul point de désaccord, oui, il y en avait un, portait sur Halima, la chèvre la plus ancienne, ta première, la moitié de ton cadeau de circoncision, la plus généreuse en lait et l'être animal qui incarnait le plus cette idée géniale : l'autre animal, c'est moi. Tu tenais à elle parce qu'elle était la gardienne de la demeure animale, parce qu'elle voyait tout et donnait tout, elle avait même fini par adopter et nourrir Hilal, l'agneau orphelin. Tu as refusé de la vendre.

Grâce à ton troupeau et au peu d'argent que ton père avait su garder « pour faire face aux aléas de la vie », nous réussîmes à rassembler la somme et à le faire hospitaliser pendant vingt jours à l'hôpital du Salut à Béja. Cette parenthèse nous permit de reprendre le cours normal de notre vie : à moi et tes sœurs d'aider les grands-parents à arracher les mauvaises herbes de la petite plantation de pois chiches, et à toi de continuer la vente de sodas et d'eau fraîche au souk du mercredi, la recherche de l'escargot souterrain, l'*helix aperta*, le samedi et le dimanche, et l'école le reste de la semaine.

Au bout de vingt jours d'hospitalisation, ton père reconquit un semblant de santé, même s'il avait perdu dix kilos à la suite de son opération, mais, comme il ne pesait déjà que cinquante-cinq kilos avant d'être admis à l'hôpital, il en sortit très amoindri. Pour rassurer tout le monde, ta grand-mère n'arrêtait pas de répéter sa grande théorie : quand on récupère un foie normal, les kilos suivent. Nous étions donc chargés, moi et elle, de lui concocter des recettes et de trouver des herbes susceptibles de le faire grossir. Oui, je l'ai servi, je me suis occupée de lui jour et nuit pour lui redonner la santé et la vie. Au fond, dans cette affaire de solidarité et de sacrifice, j'avais un double objectif : l'aider pour qu'il revienne auprès de vous et lui faire recouvrer une santé totale pour que l'affrontement, le face-à-face que j'allais réengager avec lui, fût équitable, deux êtres en pleine santé qui se regardent, coexistent, s'affrontent, l'un en haussant la voix et en insultant, l'autre, moi, en maudissant dans le silence, au fin fond de mon âme.

Ton père avait décidé de se réinstaller définitivement à la Montagne-Blanche, nous étions bien obligés de composer avec cette nouvelle présence tous les jours auprès de nous. Sa maladie l'avait changé radicalement. Il avait arrêté de boire et de fumer, commençait à faire ses cinq prières et à gagner petit à petit l'estime de ton grand-père. Avec le changement d'attitude de ton père, j'ai fini par obtenir une réponse à une vieille question, plus vieille que moi, plus vieille encore que mon arrière-grand-mère, Lala Sihème : que fait un homme de chez nous en attendant le Jugement dernier et le paradis ? Il boit, fume, travaille et trompe sa femme. Mais que fait-il quand ça tourne mal à cause de la maladie ou de la vieillesse ? Je précise que, même quand ça tourne mal, il attend toujours le Jugement dernier et le paradis. Quand ça tourne mal, il va voir le médecin, arrête de boire et de fumer, commence à prier, va au Haj, je veux dire à la Terre sainte, même si elle devient mercantile, continue parfois à tromper sa femme, travaille avec excès pour s'enrichir et pense sérieusement intégrer le paradis d'Allah avant tous les autres. Mais il existe des hommes qui ne tergiversent pas, ils gardent la même conduite toute leur vie, ils prient, travaillent, ne trompent jamais leur femme et attendent sereinement le paradis et la grande explication avec Allah.

Mon fils, c'est plus agréable d'avoir un homme pieux qu'un ivrogne chez soi, dans sa maison et dans son lit.

Pour l'aider à guérir, ta grand-mère et moi-même avons pensé que nos recettes et nos herbes arrachées aux alentours de la maison allaient lui redonner quelques kilos. Peine perdue. Sa situation s'était aggravée, il ne pouvait même plus marcher, on était contraintes de l'allonger sur le lit. Comme la médecine n'avait rien pu faire, on a fait appel à tous les guérisseurs de la région.

Le 17 juin 1982, Om Arous vint le voir avec ses mots qui guérissent et son mélange salutaire, une recette à base d'ail, beaucoup d'ail cru, d'huile d'olive, d'une herbe qu'on appelle *halhala* et de miel, le tout bien mélangé et conservé dans une boule en tissu fermée par un fil et introduite dans le ventre de ton père par la bouche. Tout en introduisant le produit miracle, elle pria : « Au nom d'Allah, du Prophète Mohamed, digne envoyé et dernier des Prophètes, de la Montagne-Blanche et de ses rivières,

Abou Massyre est ensorcelé par la *qahba* de Tunis, les bières, le vin et sa malheureuse situation sociale. Le tout pèse sur son estomac et son foie. Le pauvre, il est maudit par son père depuis sa naissance, il a souffert l'exil à Tunis, il a trahi sa belle, Lala Mabrouka, la mère de Massyre, l'enfant qui garde les chèvres et va à l'école. Abou Massyre est aujourd'hui malade, il a perdu beaucoup de kilos. Je prie pour lui. Allah, notre montagne et Sidi Bouzitouna veillent sur lui. Il doit transpirer huit litres d'eau que vous mettrez dans cette bassine sacrée, l'eau recueillie sera versée sur sa maîtresse de Tunis. Abou Massyre doit expulser de son corps la souillure et la malédiction. » Om Arous faillit faire exploser l'estomac de ton père. Aucune goutte ne sortit de son corps.

Le 18 juin 1982, Lala Makboussa arriva avec une colombe sacrifiée et cuite dans l'eau bénite de La Mecque. « Il doit la manger entièrement, son foie reviendra », nous dit-elle. Le 19 au soir, Shayfa, une amie d'enfance qui s'était spécialisée dans la malédiction des femmes qui trompent, passa nous voir pour narguer tout le monde. Elle apporta son couscous habituel – trop sucré à mon goût – et son mauvais œil. Elle avait visiblement très envie de se réjouir de ce spectacle. En franchissant la porte de la maison, elle me glissa juste quelques mots à l'oreille : « Je crois qu'il va crever, il est temps que tu retrouves ton sourire et ta beauté, ton amoureux t'attend toujours, je viens de le voir, il était perché sur un arbre, il chantait son attente de Mabrouka, sa bien-aimée. » Shayfa était une vraie garce. Le 20 juin, au milieu de la sieste, ton père était très mal, il disait qu'il était coupé en deux au niveau de son ventre, il hurlait de douleur, tu étais venu rapidement chercher ton casse-croûte préféré, du pain maison, de l'huile d'olive et du sucre. Tu n'eus même pas le temps de le voir, car tu avais laissé les chèvres de ton oncle que tu gardais, moyennant quelques dinars, avec ton ami Ghadi. En sortant, tu croisas Naqma, qui était venue se réjouir de la maladie de ton père et de notre descente aux enfers. Naqma avait toujours voulu épouser ton père. Le 21 juin, dans la matinée, Khadija, la femme qui n'avait pas froid aux yeux, s'approcha de ton père et prononça sa prière : « Abou Massyre, ton mal, cette douleur insupportable qui ronge ton estomac et ton âme, vient de loin, de très loin, d'une contrée maudite, celle qui t'a éloigné plusieurs années de la Montagne-Blanche et des tiens : c'est Tunis, la ville au regard déchiré entre l'Est et l'Ouest, entre Rome et Alger. Tunis et sa *qahba* ! Tu ne vois toujours pas ? Je parle de ta fausse blonde qui t'a retenu des nuits entières loin de ta digne femme. Abou Massyre, pour expulser le mal qui a pris définitivement ton estomac comme demeure, il faut éliminer ta maîtresse ! » Demander à un homme plié en deux, dévoré par la douleur, d'aller assassiner sa maîtresse qui se trouvait à cent quarante kilomètres de chez nous, c'était comme le soigner en lui faisant manger de l'ail mariné dans le vinaigre. Khadija voulait nous dire tout simplement que ton père allait rendre l'âme quelques jours après son passage. Le 22 juin, vers sept heures du matin, nous eûmes la visite d'Alma, celle qui avait toujours fait ses preuves dans la guérison de plusieurs hommes possédés de la Montagne-Blanche, en particulier ceux qui avaient le terrible mal de ventre. Elle s'approcha de ton père, lut une sourate du Coran et dit : « Il faut absolument faire venir la femme cachée de Tunis, il faut que sa maîtresse vienne ici et qu'on lui fasse manger, à la nuit tombante, des morceaux bien précis d'une chèvre noire mourante : l'œil gauche, ses cornes cuites, la queue, et dix poils, le tout dans un bouillon bien chaud. Le mal d'Abou Massyre émigrera ainsi vers l'âme de sa maîtresse. Votre homme reviendra entier et en bonne santé aux siens. » Ton grand-père dit alors : « Pas question de faire venir une dépravée ici même, dans ma demeure, s'il faut lui faire manger une vieille chèvre, Massyre peut s'en charger, on l'envoie à Tunis, une femme l'accompagnera, Alma par exemple, et Massyre lui portera un message de la part d'Abou Massyre et lui servira la soupe. » Mon enfant, mon doux, ma perte, historien ingrat qui veut écrire une biographie de sa mère, tu te mis à hurler en suppliant ton grand-père de t'épargner le voyage. Le 23 juin, vers la prière du coucher de soleil, la vieille et pieuse Aïcha débarqua chez nous avec l'espoir d'aider ton père. Elle rendit l'âme juste après avoir bu un verre d'eau.

Le 24 juin, un jour d'une chaleur diabolique, El-Kader se pointa chez nous avec son cheval gris, vers treize heures. Il fut accueilli par ton grand-père à qui il vouait une haine farouche. Je crois que les deux hommes se détestaient mutuellement depuis la tendre jeunesse de ta grand-mère. Vois-tu, cher Massyre, quand une femme est aimée par deux hommes, le mariage, ce destin vers lequel on va sans enthousiasme débordant, désigne toujours un gagnant et un perdant. El-Kader était sorti perdant de ce triangle amoureux. Cet homme était connu pour être un guérisseur capable d'identifier et d'expulser le mal, mais, ce jour-là, il ne put exercer ses talents devant nous. Il fut particulièrement odieux : « Occupez-vous d'abord de mon cheval : il faut le rafraîchir, le mettre bien à l'ombre, le laisser se reposer une heure avant de lui donner à manger, je vous préviens, il ne mange pas n'importe quoi, il aime la salade, le concombre, le melon, les oranges, l'orge et l'eau pure de la rivière qui traverse la Colline-Rouge ! » me dit-il. Ta grand-mère était restée auprès de ton père, je crois même qu'elle ne l'avait pas quitté une minute, elle avait fini par dormir à ses côtés, j'étais donc la personne désignée pour s'occuper de la bête. Comme El-Kader s'apprêtait à faire une sieste avant même d'aller voir le malade, ton grand-père voulut le mettre dehors :

– Ma maison n'est pas une auberge, va dormir ailleurs ! Mon fils finira par guérir grâce à d'autres mains plus propres que les tiennes ! lui lança-t-il. Prends ton valeureux cheval et casse-toi, ajouta-t-il.

– Tu continues à m'humilier, tu continues à m'infliger ta haine et ton mépris, tu m'as volé deux fois, et là, tu me dis de quitter ta demeure sans avoir bu un verre d'eau ni mangé un morceau, je suis venu m'occuper de ton fils, ta perte et ta honte, comme tu le dis souvent, toute la Montagne-Blanche le sait, tu ne changes vraiment pas.

– Tu n'es pas chez toi pour exiger quoi que ce soit, tu es chez moi, ici, personne ne t'a demandé de venir nous aider. Tu prétends aider mon fils, tu prétends aider le fils de l'homme que tu détestes le plus, tu n'es qu'un menteur et un hypocrite, tu es venu ici pour voir Lala Safia, ma femme, la grand-mère de Massyre. Honte à toi !

– Lala Safia, la femme volée, ce fut ton premier vol, tous les gens connaissent cette histoire.

– Tu veux remuer la merde ? Tu veux qu'on parle de

ton passé, ton passé déshonorant, tu prétends être un guérisseur, combien de gens ont recouvré la santé grâce à toi ? Dis-le-moi ! Tu n'es qu'un charlatan, un vendeur de mots qui ment sur lui-même et sur son passé. Nos deux familles se sont croisées au début du siècle, quelque part entre Béja et Le Monchar. La tienne est la honte de la Tunisie : vous avez accepté de renoncer à une partie de vos terres et de collaborer avec le gros colon Robert Vénèque qui nous a spoliés. Ton père l'a même aidé à s'installer dans la Plaine-Nue, il lui a fait visiter toute la région, vous lui avez fourni sans qu'il vous le demande une liste de toutes les familles tunisiennes ayant des possessions agricoles dans le Grand Nord-Ouest et qui étaient engagées dans la résistance contre les colons venus s'établir dans la région. Tu peux me dire qui assistait aux soirées alcoolisées organisées par *Le Colon français* ? Tu peux me dire qui alimentait ces soirées de putes et de jeunes filles vierges arrachées à leurs familles ? Et tu viens me dire que je t'ai volé Lala Safia ?! Derrière tes habits blancs et ton cheval, qui est plus digne que toi, se cache un être monstrueux, une balance, un collabo. Ma famille avait tout perdu, nous n'avions même pas le droit de rester à Béja, nous nous sommes réfugiés ici, à la Montagne-Blanche, sans jamais renoncer à la lutte et à l'espoir de récupérer nos biens.

– Tu veux toujours écrire l'histoire qui t'arrange, je comprends tes allusions, je comprends tes soupçons, mais sache qu'ils sont infondés, ce sont des rumeurs d'hommes aigris, j'ai tout perdu aussi dans cette histoire.

– Tu avais d'abord gagné l'estime de ton maître, le colon, en l'aidant à s'emparer des terres tunisiennes, en lui fournissant tous les noms de patriotes tunisiens attachés à leurs propriétés et à leur pays, tu lui avais même rendu la vie agréable en lui fournissant des filles. Safia a failli être l'une d'elles, l'une de tes proies.

– Je rêvais de l'épouser.

– L'épouser après une partouze chez tes maîtres, c'est le destin que tu voulais offrir à Safia.

– Ce n'était pas mon intention, j'avais déjà demandé sa main à ses parents. Le 21 juin 1932, je suis venu à la Montagne-Blanche proposer à ses parents de l'accompagner choisir ses bijoux de mariage à Tabarka, mais j'ai eu le malheur de te croiser sur mon chemin.

– Ton chemin ? Tu veux dire le chemin de l'enlèvement, car au lieu d'aller à Tabarka en passant par Wichtata et la Source-de-l'Aube, au lieu d'aller encore vers l'ouest, tu avais pris le chemin de Béja, le chemin inverse, tu allais voir ton maître pour lui offrir une beauté vierge, je le savais, et c'est pour cette raison que nous avons réglé cette affaire d'homme à homme, je t'ai cassé la jambe et j'ai pris Safia pour la rendre à ses parents.

– Sauf que, sur la route, tu as commis l'irréparable pour pouvoir l'épouser.

– Tu es un vrai salopard, je n'ai pas touché à un seul de ses cheveux avant le mariage, elle peut en témoigner.

– Tu te prends pour le chevalier blanc, l'homme vertueux de la Montagne-Blanche, mais je persiste et signe, tu as couché avec elle avant le mariage.

– Moi, le chevalier blanc ? Contrairement à tous les hommes d'ici, je ne m'habille jamais en blanc, je suis toujours vêtu de bleu et j'ai eu la chance de sauver Safia de tes griffes pour l'épouser. Elle a fini par me donner ma grande famille, ici réunie.

– Une grande famille ?

– Oui, c'est la volonté d'Allah.

– Tu m'as ruiné, tu m'as enlevé ma bien-aimée et mes terres.

– Tes terres, ce sont d'autres familles, d'autres hommes qui les ont récupérées à l'indépendance, le gouvernement vous a même épargné les tribunaux et la prison pour trahison de la nation. Vous avez la chance de vivre dans un pays où les hommes ont la trouille de remuer le passé, même pour juger des traîtres, des criminels et tous ceux qui trahissent ce pays, cette terre décrite par tout le monde comme une éternelle demeure d'accueil. Oui, nous sommes un peuple qui aime s'asseoir sur sa mémoire et déteste regarder les archives et le passé, et c'est parce que nous sommes faits ainsi qu'un moins que rien comme toi peut continuer à narguer des gens honnêtes comme nous.

– Des gens honnêtes comme vous, des grands résistants, mais pour arriver à quoi ? Mon pauvre ami, tout ça pour devenir le *circonciseur* de la Montagne-Blanche.

– Oui, celui qui circoncit tous les enfants de la région, l'homme qui fait entrer tous nos garçons dans la religion de Mohamed. J'aime ma vocation, quant au reste, les biens fonciers spoliés pendant l'occupation que la famille n'a pas pu récupérer, c'est aux historiens de s'en charger.

– Même cette vocation qui semble te réjouir, tu me l'as volée.

– On ne vole jamais rien à un homme malhonnête. Tu étais un piètre *circonciseur*. Pire encore, tu exigeais de l'argent de familles qui n'en avaient pas. Tu as eu juste le temps de circoncire trois garçons, je n'allais pas te laisser continuer, j'ai tout fait pour noircir ta réputation, j'ai fini par t'éloigner définitivement des garçons. On n'allait quand même pas te les confier.

– Et pourquoi pas ? Je n'étais pas pédophile.

– Je n'ai jamais dit ça, mais tu coupais mal et exigeais de l'argent, je l'ai su dès ta première intervention maladroite, elle a d'ailleurs failli…

La voix de ta grand-mère vint interrompre la grande explication entre deux hommes jaloux, aigris et fatigués, deux hommes ayant traversé l'histoire de leur pays dans le silence, l'illusion, le mensonge, la spoliation, la trahison et l'oubli : « Mabrouka, Mabrouka, Ya Mabrouka, j'ai besoin de toi, Abou Massyre souffre, il hurle, il pleure de douleur ! » cria-t-elle. « Oui, je suis là, j'arrive avec un verre d'eau fraîche et une serviette », répondis-je.

Tous ces guérisseurs et charlatans, hommes et femmes, n'avaient rien pu faire pour remettre ton père debout. Devais-je me réjouir, moi, la femme non respectée et méprisée par ton père, de cette non-guérison ? Pour toi, c'est un oui franc, tu le penses vraiment, tu considères sans doute que sa disparition aurait vengé ma détresse et mon silence, mais tu te trompes. Mon fils, toi qui restitues le passé, l'âme humaine t'échappe. Voir ton père alité pendant d'interminables jours avec le mal du milieu qui lui transperçait le dos m'était insupportable.

J'aurais aimé le faire hospitaliser dans un établissement reconnu par tous les Tunisiens, une clinique, mais je n'avais pas le flous nécessaire. Ton grand-père croyait qu'après avoir été soigné à l'hôpital du Salut à Béja son fils était irrécupérable, il pensait qu'il était bel et bien entre les mains d'Allah. Il fallait attendre le moment où le Créateur viendrait prendre son âme, ce qui ne nous empêchait pas de lui donner à boire et à manger. Mais il vomissait tout. Moi, je ne voulais pas de ce départ indigne de moi. J'avais non seulement pitié de lui, mais j'avais surtout envie de lui rendre sa santé pour le faire revenir à moi, oui, à moi, car je considérais que deux êtres qui se haïssent doivent disposer des mêmes armes, en particulier la santé. J'avais tout fait pour le maintenir en vie, à commencer par précipiter ma grande explication avec le Créateur en Lui parlant franchement. En priant aussi, une prière inscrite avec application et colère sur une planche de bois verticale et à l'encre rouge. Oui, j'avais rompu mon silence en m'adressant à Dieu pour qu'Il me fournisse une réponse à la maladie de ton père, ainsi qu'au sens de mon silence et de ma vie auprès d'un homme gravement malade.

Mon Dieu, mon Allah adoré
En attendant de monter plus haut pour Te voir
Je suis venue jusqu'ici
J'ai marché jusqu'à la Colline-Rouge
J'ai mis mes plus beaux habits pour Te dire ma prière
J'ai fait tout le chemin pieds nus pour mieux sentir Ta présence
Moi qui donne la vie
Porte dans mon ventre, sur mon dos et dans mon zok, oui, mon zok, cette merveilleuse demeure placée entre mes jambes que mon homme, mon mari, néglige tant et maltraite
C'est par ce trou que les êtres, appelés par Toi à la beauté de la vie, sortent et voient le jour, même s'ils n'ont pas le temps de s'y attarder longuement
Mon mari a visité précipitamment le mystérieux trésor pour prodiguer la vie à huit enfants, sept filles et un garçon

Nous sommes devenus pauvres
Allah ! Mon mari est coupé en deux par le mal du milieu
Je T'implore de lui rendre la santé
De le mettre debout
Tu vois tout
Tu notes tout
Tu as placé deux anges qui surveillent tout, l'un a pris notre épaule droite comme point stratégique d'observation de l'espèce humaine, l'autre l'épaule gauche
Ils transcrivent tout pour Toi
Et veillent sur nous dans notre sommeil, notre travail et notre lit

Ils nous regardent nous aimer, trahir, faire rapidement la prière, aller à La Mecque pour racheter notre passé noir, rater notre orgasme, faire la guerre, même si on ne les voit pas dans nos défaites et notre longue et insupportable humiliation, lire un mauvais livre, écouter de la musique, nous marier, faire des enfants, mourir, divorcer et collectionner les aventures amoureuses, recevoir le salaire de la peine, travailler, tricher, refuser d'aider les pauvres et les orphelins, nous jalouser, manger, dormir, aller faire nos besoins, prendre un bain, nous épiler et montrer à l'être amoureux, le mari légitime, la beauté divine d'une femme, subir la guerre et la défaite, l'exil aussi, accueillir l'étranger, même si nous ne lui demandons jamais d'où il vient et quel nom il porte, mentir et nous arranger avec la vérité, nous taper dessus, même si ça n'arrive pas souvent, mourir d'une piqûre de scorpion, parce qu'il n'y a pas de vaccin à l'hôpital, respirer, éternuer, roter, nous décrotter le nez, commercer, crier, aller à la taverne au lieu de la maison d'Allah, essayer de retrouver la gloire perdue de nos ancêtres et notre dignité, expliquer à l'étranger qui ne prend pas le temps d'entrer dans notre logis que nous sommes des hommes bons, lire à voix basse le Texte sacré pour mieux apprécier sa cadence poétique et son génie, parler d'altérité et de notre voisin, engueuler le boucher qui nous vend une viande avariée, lire le journal du matin et du soir, danser, avoir un regret et des larmes, labourer la terre et guerroyer, choisir les mauvais amis et des ennemis inattendus, regarder le ciel ou le jardin, peiner à retrouver je ne sais quelle vérité, tomber malade, tenter d'être heureux et accoucher : enfanter

Peux-Tu me dire ce que font Tes anges sur les épaules d'un oisif ou d'une femme silencieuse qui mange son verbe ?

Allah, pour que Tes anges puissent poursuivre leur mission et Te remettre en fin de journée un rapport complet, redonne vie à mon mari, le père de huit enfants

Offre-lui le souffle pour que les anges continuent de travailler

Redonne-lui la vie pour que je puisse le regarder en face et le maudire

Allah, je n'aime pas maudire les hommes malades

Écoute-moi

Tu connais mon verbe, ma voix et mon silence

Est-ce que Tes anges font mal leur travail ?

Dégrade-les, je prendrai leur place

Chasse-les, je serai impitoyable avec l'espèce humaine

Accorde le pouvoir aux femmes

C'est le moment

Elles deviennent nombreuses et efficaces

Elles portent tout, y compris Ta parole universelle et Ta déception

Je suis la seule femme de la Montagne-Blanche qui mange son verbe

Redonne à mon mari la vie

Redonne-lui la vie parce que Tu es bon

Redonne-lui la vie parce que Tu es l'Être suprême, l'Unique, à qui je parle

Redonne-lui la vie parce que Tu aimes la prière des femmes

Redonne-lui la vie parce que je suis l'unique femme qui mange son verbe pour mieux Te parler

Redonne-lui la vie parce que je connais l'âme humaine

Redonne-lui la vie parce que je suis heureuse de Te revoir et de Te révéler la vertu de mon verbe mangé et mon renoncement

Redonne-lui la vie pour que je puisse retourner à mon silence, ma vie

Redonne-lui la vie

Remets-moi dans ma vraie demeure, à l'écart du monde

Redonne-moi ma vocation première

Redonne-moi ma raison d'être

Détrône les sorcières, les magiciennes, les charlatans, le serment d'Hippocrate et tous ceux qui doutent de toi

Enchante-moi

Laisse-moi manger mon verbe

Laisse-moi vivre

« Laisse-moi manger mon verbe », ai-je demandé au Majestueux, afin de renouer le contact avec la vie et la malédiction. Je suis allée accomplir mon sacrifice sur la Colline-Rouge, un lieu idéal, situé entre la plaine, et la peine des hommes, et le ciel divin. J'ai emporté le foie du chevreau égorgé, dépecé, nettoyé et coupé la veille par mes soins. Une fois sur place, j'ai rallumé un petit feu – en prenant soin d'enlever les cailloux et la terre, et de mettre quelques brindilles pour avoir des flammes pures –, mis le foie sur mon bout de bois vertical et déposé le tout sur des braises assez douces, histoire d'avoir des cendres propres. Comme je n'aimais pas attendre passivement ou regarder les oiseaux voler, j'ai levé la tête vers le ciel pour apercevoir Allah. Après que les cendres de ma prière et de mon sacrifice eurent refroidi, j'ai introduit le tout dans ma petite gourde et pris le chemin du retour : deux cent quatre-vingt-dix-neuf pas en prenant mon temps. Arrivée à la maison, j'ai mélangé les cendres avec du miel amer, un miel qui avait la vertu millénaire de guérir les douleurs du milieu. Mon intention était claire dès le départ : faire manger tout ça à ton père jusqu'à sa guérison.

J'ai préféré faire manger mon verbe à ton père, mon mari, au lieu de lui causer. Je te connais de réputation – on me lit des choses à toi –, tu te dis : en faisant manger son verbe à mon père, ma mère s'est contentée d'entretenir le malentendu et le silence. Va pour le malentendu, je te le confie, quant au silence, je le garde pour moi, c'est ma langue universelle à moi, c'est un bien que nous, les femmes de notre pays, préservons jalousement dans notre âme, cette merveille cachée entre le cœur et l'estomac, et je peux te dire que nous en sommes fières.

Est-ce que tu comprends cette langue universelle, oui, universelle ? Pas l'universel récent, un universel ingrat destiné aux pauvres – au nom de Dieu, l'Universel, l'Un, je ne vise pas les pauvres qui ont du mal avec leurs fins de mois, je cible plutôt les crétins, tous ces êtres ravis de placer le mot universel dans leur conversation quotidienne –, je te parle de l'autre, oui, l'autre, celui qui résiste au temps, au contexte, à l'événement, aux guerres et à l'empire, l'enfant du commencement, la vérité qui détrône la trahison des hommes. Tu ne vois toujours pas ? Fais un effort, tu es peut-être assis en ce moment à côté d'une femme qui mange son verbe, il y a sans doute quelque part au pays de ton exil, à Paris, à Tremblay-en-France ou à Roubaix, des femmes qui traversent la vie, reçoivent des coups, font des enfants, n'ont aucun plaisir à partager leur lit, mangent, etc., le tout dans une économie de mots vertigineuse, un silence absolu. Tu ne saisis toujours pas ? Lève la tête, regarde en face de toi, regarde autour de toi. Tu n'as pas le temps. Je comprends. Tu es mon fils, ma faiblesse et ma perte, je vais tenter de rattraper le coup, je viens vers toi, j'arrive, je vais te prendre par la main, toi qui as une foi inébranlable dans ta bibliothèque et tes sources, j'arrive pour dépoussiérer un livre, le sortir des rayons et l'ouvrir là où il faut. Tu admets quand même que je vais accomplir un effort exceptionnel, moi qui n'aime pas citer les Grands Auteurs, mais puisque tu restes mon enfant, je devine tes lectures, je les anticipe même : Michelet en fait partie, je ne te parle pas de l'historien des grands événements et de la France éternelle, mais du poète, celui de ma compagne, de ma sœur et complice sorcière, celle qui t'échappe encore. Tu ne vois toujours pas. Essaie. Fais encore un effort. Tu me contrains à subir des choses, tu m'obliges à citer, moi qui déteste cet exercice, mais je m'y plie pour te persuader d'abandonner l'histoire d'une femme, mon histoire. Allons, je vais te rafraîchir la mémoire, je te donne les trois premiers mots : *La pauvre sibylle.* Moi, je dirais *Majestueuse sibylle.*

Toujours rien ?

Va, répète avec moi :

« La pauvre sibylle, engourdie à son morne foyer de feuilles, battue de la bise cuisante, sent au cœur la verge sévère. Elle sent son isolement. Mais cela même la relève. L'orgueil revient, et avec lui une force qui lui chauffe le cœur, lui illumine l'esprit. Tendue, vive et acérée, sa vue devient aussi perçante que ces aiguilles, et le monde, ce monde cruel dont elle souffre, lui est transparent comme verre. Et alors, elle en jouit, comme d'une conquête à elle.

« N'en est-elle pas la reine ? N'a-t-elle pas des courtisans ! Les corbeaux manifestement sont en rapport avec elle. En troupe honorable, grave, ils viennent, comme anciens augures, lui parler des choses du temps. Les loups passent timidement, saluent d'un regard oblique. L'ours (moins rare alors) parfois s'assoit gauchement, avec sa lourde bonhomie, au seuil de l'antre, comme un ermite qui fait visite à un ermite, ainsi qu'on le voit si souvent dans les Vies des pères du désert.

« Tous, oiseaux et animaux que l'homme ne connaît guère que par la chasse et la mort, ils sont des proscrits, comme elle. Ils s'entendent avec elle. Satan est le grand proscrit, et il donne aux siens la joie des libertés de la nature, la joie sauvage d'être un monde qui se suffit à lui-même. »

Je me permets cet écart, moi qui ne cite jamais, pour

te faire plaisir, oui, te faire plaisir, toi qui ne jures que par la source et la citation. Je ne te cache pas que non seulement je trouve mon compte chez Michelet, qui tient là son unique texte merveilleux, mais encore que sa sorcière est ma sœur, ma fidèle compagne, ma complice, elle, la sorcière française du siècle dix-neuf et de tous les temps, obscurs ou pas, une femme digne et vertueuse partageant avec moi, femme de la Montagne-Blanche, une langue universelle que je crie toute seule sur les hauteurs de la Colline-Rouge. Massyre, cesse de lire les historiens, arrête de chercher la vérité passée chez eux, elle leur échappera toujours. Dis-moi, as-tu croisé un historien qui se soit chargé comme il faut de la vengeance des femmes silencieuses qui mangent leur verbe ? Je crois que non, j'en suis même sûre, Allah ne l'a pas encore créé. Faire parler une femme qui mange son verbe est l'œuvre du poète, mais toi, Massyre, mon enfant, ma douleur, ma perte, tu es toujours insensible à la poésie et au silence.

Ai-je guéri ton père en lui faisant manger mon sacrifice ? Non. Mon impuissance m'a rendue malheureuse et la santé de ton père s'est visiblement détériorée. Il fallait l'hospitaliser dans un bon hôpital, privé de préférence, une hospitalisation qui coûtait très cher. Tu vois, quand on n'a pas le flous, le serment d'Hippocrate le Grec ne peut rien pour nous. Mais le miracle a pointé son nez. Il s'appelait Mawhoub, une figure régionale, je dirais même nationale, un mélange de trafiquant d'antiquités, de conservateur et d'archéologue qui faisait de temps en temps appel à moi pour restaurer ou reproduire de petites choses antiques : des mosaïques, en particulier. Il avait disparu depuis quatre ans. En le revoyant, l'unique pensée qui m'est venue à l'esprit fut : « Je vais pouvoir hospitaliser le père de mes enfants. » Je me souviens encore de son arrivée. Un retour miraculeux, me dis-je. C'était un mercredi en milieu d'après-midi, le 14 juillet 1982. En l'apercevant, j'ai pris mes dispositions pour pouvoir discuter avec lui : j'ai envoyé tout le monde acheter quelques provisions pour la maison. J'étais vraiment heureuse de le revoir.

– *Aslama* Ya Mawhoub, quatre ans à ne rien restaurer, c'est une éternité, c'est une peine pour une femme qui ne sait parler que par ses mains. Pis encore, c'est un trou énorme dans le budget de la famille. Où étais-tu pendant ces quatre années, tu m'as manqué, je veux dire tes dinars m'ont manqué, lui dis-je.

– Tu crois que les mosaïques que tu fais de tes propres mains, que tu inventes ou que tu restaures, se vendent au souk de la Montagne-Blanche ? Il faut des mois et des mois, des années même, pour trouver des acheteurs prêts à claquer des millions et acquérir de telles merveilles : il faut se déplacer, rencontrer du monde, connaître des douaniers, inviter, constituer un réseau, son réseau personnel, car les réseaux de Tunis, d'Hammamet, de Nabeul, de Sousse et de Djerba nous haïssent, nous, les antiquaires du Nord-Ouest, ils pensent que nous sommes des abrutis qui ne connaissent rien au raffinement d'une mosaïque, des êtres rustres qui n'ont pas de mémoire et se foutent éperdument du patrimoine de la grande bien-aimée : la nation. Les cons ! Ils pensent même que nous laissons avec le sourire nos bêtes piétiner notre patrimoine archéologique national.

– Je ne veux pas le savoir, toutes ces histoires ne me regardent pas, ma seule certitude, ma vocation première, est la fille de mes deux mains qui restaurent ou reproduisent, imitent, minute après minute, de vraies merveilles : tu te rappelles cette sublime femme représentant le printemps, la maison de la procession dionysiaque, disent les archéologues ?

– Arrête un peu avec le passé et les archéologies.

– Et pourquoi veux-tu que j'arrête avec ça ?

– Comment va ton mari ?

– Très mal, mais revenons à nos mosaïques : je sais que tu ne les vends pas sur le marché du coin, je sais surtout qu'il n'y a que toi, moi, le gouverneur de la région, le commissaire et notre seul douanier régional qui soient au courant de tes affaires.

– Tu oublies le vrai receleur.

– Qui est-ce ?

– Je ne te le dirai pas.

– Pourquoi ?

– Parce que tu m'as brisé le cœur.

– Et comment peut-on briser le cœur d'un trafiquant d'antiquités ?

– En le larguant pour un homme malade.

– Il était en pleine forme quand je l'ai connu.

– Moi aussi, j'étais en pleine forme physique et financière.

– Écoute, restons de bons professionnels, les histoires de cœurs brisés ou pas ne m'intéressent plus, j'ai un homme malade, sept filles et un garçon à nourrir, qu'est-ce que tu veux ?

– Tout.

– Tout ?

– Je n'ai pas pu apporter la mosaïque, elle est bien accrochée au musée du Bardo, mais j'ai une belle photo en grand.

– Dis toujours.

– Elle est là.

– La *Dame de Carthage* !

– Comment le sais-tu ?

– Je te pose des questions sur tes affaires, moi ?

– Tu as raison, c'est la *Dame de Carthage*.

– J'ai toujours pensé qu'il lui manquait quelque chose pour être la vraie incarnation, le vrai drapeau de la Tunisie, il lui manque la grâce et la profondeur d'une femme.

– Lala Mabrouka, tu lis dans mes pensées.

– Ah bon ?

– Oui.

– Pourquoi ?

– La *Dame de Carthage* ne sourit pas, ce n'est pas possible, c'est même contraire à notre réputation : nous sommes un peuple souriant et chaleureux.

– Mais ne pas sourire n'enlève absolument rien à la beauté d'une femme, tu es d'accord ?

– Oui, mais le problème est ailleurs : le commanditaire de cette deuxième mosaïque de la *Dame de Carthage*, qui fera oublier l'actuelle, a envie d'une autre figure, d'une mosaïque authentique qui sera répertoriée comme telle et figurera parmi les perles de la grande et millénaire civilisation tunisienne.

– Il veut quoi, ton commanditaire ?

– Si tu regardes bien cette mosaïque…

– Arrête de me dire ça, je connais cette mosaïque par cœur, j'en possède une copie. J'ai une photo aussi qui remonte à très longtemps. Je t'épargne les détails. Le visage est beau. Elle est sublime si on arrête le regard sur son cou. Mais si on le glisse un peu plus bas, si on fixe nos yeux sur la position de ses mains, et plus exactement, sur la posture de sa main droite, tu vois là, regarde bien, l'index et le majeur tendus, l'annulaire et l'auriculaire pliés, et le pouce invisible, on a l'impression qu'avec ses trois doigts elle tient son drapé. Je considère qu'une sublime main comme la sienne doit être entièrement visible sur la mosaïque. Si on lui fait ouvrir complètement la main, sa tunique tombe. Mais il y a un autre problème, un véritable problème qui, aux yeux de l'artiste ayant fait cette mosaïque, n'en était pas un parce qu'il réussit à nous dire que ce mouvement de la main est presque la scène centrale de son œuvre, notre dame de Carthage tient un drapé qui n'est pas le sien, elle tient un vêtement d'homme.

– Lala Mabrouka, tu vois juste.

– Laisse-moi finir.

– Non, je passe commande : débrouille-toi pour lui déplier ses doigts afin qu'elle retrouve une main entière, habille-la d'une manière féminine, fais-lui pousser des seins qu'on verra à travers un vrai vêtement de femme que tu prendras soin de dessiner. Et pour finir, le commanditaire de cette future mosaïque carthaginoise n'aime pas son chignon tenu avec un ruban, il préfère des cheveux détachés ou coiffés autrement, tu peux d'ailleurs t'inspirer des portraits du Fayoum, je t'en ai apporté quelques photos.

– De toute façon, la *Dame de Carthage* est une mosaïque ambiguë : un beau visage de femme – tout y est parfait : les yeux, de vraies demeures, des sourcils qui veillent sur eux, un nez souverain et des lèvres prêtes à accueillir le baiser – collé à un corps d'homme musclé et large. Elle a des épaules massives, on dirait un gladiateur. Je suis d'accord avec toi sur le fait que cette image ne peut pas représenter la Tunisie éternelle. Donc, ton commanditaire a raison. J'oublie l'essentiel : combien il paie ?

– Arrête avec ta Tunisie éternelle, tu parles comme un opérateur de voyages.

– Combien ?

– Combien je paie ?

– Oui.

– Mille dinars.

– C'est du vol, c'est le prix de la matière et du matériel, et tu me demandes de refaire une œuvre, de détrôner un artiste antique qui nous nargue avec sa belle *Dame de Carthage*, en me payant mille dinars ! Même si je m'adresse au roi de la commission et des marges, je peux te dire que c'est de l'arnaque, je te conseille d'aller voir ailleurs.

– Combien veux-tu ?

– Cinq mille dinars, et pour une fois tu vas me donner toute la somme.

– D'habitude, moitié à la commande, moitié au travail fini.

– Pour cette fois-ci, cet arrangement ne me convient pas, tu m'avances tout pour que je puisse hospitaliser le père de mes enfants.

– Tu es à sec, ça fait combien de temps que tu n'as pas fait l'amour ?

– Tu as toujours gardé la même vulgarité. Tu m'avances toute la somme, je te fais ta beauté tunisienne et je te garantis le silence absolu.

– Lala Mabrouka, je n'ai jamais douté de ta discrétion et de ton silence, je sais que même ton mari et tes enfants ne connaissent pas ta véritable vocation, la vertu de tes mains, mais je ne comprends pas ton sadisme envers moi, ton acharnement à demeurer avec un homme qui t'a toujours maltraitée, et maintenant tu veux le soigner.

Laisse-le crever, c'est le moment idéal, après, on pourra vivre ensemble le reste de nos jours.

– Mawhoub, on ne laisse pas mourir un malade que la médecine peut soigner, je ne laisse pas tomber le père de mes enfants, je n'abandonnerai pas un homme qui m'a sauvée, non, il ne crèvera pas, j'ai envie de le voir vivre pour mieux le regarder en face.

– Comme tu voudras.

– Je préfère ça.

– Je suis d'accord pour les cinq mille dinars versés immédiatement, mais je veux une mosaïque parfaite dans quinze jours.

– Mais tu es un grand maboul, tu veux que je reproduise en quinze jours une autre *Dame de Carthage* qui ferait oublier la première ? C'est impossible, il me faut une semaine pour lui ôter son vêtement d'homme, une pour lui inventer une robe digne de sa beauté, une pour défaire ses cheveux et jeter son ruban, une pour la coiffer, une pour déplier ses doigts afin qu'elle retrouve sa sublime main droite, une pour la faire sourire et deux semaines pour mettre en valeur ses seins que je vais refaire complètement. Si je calcule bien, ça fait cinquante-six jours : tu acceptes ou tu refuses ? Et je ne te parle même pas du temps qu'il faudra pour retrouver son regard perdu.

– Ton calcul me paraît cohérent, j'accepte.

– C'est d'accord. Maintenant, pars avant qu'on t'aperçoive.

Et il a accepté. J'avais cinq mille dinars, une somme suffisante pour faire hospitaliser ton père.

Ta mère avait un vrai métier : artiste contemporaine, à qui on demandait parfois de restaurer des mosaïques anciennes. J'espère que cette révélation te comblera. Et non seulement j'avais un métier, mais en plus je l'exerçais avec des exigences techniques précises : je ne faisais que des mosaïques contemporaines de taille modeste, des mosaïques qui refusaient qu'on mette les pieds dessus, je n'aimais pas faire des mosaïques au sol, celles qui m'intéressaient étaient de taille définie : trente centimètres de large sur quarante centimètres de longueur. J'aimais bien ce format, mais, dans le cas de la *Dame de Carthage*, je fus obligée de multiplier la surface par trois : quatre-vingt-dix centimètres de large sur un mètre vingt de longueur. Belle exception ! Carthage méritait de retrouver sa femme au regard perçant. Massyre, ta mère n'est plus mosaïste, mais cet art transmis par ma propre mère m'a aidée à mieux habiter mon silence et à adoucir ma solitude. J'ai exercé mon métier à l'abri des regards. J'ai caché ma vocation et tout fait pour la dissimuler. Arabiya, la grande pleureuse, fut ma complice, car elle a accepté d'ouvrir sa demeure pour nous accueillir, moi et mes œuvres.

Ta grand-mère m'avait enseigné l'art de représenter les mariés, le jour de leur fête. La photographie avait mauvaise réputation chez nous, elle vieillissait mal et n'était pas assez solide pour préserver les traces. On avait opté depuis toujours pour la mosaïque, une création solide capable de traverser le temps. « À la Montagne-Blanche, la mosaïque est l'art sublime du portrait. Ma fille, tu éviteras les oiseaux, le ciel, la rivière, l'eau, les mains de Fatma, le désert, les dattes, l'olivier, les animaux domestiques et sauvages, la forêt garnie ou dégarnie, le troupeau de chèvres, les vaches, les veaux, le printemps, le jasmin, le palmier, la Méditerranée, un hérisson, une gazelle et le sable, concentre-toi plutôt sur le portrait, oui, le portrait de femme, de couple, d'enfant, de vieux, de vieille, de mariée, fais parler leur joie, leur silence, leur bonheur de vivre, leur sourire, leurs larmes, leur solitude, leur mouvement, à chaque fois que tu conçois ta mosaïque, fais ressortir le geste qui dit l'être et n'oublie pas que le petit détail sublime tout », me disait-elle souvent.

Pour la conception de l'image des mariés, je n'avais que mes yeux pour regarder, je ne disposais pas de rapporteur à 360°, de rapporteur à 180°, d'équerre à 90°, de règle, de stylos-feutres, de crayon à dessin, de papier carbone, de papier millimétré, de papier à dessin, de règle métallique, de compas, de gomme, de gomme mie de pain, de crayons et de règle en T, j'avais juste mes yeux, un crayon et une planche en bois. Je ne me déplaçais jamais aux fêtes de mariage. C'était ma seule exigence. Je concevais d'abord la mosaïque en tête à tête avec la future mariée. On se voyait quatre fois avant le jour du mariage, c'était souvent au hammam, lieu parfait pour observer une femme, la sculpter dans ma mémoire. Au bout de quatre rendez-vous, j'invitais les futurs mariés à déjeuner chez Arabiya, un moment favorable pour les étudier, suivre leurs regards, leurs gestes, leurs mouvements de bouche, la manière dont ils parlaient, etc. Une fois le déjeuner terminé, je les invitais à mettre leurs habits de fête : elle la robe, lui le costume. Je regardais attentivement et enregistrais le tout sur un premier dessin.

Chaque mosaïque de mariage (j'en ai fait une dizaine) était livrée trois mois après la fête. Elles étaient toutes en noir et blanc, je laissais les couleurs aux photographes. Comment je faisais pour immortaliser un couple appelé à vivre ensemble pendant des années ? Tout est dans les tesselles, mon fils, moi, je n'utilisais ni le verre ni l'or, mais beaucoup de galets, en particulier ceux que je ramassais à la Rivière-Bleue parce qu'ils étaient d'une beauté éclatante et ne contenaient pas de sel, des galets que je triais par couleurs et par forme. J'utilisais également le granit et les billes en verre pour composer les yeux.

Munie de mon dessin, d'une planche en bois, du ciment obtenu en mélangeant des cendres, de la poussière rouge de notre colline, de l'eau et de la chaux, ainsi que d'une pince japonaise, je n'avais qu'à reproduire exactement le dessin en faisant attention de répartir uniformément le ciment, qui me servait de colle, sur la planche en bois.

Oui, Massyre, ta mère qui mange son verbe avait un vrai métier, elle faisait revivre de belles œuvres carthaginoises, mais, contrairement à toi, je n'aimais pas faire parler les morts. Les morts ne parlent pas, on les fait parler, on les dote d'une mémoire pour mieux nous protéger, nous, les vivants. Ai-je recréé la beauté de la *Dame de Carthage* ? Oui, je lui ai rendu sa beauté éclatante, mais je n'ai jamais revu Mawhoub, le commanditaire. J'ai aussi retapé quelques autres mosaïques de moindre importance, des mosaïques abîmées par le temps et la bêtise des hommes : le riche notable de la Source-de-l'Aube ou de la Montagne-Blanche, qui détruit tout pour bâtir une maison tapageuse, les petits trafiquants minables, qui arrachent des bouts pour les revendre à un receleur local, les chercheurs d'or, qui creusent des trous énormes dans les mosaïques parce qu'ils sont persuadés de l'existence, dessous, de jarres remplies de poudre jaune, le ministère de l'Agriculture, de l'Environnement et de la Pêche, qui donne son feu vert pour la construction d'« Horizon », le barrage qui a fini par tout emporter.

J'avais un métier.

Je savais redonner une beauté originelle aux mosaïques de la Montagne-Blanche.

Je savais enseigner aux filles aussi.

Tu oses adresser la lettre à ton père pour qu'il me la lise. La silencieuse, l'*opprimée* que je suis, n'a pas besoin d'interprète pour comprendre la détresse et la culpabilité d'un fils. Moi, je t'écris dans la langue de la Cité des femmes de la Montagne-Blanche qui mangent leur verbe, je t'écris pour t'empêcher de me trahir, je t'écris pour rabaisser ton verbe, je me dévoile pour que tu cesses de plaindre ta mère, j'abats mes cartes pour t'empêcher de gâcher ma joie de rejoindre les immortels bienheureux et de regarder Dieu en face. Ma parole jaillit, ça t'inquiète, tu doutes et tu abandonnes ton ingrate biographie. Et en bon historien qui s'intéresse aux sources des choses et au commencement, tu te demanderas d'où viennent les mots de ta mère ? Mais tu te planteras, oui, tu feras fausse route, car tu diras tout simplement à tous ceux qui apprécieront ton récit larmoyant sur ta pauvre mère : « Stupéfait, abasourdi même, je découvre que ma mère est autodidacte, elle sait lire et écrire, elle a bien caché son jeu. » Mon pauvre garçon, je ne suis pas autodidacte, je dois tout à notre première femme, Lala Sihème, et à son chasse-mouches qui fit basculer l'histoire de l'Algérie et de la Tunisie. Je dois tout à Gamra, ma grand-mère. Je dois tout à l'immense savoir de Zina, ma mère. Je suis une femme affranchie parce que j'ai longtemps mangé mon verbe. Je suis une femme qui ne parle pas aux hommes, mais je suis une mère qui fait tout pour empêcher son fils d'écrire une biographie. Et je ferai tout pour t'épargner la honte.

Je ne suis pas autodidacte, je suis autosuffisante et affranchie. Je dois tout à mon œuvre : la Cité des femmes de la Montagne-Blanche qui mangent leur verbe. Oui, je dois tout à mon coup de génie, à un accord passé avec ton père, cet inconnu que j'ai épousé en 1955 : « J'accepte de devenir ta femme à condition que tu me laisses libre de m'occuper de l'éducation de mes filles. J'arrêterai le jour où j'aurai un garçon », lui ai-je dit. Il a répondu : « Parfait ! »

Qu'ai-je enseigné ? Je me souviens très bien de mon œuvre, de cette création féminine, je revois aussi son extinction, oui, son extinction, exactement le jour de ta naissance. J'ai fondé la Cité en 1956, bien avant mars 1956, date de l'indépendance de la Tunisie, mais le jour de la naissance de ta première sœur. Pour entrer dans ma cité, il suffisait d'être fille et d'avoir un âge minimum de cinq ans.

Les trois premières années – de cinq à huit ans – étaient consacrées à l'apprentissage de la lecture et de l'écriture. J'ai toujours en tête la première leçon, les premiers mots prononcés devant mes jeunes disciples : « Je vais tout vous donner pendant trois ans, je compte sur vous pour m'épater, me combler et me rappeler le bonheur d'être avec vous. Si d'ici trois ans vous réussissez à le faire, je vous dévoilerai le grand secret, la vérité qui vous accompagnera toute votre vie et au-delà, oui, au-delà, exactement auprès de notre Créateur, l'Être unique, Allah le Majestueux, qui apprécie de dialoguer avec les femmes sur le sens de la vie », leur disais-je. À huit ans, les filles savaient lire, écrire, et maîtrisaient parfaitement quelques notions de notre histoire, de notre mémoire, et connaissaient le sens de la vie. Elles maîtrisaient surtout l'essentiel, oui, l'essentiel, la phrase qui tranche dans le vif, la parole salutaire, la mère de toutes les prières : « Je vaincrai la vie et les hommes, je réussirai ma mort. » Excitées, elles attendaient mon grand secret. Qu'ai-je révélé ? Qu'ai-je dit ? Puisque des mots précis jaillissent pour empêcher ta biographie, je te les livre dans le souffle de l'époque : « Mes dignes filles de la Montagne-Blanche, vous êtes miennes, mes filles que je vais façonner pendant quelques années pour faire de vous des femmes affranchies, des femmes capables de porter notre patrie, la montagne et ses collines, des femmes heureuses de vivre, heureuses de ne pas parler aux hommes et de tout garder pour la grande conversation avec Dieu. Vous êtes avec moi jusqu'à vos seize ans, un âge où vous passerez directement chez vos maris. Mais en attendant, je suis votre mère, votre père, votre sœur, votre futur époux, votre frère, votre oncle et votre grand-père. Je suis aussi votre amie, votre grande amie. Je vais vous enseigner le sexe, le verbe, l'enfantement, la patience, la malédiction et la mort. Je vais vous enseigner la vie. Je vous apprendrai le sens de la mort. Vivre, c'est parler à Dieu ; vivre, c'est s'emparer du pouvoir des anges, ces êtres invisibles mais dotés d'un pouvoir total : surveiller les hommes. Filles de la Montagne-Blanche, Dieu vous a créées une première fois, Mabrouka vous recréera, vous fera renaître et vous rendra toute votre sagesse, oui, votre sagesse, ce génie premier qui nous a toujours, nous les femmes, dotées d'un mystérieux pouvoir : parler aux hommes juste en les regardant, parler aux hommes sans leur adresser le moindre mot. Mais pour bien regarder cette espèce, il faut maîtriser l'art de manger le verbe, il faut habiter le silence, il faut remettre son destin à ses yeux. À partir d'aujourd'hui, vous allez vous entraîner à manger votre verbe pour renoncer à la soumission, je veux faire de vous des résistantes, des battantes, des femmes qui maudissent. J'aime le silence, j'y habite, mais je hais l'extinction de la voix. Je vous apprendrai la souveraineté qui vous fera traverser la vie avec joie. Qu'est-ce qu'on fait quand on découvre un trésor à la Montagne-Blanche ? Je vous rappelle juste que cela arrive souvent : Accepteriez-vous de le partager ? Bien sûr que non. Gardez mon enseignement avec jalousie, préservez-le, car il vous dira le salut. Vous savez que les femmes affranchies de la Montagne-Blanche, notre patrie, le nombril du monde, ne travaillent jamais, s'interdisent de toucher à l'argent et se préservent des vices de la vie matérielle. Depuis toujours, elles donnent la vie et peuplent notre terre fertile, elles sont le commencement et la fin. Vous l'êtes aussi. Pourquoi la fin ? Si vous arrêtez de manger votre verbe, si vous vous éloignez de votre vocation première, la digne Montagne-Blanche disparaîtra. Depuis quelques années, très peu d'années, nos hommes nous pénètrent, éjaculent au bout de cinq à neuf secondes, peinent, travaillent, font la guerre de temps en temps, touchent la matière sale et croient réellement qu'ils sont le socle premier de notre patrie. Mes filles, je suis en face de vous pour vous enseigner la peine des hommes et les douleurs de notre patrie, vous êtes ici pour maîtriser l'art de guérir nos maux, vous êtes ici pour rendre les hommes bons en les maudissant, vous êtes ici pour leur inculquer plus tard la peine et la vertu. Laissez-les jouir pendant quelques secondes, car leur jouissance dit leur peine. Contentez-vous de les regarder niquer, peiner, se réveiller aux aurores pour commercer, labourer la terre, trafiquer, collaborer, résister, ouvrir leur boutique, hurler, gueuler et maudire leurs pères. Laissez-les pester parce que la viande n'est pas assez cuite, parce que votre épilation n'est pas totale, parce que vos règles durent longtemps – ils n'ont qu'à lire le Prophète Mohamed ces abrutis ! Il faut les laisser gueuler, mentir, prier et jalouser, mais gardez votre silence, laissez parler vos yeux. Mais s'ils dépassent les limites de la bonne éducation, s'ils vous insultent et vous frappent, n'hésitez pas à utiliser votre fusil, le verbe vertical, le verbe le plus ancien, celui qui assomme la tête : "Je maudis, donc j'existe et remets les hommes à leur place." Maudire fera disparaître cette race d'hommes, maudire fera disparaître le mensonge, maudire nous aidera à retrouver notre commencement et le salut, maudire rendra l'espèce humaine moins ingrate, maudire remettra les hommes à l'endroit : la grâce de la première femme. Maudire est une arme fatale. Manger son verbe aussi. Manger son verbe, c'est nourrir son âme et son souffle. Mes filles, la fierté de notre patrie, de la Montagne-Blanche et ses collines, en attendant votre future demeure, le silence, je vous invite à crier, à hurler, à questionner et maudire pendant quelques années. Profitez, car vous allez donner la vie, enfanter et faire société tout en vous mettant à l'écart de la cité des hommes. Je suis là pour écouter vos plaintes, je suis là pour vous apprendre à maudire et à épargner votre souffle, je suis là pour vous redonner votre souveraineté perdue. Criez ! Je vous invite à crier. Criez ! Plus fort ! Criez encore plus fort ! Je suis une femme affranchie ! J'aime toutes les femmes, oui, j'aime toutes les femmes : les pauvres, les riches, les petites, les grandes, les moyennes, les grosses, les maigres, les brunes, les noires, les quelques blondes égarées par chez nous, les pieuses, les voilées, les veuves, les divorcées, les adolescentes, les paysannes, les aristocrates, les ouvrières, les filles de joie, les bonnes, les femmes qui aident, les célibataires, oui, j'aime toutes les femmes de chez nous parce que nous sommes le destin de la Montagne-Blanche, nous incarnons la vie, nous détenons la clé pour pénétrer dans notre vieille demeure, le commencement, et retrouver le sens premier de notre vie et notre destin. Mes filles, quand je prononce le mot "femme", tout doit s'éclipser : son flous, ses parents et leur héritage, ses études et son rang social. Je dis tout, sauf sa prière, tout, sauf son âme féminine qui triomphe. Criez ! Ne vous inquiétez pas, vos âmes et vos cheveux resteront bien accrochés ; criez, vous ne perdrez rien ; criez, vous gagnerez l'estime des oiseaux et des anges ; criez pour vous débarrasser des vices ; criez pour rester dignes et droites ; criez parce que vous incarnez la grâce, vous êtes comme l'arbre dont les feuilles ne tombent jamais, vous êtes le palmier de notre patrie perdue ; criez parce que vous êtes le nombril du monde. Mes filles, vous mettre à l'écart du bruit du monde, du commerce des hommes et de leur verbe, est un travail sur soi, un sacrifice non sanglant, grâce auquel vous triompherez le moment venu quand vos hommes viendront s'agenouiller devant vous pour vous supplier de demeurer auprès d'eux et d'écouter enfin leur douleur et leur culpabilité. Ils vous diront exactement ces mots : "Ne mourez pas tout de suite, ne partez pas, attendez un peu avant de tout balancer au grand Créateur de l'Univers, pardonnez-nous de vous avoir maltraitées, violentées, ignorées et méprisées pendant tant d'années, nous sommes coupables de ne pas avoir écouté la voix de la sagesse : l'épouse chérie. Demeurez encore un peu, une semaine, une année, dix ans, même quelques nuits de plus, nous vous aimerons et vous protégerons." Mais ne les écoutez surtout pas. Résistez ! Rappelez-leur notre première prière, dites-leur que nous vaincrons la vie et les hommes, nous réussirons notre mort. Leur culpabilité de dernière minute ne doit pas vous attendrir, gardez tout pour la grande explication avec l'Inventeur du malentendu, l'amour, et le Créateur des hommes. »

Historien qui veut sauver ma vie de l'oubli, j'ai cessé d'enseigner aux filles le jour de ta naissance, j'ai abandonné la Cité des femmes de la Montagne-Blanche qui mangent leur verbe pour respecter ma promesse faite à ton père : « J'arrêterai d'enseigner le jour de la naissance de ton premier garçon. »

RÉALISATION : NORD COMPO À VILLENEUVE-D'ASCQ
IMPRESSION : NORMANDIE ROTO S.A.S À LONRAI
DÉPÔT LÉGAL : MARS 2017. N° 131290 (1700171)
IMPRIMÉ EN FRANCE